안중근 자료집 제26권

# 중국인 집필 안중근 소설 Ⅱ

## –영웅의 눈물

**편역자 신운용(申雲龍)**

한국외국어대학교 사학과 졸업
한국외국어대학교 대학원 사학과 졸업(문학박사)
한국외국어대학교 사학과 강사
(사)안중근평화연구원 책임연구원

**안중근 자료집 제26권**
**중국인 집필 안중근 소설 Ⅱ-영웅의 눈물**

1판 1쇄 펴낸날 | 2016년 03월 26일

기  획 | (사)안중근평화연구원
엮은이 | 안중근 자료집 편찬위원회

총  괄 | 윤원일
편역자 | 신운용

펴낸이 | 서채윤
펴낸곳 | 채륜
책만듦이 | 김미정·김승민·오세진
책꾸밈이 | 이현진·이한희

등  록 | 2007년 6월 25일(제2009-11호)
주  소 | 서울시 광진구 자양로 214, 2층(구의동)
대표전화 | 02-465-4650 | 팩스 02-6080-0707
E-mail | book@chaeryun.com
Homepage | www.chaeryun.com

책값은 뒤표지에 있습니다.
ISBN 979-11-86096-32-1 94910
ISBN 978-89-93799-84-2 (세트)

이 책은 '안중근 의사 전집 발간 연구사업'으로 서울특별시의 인쇄비 지원을 받아 만들었습니다.

안중근 자료집 제26권

# 중국인 집필 안중근 소설 II

## –영웅의 눈물

(사)안중근평화연구원

채륜
CHAE RYUN

## 발간사 _ 하나

안중근 의사의 삶과 교훈

 '안중근의사기념사업회'에서는 2004년부터 역사, 정치, 경제학자들과 일본어, 한문 번역 전문가들을 모시고 안중근전집발간위원회(위원장: 조광 교수, 고려대학교 명예교수)를 구성하여 안중근 의사와 관련된 자료를 모아 약 40여 권의 책으로 자료집을 발간하기로 하였습니다. 안중근 자료집 발간의 참뜻은 100년 후 안중근 의사가 오늘 우리에게 요구하는 시대정신을 확인하고 실천하는 계기를 만들자는 것입니다. 이를 위해 자료집 발간에 앞서 역사적 안중근과 오늘의 안중근정신을 확인하고 연구할 필요가 있다는 것을 자료집 발간위원들과 정치, 경제, 역사, 인권 등 여러 분야의 전문가들이 제언하고 동의하였습니다. 이에 따라 우리 사업회에서는 안중근 의사 의거와 순국 100주년을 준비하면서 10여 차례의 학술대회를 개최하였습니다. 특히 2008년 10월 24일에는 한국정치학회와 공동으로 한국외국어대학교에서 "안중근 의사의 동양평화론"을 주제로 학술대회를 하였고, 의거와 순국 100주년에 안중근 의사의 정신을 실천하기 위한 방안을 모색하는 국제학술대회를 개최하고 지속적으로 안중근 의사의 뜻을 실현하기 위한 연구 사업을 위해 노력하고 있습니다. 2004년 이후 학술대회 성과를 묶어 안중근 연구 총서 5권으로 이미 출판하였습니다. 특히 안중근 의사의 의거와 순국 100주년을 맞아 남북의 동포가 함께 개성과 여순감옥에서 안중근 의사를 기억하며 남북의 화해와 일치를 위해 노력하기로 다짐한 행사는 참으로 뜻깊은 사건이었습니다.
  역사를 기억하는 것은 역사적 사실로부터 미래를 지향하는 가치를 확인하는 것입니다. 일본 제국주의의 잔혹한 식민지 통치와 2차 세계대전의 잔혹한 역사적 잘못에 대해 이미 일본 국민과 학자들도 비판과 반성을 통해 동아시아 국가들과 화해를 시대적 가치로 제시하고 있습니다.

그럼에도 불구하고 한국현대사학회가 중심이 된 교과서포럼과 교학사 역사교과서 논쟁에서 보여준 식민지근대화론을 주장하거나 이에 동조하는 학자들, 특히 국사편찬위원장을 역임한 이태진 교수, 공주대학교 이명희 교수, 권희영 한국학중앙연구원 교수, 안병직, 박효종, 이인호, 유영익, 차상철, 김종석 교수 등이 보여준 언행은 비판받아 마땅하다고 생각합니다.

특히 "정신대는 일제가 강제동원한 것이 아니라 당사자들이 자발적으로 참여한 상업적 매춘이자 공창제였다."(교과서포럼 이영훈 교수), "그 시기(일제강점기)는 억압과 투쟁의 역사만은 아니었다. 근대 문명을 학습하고 실천함으로써 근대국민국가를 세울 수 있는 '사회적 능력'이 두텁게 축적되는 시기이기도 하였다."(박효종 교수)고 주장하며 분명한 사실조차 왜곡하려는 현대사학회와 교과서포럼의 구성원들에게 진심으로 안타까움을 넘어 인간적 연민을 갖게 됩니다.

안중근 연구 사업은 안중근 자료집이 역사적 사실에 한정되지 않고 우리 역사와 함께 진화하고 발전하기를 바라는 자료집 발간에 참가하는 위원들과 우리 사업회의 소망이 함께하고 있습니다. 2009년 안중근 의사 의거 100주년을 맞아 자료집 5권을 출판한 이후 많은 어려움으로 자료집 발간이 지체되는 것을 안타까워한 서울시와 서울시의회 의원들의 지원으로 자료집 완간을 위한 계획을 수립하게 되었습니다. 앞으로 순차적으로 40여 권의 자료집을 3년여에 걸쳐 완간할 것입니다.

저는 지난 85년부터 성심여자대학교(현재 가톨릭대학교와 통합)에서 〈종교의 사회적 책무〉라는 주제로 20여 년간 강의를 했습니다. 강의를 하면서 학생들로부터 새로운 시각과 신선함도 배우고 또한 학생들을 격려하며 자극하기도 했습니다. 새 학년마다 3월 26일 안중근 의사 순국일을 맞아 〈안중근 의사의 삶과 교훈〉을 학생들에게 강의하고 안중근 의사의 자서전, 공판기록 등 그와 관련된 책을 읽고 보고서를 제출토록 과제를 주고 이를 1학기 학점에 반영했습니다. 학생들은 누구나 숙제를 싫어하지만 학점 때문에 내 요구에 마지못해 응했습니다. 그런데 학생들의 보고서를 읽으면서 저는 큰 보람을 느끼곤 했습니다. 그중 큰 공통점은 거의 모든 학생들이 "안 의사에 대해서는 어린 시절 교과과정을 통해 일본의 침략자 이토 히로부미(伊藤博文)를 사살한 분 정도로만 알고 있었는데 그분의 자서전을 읽고는 그분의 투철한 신념, 정의심, 교육열, 사상, 체계적 이론 등을 깨달았고 무엇보다도 우리 민족의 선각자, 스승임을 새삼 알게 되었다"고 고백했습니다.

　　그렇습니다. 우리에게 귀감이 되고 길잡이가 되는 숱한 선현들이 계시지만 안중근 의사야말로 바로 지금 우리 시대에 우리가 되새기고 길잡이로 모셔야 할 스승이며 귀감입니다.

　　그러나 스스로 자신을 낮추며 나라와 겨레를 위해 목숨까지 바친 안 의사의 근본정신은 간과한 채 거짓 언론과 몇몇 무리들은 안 의사를 형식적으로 기념하면서 안 의사의 삶을 장삿속으로 이용하기만 합니다. 참으로 부끄럽고 가슴 아픈 일입니다. 그뿐 아니라 나라를 빼앗긴 피눈물의 과정, 일제의 침략과 수탈을 근대화의 계기라는 어처구니없는 주장을 감히 펼치고 있는 이 현실, 짓밟히고 삭제되고 지워지고 조작된 역사를 바로 잡기 위한 역사학도들의 피눈물 나는 노력과 뜻있는 동지들의 진정성을 아직도 친일매국노의 시각으로 훼손하고 자유당 독재자 이승만, 그리고 유신체제의 군부독재자 박정희 등 이들의 졸개들이 으쓱거리고 있는 이 시대는 바로 100년 전 안중근 의사가 고민했던 바로 그때를 반영하기도 합니다.

　　역사와 국가공동체 그리고 교회공동체의 모든 구성원들은 조선 침탈의 원흉 이토 히로부미를 안 의사가 제거하였다는 업적과 동양 평화와 나라의 독립을 위하여 헌신하시고 제안한 방안들을 얼마나 지키려 하였는지, 일본의 한국병탄(倂呑)에 동조하거나 협력하였던 외국인 선교사들을 거부하고 직접 하느님의 뜻을 확인하려하신 그 신앙심에 대하여 진심으로 같이 고백하였는지 이제는 깊게 반성하여야 합니다. 확인되지도 않는 일본인들 다수가 안 의사를 존경하는 것처럼 호도하고 안 의사의 의거의 정당성을 일본과 그에 협력하였던 나라들에게 당당하게 주장하지도 않았으면서 그 뜻을 받들고 있는 것처럼 때가 되면 모여서 묵념하는 것이야말로 역사를 모독하고 안 의사를 훼손하고 있다는 것도 이 기회에 함께 진심으로 반성하여야 합니다. 심지어 안 의사 연구의 전문가인 양 온 나라에 광고하면서 진정한 안 의사의 의거의 정당성과 사상과 그 생각을 실현하려는 방안을 하나도 제시하지 않고 있는 사람들의 속내를 과연 무엇이라고 해석하여야 합니까?

## 안중근 자서전의 공개과정과 내용

안중근은 의거 후 중국 여순 감옥에 갇혀 죽음을 앞두고 자신의 삶을 되돌아보면서 〈안응칠 역사〉를 기술하였습니다. 아직 원본은 발견되지 않았지만, 1969년 4월 일본 동경에서 최서면 씨가 한 일본인으로부터 입수한 〈안중근 자서전〉이라는 필사본과 1979년 9월 재일동포 김정명(金正明) 교수가 일본 국회도서관 헌정연구실 '7조 청미(七條淸美)' 문서 중에서 '안응칠 역사'와 '동양평화론'의 등사 합본을 발굴함으로써 더욱 명료해졌습니다(신성국, 의사 안중근(도마), 지평, 36~37, 1999).

우리 안중근의사기념사업회와 (사)안중근평화연구원에서는 안중근 자료집 발간과 함께 안중근 자서전을 새롭게 번역하여 출간할 계획입니다. 〈안중근 자서전〉은 한자로 기록된 문서로 한글번역 분량은 신국판 70여 쪽에 이르지만 해제를 덧붙여야하기에 그 두 배에 이를 것입니다. 안 의사는 감옥생활 5개월 동안 감옥에서 유언과 같은 자서전 〈안응칠 역사〉를 집필한 뒤 서문, 전감, 현상, 복선, 문답 등 5장으로 구성된 〈동양평화론〉의 서문과 전감은 서술하고 나머지 3개장은 완성하지 못한 채 순국하셨습니다.

안 의사는 자서전에서 출생과 성장과정(1879~1894) 등 15세 때까지의 회상을 서론과 같이 기술하고, 결혼, 동학당(東學黨)과의 대결, 갑신정변(1894), 갑오농민전쟁(1895)에 대한 청년시절 체험을 얘기하고 있습니다. 이어 그는 19세 때인 1897년 아버지와 함께 온 가족이 세례 받게 된 경위와 빌렘(J. Wilhelm, 한국명: 홍석구)신부를 도와 황해도 일대에서 선교에 전념하던 일을 증언하면서 특히 하느님 존재 증명방법과 그리스도를 통한 구원론, 각혼, 생혼, 영혼에 대한 설명, 하느님의 심판, 부활영생 등의 기본적 교리를 천명하고 있습니다. 이 증언을 통해 우리는 그의 돈독한 신앙과 19세기 말엽의 교리체계를 이해하고 확인할 수 있습니다.

안 의사는 빌렘신부를 도와 선교에 힘쓰면서 교회공동체나 주변의 억울한 사람들을 만나면 그들의 권리나 재산을 보호하기 위하여 스스로 위험을 감수하고 앞장섰습니다. 우리는 신앙인으로서 청년 안중근의 열정과 정의심을 몇 가지 사례를 통해 확인할 수 있습니다. 당시 서울의 세도가였던 전 참판 김중환(金仲煥)이 옹진군민의 돈 5천 냥을 빼앗아간 일이 있었는데 이를 찾아주기 위해 서울까지 가서 항의하고 꼭 갚겠다는 약속을 얻어내기도 했습니다. 또 다른 일은 해주 병영의 위관 곧 오늘의 표현으로는 지방군부대 중대장 격인 한원교(韓元校)가 이경주라는 교우의 아내와 간

통하여 결국 아내와 재산까지 빼앗은 횡포에 대해 법정투쟁까지 벌이면서 사건을 해결하려 했으나 결국 한원교가 두 사람의 자객을 시켜 이경주를 살해한 일을 회상하면서 끝내 한원교가 처벌되지 않는 불의한 현실을 개탄하였습니다. 안중근 의사의 이와 같은 정의감과 불의한 현실적 모순에 대한 그의 고뇌와 갈등을 우리는 여러 대목에서 확인할 수 있습니다. 이 자서전을 읽을 때마다 우리는 19세기 말 당시의 상황과 안중근 의사의 인간미를 새롭게 깨닫고 그의 진면목을 대하게 됩니다.

선교과정에서 안 의사는 무엇보다도 교육의 필요성을 절감하고 빌렘신부와 함께 뮈텔(G.Mutel, 한국명: 민효덕)주교를 찾아가 대학설립을 건의하는데 두 번, 세 번의 간청에도 불구하고 뮈텔은 "한국인이 만일 학문을 하게 되면 신앙생활에 좋지 않을 것이니(不善於信敎) 다시는 이러한 얘기를 꺼내지 말라"라고 거절했습니다. 고향으로 돌아오는 길에 안 의사는 뮈텔의 이러한 자세에 의노를 느끼며 마음속으로 "천주교의 진리는 믿을지언정 외국인의 심정은 믿을 것이 못된다" 하고 그때까지 배우던 프랑스어를 내던졌다고 술회하고 있습니다. 특히 교회공동체와 사제에게 가장 성실했던 신앙인 안 의사는 1907년 안 의사의 독립운동을 못마땅하게 여기며 독립투쟁을 포기할 때에만 비로소 성사생활을 할 수 있다면서 성사까지 거부했던 원산성당의 브레 사제(Louis Bret, 한국명: 백류사) 앞에서 당당하게 신앙을 증거하고 끝까지 독립운동을 지속했습니다. 당시 대부분의 선교사들이 일제에 영합하는 정교분리의 원칙에 따라 독립운동을 방해하고 반대하였음에도 불구하고 해외에서 무장투쟁을 펼치며 마침내 이토 히로부미를 주살하였습니다. 여기서 우리는 선교사의 한계를 뼈저리게 느끼며 하느님과의 직접적인 관계를 생각하셨던 안 의사의 신앙적 직관과 통찰력을 엿볼 수 있습니다. 특히 프랑스 사제들의 폐쇄적 자세와 인간적 한계를 극복한 성숙한 신앙인의 결단과 자세는 우리 모두의 귀감이며 사제와 주교 때문에 신앙이 흔들리는 우리 시대의 많은 형제자매들에게 안 의사는 참으로 든든한 신앙의 길잡이입니다.

일본의 침략이 노골화되자 안 의사는 가족과 함께 이주할 계획으로 상해를 방문했고 어느 날 성당에서 기도하고 나오던 길에 우연히 르각(Le Gac, 한국명: 곽원량) 신부를 만나 깨우침을 얻게 됩니다. 안 의사의 계획을 듣고 르각 신부는 프랑스와 독일의 국경지대인 알자스 지방을 예로 들면서 많은 이들이 그 지역을 떠났기에 다시는 회복할 수 없게 되었다고 설명하면서 만일 조선인 2천만 명이 모두 이주계획을 가지고 있다면 나라가 어떻게 되겠느냐 하면서 무엇보다도 ①교육 ②사회단체돕기 ③공동협심 ④실력양성을 해야 한다고 강조했습니다. 이에 안 의사는 진남포로 돌아와 돈의학교를 인수하고 야학 삼흥학교를 설립하여 후학을 위해 교사로서 봉사했습니다. 삼흥(三興)이란 국사민(國士民), 곧 나라와 선비와 백성 모두가 흥해야 한다는 그의 교육이념이기도 합니다. 또한, 안 의사는 국채보상운동에도 안창호와 함께 참여하고 스스로 사업도 하였으나 일본인들의 방해로 실패하게 됩니다.

그 후 1907년 정미 7조약으로 군대가 해산되고 경찰, 사법권 등 국가 권력이 일본에게 넘어가고 고종이 강제 퇴위를 당하자 일본의 한국의 보호와 동양 평화에 대한 주장이 한국을 일본의 식민지로 병탄하려는 의도라고 확신하고 독립군에 투신합니다. 독립군 시절 일본군인과 상인 등을 포로로 잡아 무장해제한 후 돌려보낸 일화는 유명합니다. 엄인섭 등 독립군들은 일본인 포로 2명을 호송하기도 어렵고 번거로우니 제거하자고 주장했으나 안중근은 독립군은 스위스 만국공법(萬國公法)을 지켜야 한다고 주장하며 공법에 따라 포로들을 관리할 수 없다는 이유로 이 둘을 석방했습니다. 이 일로 인해 위치가 노출되어 독립군부대는 일본군의 급습을 받고 완전히 괴멸되었습니다. 안 의사는 1달 반 동안 쫓기면서 여러 차례 죽을 고비를 넘깁니다. 이러한 과정에서 동행했던 2명의 동지들에게 세례를 베풀었고 죽을 고비마다 안 의사는 하느님께 전적으로 의탁하며 기도와 신앙으로 살아날 수 있었다고 기록하고 있습니다.

미완의 원고 〈동양평화론〉

이후 안 의사는 독자적으로 독립운동을 전개하다가 1909년 연추의 김씨댁 여관에서 11명의 동지들과 함께 대한독립의 결의를 다지며 자신의 손가락을 잘랐습니다. 안 의사는 이를 정천동맹(正天同盟)이라 했습니다. 하늘을 바로 세우고, 하늘 앞에서 바르게 살겠다는 서약이며 봉헌이었습니다. 그리고 이토 히로부미의 러시아 방문 소식을 접하고 그를 응징하기로 동지들과 계획하고 마침내 1909년 10월 26일에 하얼빈에서 침략자 이토 히로부미를 주살(誅殺)하였습니다. 이토 히로부미의 주살에 대하여 안 의사는 15가지의 죄상을 주장하였습니다. 그러나 그 근본적인 죄과에 대해 대한국의 독립국으로서의 지위 보장에 대한 명백한 약속 위반과 동양평화를 해치는 주범으로서 온 세상을 기만 죄로 죽음이 마땅하다고 주장하였습니다. 동양의 평화를 이루는 구체적인 방안들을 안 의사는 자신의 미완성의 원고인 동양평화론에서 제시하였습니다. 동양 삼국의 제휴를 통하여 평화회의 체제를 구성하고 상공업의 발달을 촉진하여 삼국의 경제적인 발전을 도모하고 이의 지원을 위하여 공동은행의 설립과 삼국연합군대의 창설과 교육을 통하여 백인들의 침략을 견제 대비하여야 진정한 세계평화를 유지할 수 있다고 제안 주장하였습니다. 어느 한 나라의 군사 경제적인 발전만으로는 평화와 발전이 불가능하다는 것을 안 의사는 간파하고 있었던 것입니다. 한나라의 강성함은 필히 주변국들과의 불화의 원인이 되므로 연합과 연대를 통하여 공동의 발전과 평화를 유지하기 위한 다자간 협력 체제와 이를 위한 국제기구의 필요성에 대해 안 의사는 강력한 소신을 가지고 있었던 세계 평화주의자였습니다. 국제적인 갈등의 해결 방법들을 제안한 안 의사의 생각을 읽으면 오늘 우리에게 부여되어있는 과제들을 돌아보게 됩니다. 분단의 해소를 통한 통일을 모두가 염원하고 있지만 그 구체적인 과정을 실천하기에는 아주 많은 난관을 우리 스스로 만들어 가고 있는 현실을 직면하게 됩니다. 남과 북의 대립, 그에 앞서 치유되지 않고 있는 지역, 계층 세대 간의 갈등과 반목이라는 부끄러운 현실 속에서 안 의사의 자서전을 대할 때마다 죄송스러움과 한계를 절감하게 됩니다.


### 신뢰를 지킨 빌렘사제


안 의사는 대한독립군 참모중장으로서 거사의 정당성과 이토 히로부미의 죄상을 밝히는 의연한 주장에도 불구하고 여순 감옥에서 일제의 부당한 재판을 통하여 사형을 선고받고 죽음을 앞두고 두 동생들을 통하여 뮈텔주교에게 성사를 집전할 사제의 파견을 요청하였습니다. 그러나 뮈텔주교는 '안 의사가 자신의 범죄를 시인하고 정치적인 입장을 바꾸도록' 요구합니다. 곧 독립운동에 대한 잘못을 스스로 시인해야만 사제를 파견할 수 있다고 이를 거절합니다. 더구나 여순의 관할 주교인 술래(Choulet)와 일본 정부의 사제 파견에 대한 동의가 있었음에도 불구하고 뮈텔주교의 입장은 완강하였습니다. 이에 빌렘신부는 스스로 뮈텔주교에게 여순으로 간다는 서신을 보내고 안 의사를 면회하여 성사를 집전하고 미사를 봉헌하였습니다. 이 일로 뮈텔주교는 빌렘신부에게 성무집행정지 조치를 내렸으나 빌렘신부는 뮈텔주교의 부당성을 바티칸에 제소하였고 뮈텔주교에게는 공식적 문서를 통하여 주교의 부당한 명령을 지적하고 죽음을 앞둔 신자에게 성사를 집행하는 것은 사제의 의무이며 권리임을 강조했습니다. 바티칸은 성사집행이 사제로서의 정당한 성무집행임을 확인하였습니다. 그러나 뮈텔과의 불화로 빌렘은 프랑스로 돌아가 안중근을 생각하며 여생을 마쳤습니다.

〈동양평화론〉의 저술을 마칠 때까지 사형 집행을 연기하기로 약속한 일본 법원의 약속 파기로 순국을 예견한 안 의사는 동생들에게 전한 유언에서 나라의 독립을 위하여 국민들이 서로 마음을 합하고 위로하며 상공업의 발전을 위하여 힘써 나라를 부강하게 하는 것이 독립의 초석임을 당부하시고 나라가 독립되면 기뻐하며 천국에서 춤을 출 것이라고 하였습니다. 사실 현재 우리나라는 부강해졌고 국민들의 소득 수준은 높아졌습니다. 그러나 부의 편중으로 가난한 사람들은 점점 늘어가고 일자리가 없는 사람들의 수는 정부 통계로도 그 수를 짐작하기가 어려운 실정입니다. 그런데 국론은 분열되어 있고 정책은 일관되게 부자들과 재벌들을 위해 한 쪽을 향해서만 달려가고 있습니다. 상식이 거부되고 있는 현실입니다. 안 의사가 다시 살아나 설득을 하신다면 과연 이들이 안 의사의 말씀에 귀를 기울이겠습니까?

역사는 반복이며 미래를 위한 창조적 길잡이라고 했습니다. 오늘도 안중근과 같은 의인(義人)을 박해하고 괴롭히는 또 다른 뮈텔, 브레와 같은 숱한 주교와 사제들이 엄존하고 있는 이 현실에 대해 후대에 역사는 과연 어떻게 평가하겠습니까?

십인십색이라는 말과 같이 사람의 생각은 늘 같을 수만은 없습니다.

그러나 함께 생각하고, 역사의 삶을 공유하는 것이 우리의 도리이기에 이 자료집을 만들어 우리시대 미완으로 남아있는 안중근 의사의 참뜻을 실현할 것을 다짐하고 후대 역사의 지침으로 남기려 합니다.

자료집 발간을 위해 도와주신 박원순 시장님과 서울시 관계자분들 그리고 서울시의회 새정치민주연합 전 대표 양준욱 의원님, 임형균 의원님에게 진심으로 감사드립니다. 10년을 넘게 자료집 발간을 위해 한결같은 마음으로 애쓰고 계시는 조광 교수님, 신운용 박사, 윤원일 사무총장과 자료집 발간에 참여하고 계시는 편찬위원들과 번역과 교정에 참여해 주신 모든 분들, 출판을 맡아준 채륜의 서채윤 사장님과 직원분들 모두에게 감사와 위로의 인사를 드립니다.

안 의사님, 저희는 부끄럽게도 아직 의사님의 유해를 찾지 못했습니다. 아니, 잔악한 일본인들이 안 의사의 묘소를 아예 없앤 것 같습니다. 그러나 이 책이 그리고 우리 모두의 마음이 안 의사를 모신 무덤임을 고백하며 안 의사의 열정을 간직하고 살기로 다짐합니다. 8천만 겨레 저희 마음속에 자리 잡으시어 민족의 일치와 화해를 위한 열정의 사도가 되도록 하느님께 전구해 주십시오.

안 의사님, 우리 겨레 모두를 돌보아주시고 지켜주소서.

아멘.

2016년 3월
안중근의사기념사업회, (사)안중근평화연구원 이사장
함 세 웅

발간사 _ 둘

"역사를 잊은 민족에게 미래는 없다."

역사는 현재를 살아가는 우리에게 거울과 같은 존재입니다. 우리는 지나온 역사를 통해 과거와 현재를 돌아보고 미래를 설계해야 합니다. 암울했던 일제강점기 우리 민족에게 빛을 안겨준 안중근 의사의 자료집 출간이 더욱 뜻 깊은 이유입니다.

107년 전(1909년 10월 26일), 만주 하얼빈 역에는 세 발의 총성이 울렸습니다.

전쟁에 몰입하던 일제 침략의 부당함을 전 세계에 알리고 나아가 동양의 평화를 위해 동양 침략의 선봉에 섰던 이토 히로부미를 안중근 의사가 저격한 사건입니다. 안중근 의사의 하얼빈 의거는 이후 수많은 독립운동가와 우리 민족에게 큰 울림을 주었고, 힘들고 암울했던 시기를 분연히 떨치고 일어나 마침내 조국의 광복을 맞이하게 했습니다.

그동안 독립 운동가들의 활동상을 정리한 문집들이 많이 출간되었지만, 안중근 의사는 뛰어난 업적에도 불구하고 관련 자료가 중국과 일본, 러시아 등으로 각각 흩어져 하나로 정리되지 못하고 있었습니다.

이번에 발간되는 『안중근 자료집』에는 안중근 의사의 행적과 사상, 그 모든 것이 집대성되어 있습니다. 이 자료집을 통하여 조국의 독립과 세계평화를 위해 일평생을 바친 안중근 의사의 숭고한 희생정신과 평화정신이 대한민국 전 국민의 가슴에 깊이 아로새겨져 우리 민족의 미래를 바로 세울 수 있는 밑거름이 될 수 있기를 기원합니다.

2016. 3
서울특별시장 박 원 순

## 발간사 _ 셋

역사 안에 실재하는 위인을 기억하는 것은 그 삶을 재현하고 실천하는 것입니다.

지금 우리 시대 가장 존경받는 분은 안중근 의사입니다.

특히 항일투쟁기 생존했던 위인 중 남북이 함께 기억하고 있는 유일한 분이기도 합니다.

그것은 "평화"라는 시대적 소명을 실천하자는 우리 8천만 겨레의 간절한 소망이 담긴 징표라고 저는 생각합니다.

안중근 의사는 20세기 초 동양 삼국이 공존할 수 있는 평화체제를 지향했고 그 가치를 훼손하고 힘을 앞세워 제국주의 질서를 강요하는 일제를 질타하고 이토 히로부미를 주살했습니다.

안중근 의사 의거 100년이 지난 지금 중국대륙에서 새롭게 안중근을 조명하고 있습니다. 그것은 100여 년 전 동양을 위협했던 제국주의 세력이 다시 준동하고 있다는 증거이며 안중근을 통해 공존의 아름다운 가치를 회복하자는 다짐입니다.

안중근 의사는 동양평화론을 저술하기 전에 "인심단합론"이라는 글을 남기셨습니다.

지역차별과 권력 그리고 재력 등 개인과 집단의 상대적 우월을 통해 권력을 행사하거나 집단을 통제하려는 의지를 경계하신 글입니다. 그런 행위는 공동체를 분열하고 해체하는 공공 악재가 되기 때문에 이를 경계하라 하신 것입니다.

해방 이후 지난 70년 우리 사회는 끊임없는 갈등과 분열을 경험하고 있습니다. 이런 상황을 문제로 인식하고 해결하려는 의지를 공동체가 공유하기보다 당연한 결과로 받아들이며 갈등과 분열을 사회 유지 수단으로 이용하고 있습니다.

사회구성원으로 살아가는 한 개체로서 인간은 자신의 의지와 관계없이 역사와 정치 이념의 영향을 받게 됩니다. 안중근 의사는 차이를 극복하고 서로 존중하는 공동체 유지 방법을 "인심단합론"이라 했습니다. "동양평화"는 그를 통해 이루어지는 결과입니다.

우리 사회는 민주화와 경제화 과정에 있습니다.

미완의 제도들은 갈등의 원인으로 작용하고 있으며 아름다운 공동체를 위해 많은 문제를 해결해야 한다는 것을 모두 알고 있습니다.

오늘은 어제의 결과이며 미래의 모습입니다. 지난 역사와 그 안에 실재했던 우리 선열들의 가르침은 우리에게 많은 지혜를 알려 주고 있습니다. 그 중에도 "안중근"이 우리에게 전하려는 "단합"과 "평화"는 깊이 숙고하고 논의를 이어가야 할 우리 시대 가치입니다.

안중근 의사의 독립전쟁과 공판투쟁 등 그분의 모든 행적을 담은 자료를 모아 자료집으로 만들어 우리 시대 자산으로 삼고 후대에 전하는 일에 기꺼이 동참해 오늘 작은 결실을 공동체와 함께 공유하게 되었습니다. 앞으로 이보다 더 많은 자료를 엮어 발간해야 합니다. 기쁜 마음으로 함께 결실을 거두어 낼 것입니다.

안중근 자료집 발간을 통해 많은 분들이 안중근 의사의 나라의 독립과 민족의 자존을 위해 가졌던 열정과 결단을 체험하고 우리 시대 정의 실현을 위해 헌신할 것을 다짐하는 계기가 되기를 바랍니다.

10년이 넘도록 안중근 자료집 발간을 위해 애쓰고 계시는 안중근의사기념사업회, (사)안중근평화연구원 이사장 함세웅 신부님과 임직원 여러분들에게 진심으로 존경과 감사의 인사를 드립니다.

서울특별시의회 새정치민주연합 전 대표의원
양 준 욱

## 편찬사

안중근은 1909년 10월 26일 하얼빈에서 대한제국의 침략에 앞장섰던 이토 히로 부미를 제거해서 국가의 독립과 동양평화에 대한 의지를 드높인 인물이다. 그에 대한 연구는 한국독립운동사 연구에 있어서 중요한 부분을 이루고 있으며, 그의 의거는 오늘날까지도 남북한 사회에서 적극적 의미를 부여받고 있다. 안중근의 독립투쟁과 그가 궁극적으로 추구했던 평화에 대한 이상을 밝히는 일은 오늘을 사는 우리 연구자들에게 공통된 과제이다.

안중근이 실천했던 일제에 대한 저항과 독립운동은 5백 년 동안 닦아온 우리 민족문화의 특성을 가장 잘 나타내주고 있다. 조선왕조가 성립된 이후 우리는 문치주의를 표방하며 문민(文民)들이 나라를 다스렸다. 그러나 개항기 이후 근대 우리나라 사회에서는 조선왕조가 유학사상에 바탕한 문치주의를 장려한 결과에 대한 반성이 일어나기도 했다. 문치주의로 나라는 이른바 문약(文弱)에 이르게 되었고, 그 결과로 나라를 잃게 되었다는 주장이 제기된 것이었다.

그러나 조선왕조가 표방하던 문치주의는 불의를 용납하지 않고 이욕을 경시하면서 정의를 추구해 왔다. 의리와 명분은 목숨만큼이나 소중하다고 가르쳤으며, 우리의 정통 문화를 지키는 일이 무엇보다도 중요함을 늘 일깨워주었다. 이러한 정신적 경향은 계급의 위아래를 떠나서 삼천리강산에 살고 있던 대부분의 사람들의 심중에 자리잡은 문화적 가치였다. 그러므로 나라가 위기에 처했을 때, 유생들을 비롯한 일반 농민들까지도 의병을 모두어 침략에 저항해 왔다. 그들은 단 한 번 무기를 잡아본 적이 없었다. 그렇다 하더라도 우리나라에 대한 상대방의 침입이 명분 없는 불의한 행위이고, 사특한 움직임으로 규정될 경우에는 유생들이나 농민지도자들이 의병장으로 일시에 전환하여 침략에 목숨을 걸고 저항했다. 일반 농민들도 군사훈련을 받지 않은 상태임에도 불구하고 자신의 몸을 던져 외적의 침입에 맞서고자 했다.

그러나 엄밀히 말하자면, 글 읽던 선비들이 하루아침에 장수가 될 수는 없었던 일이며, 군사훈련을 받지 않은 사람을 전선으로 내모는 일은 살인에 준하는 무모한 행동으로 비난받을 수도 있었으나 이러한 비난은 우리 역사에서 단 한 번도 일어나지 않았다. 그 까닭은 바로 문치주의에서 강조하던 정의와 명분은 사람의 목숨을 걸 수 있을 만큼 소중한 것으로 보았기 때문이다.

우리는 안중근에게서 바로 이와 같은 의병문화의 정신적 전통이 계승되고 있음을 확인하게 된다. 물론 전통시대 의병은 충군애군(忠君愛君)을 표방하던 근왕주의적(勤王主義的) 전통이 강했다. 안중근은 전통 유학적 교육을 통해 문치주의의 향기에 접하고 있었다. 그는 무인(武人)으로서 훈육되었다기보다는 전통적인 문인(文人)으로 교육받아 왔다. 또한 안중근은 천주교 입교를 통해서 유학 이외의 새로운 사조를 이해하기 시작했다. 안중근은 전통적 근왕주의를 뛰어넘어 근대의 세례를 받았던 인물이다. 그의 혈관에는 불의를 용납하지 않고 자신을 희생하여 정의를 세우고자 했던 의병들의 문화전통과 평등이라는 가톨릭의 정신이 흐르고 있었다. 이 때문에 안중근의 생애는 전통적인 의병이 아닌 근대적 독립운동가로 규정될 수 있었다.

안중근은 우리나라의 모든 독립운동가들에게 존경의 대상이 되었다. 그는 독립운동가들에게 '역할 모델(role model)'을 제공해 주고 있다. 그의 의거는 한국독립운동사에 있어서 그만큼 큰 의미를 가지고 있었다. 그렇다면 해방된 조국에서 그에 관한 학문적 연구도 본격적으로 착수되어야 했다. 그러나 안중근에 관한 연구는 다른 독립운동가에 비교해 볼 때 체계적 연구의 시기가 상대적으로 뒤늦었다. 그 이유 가운데 하나는 『안중근 전집』이나 그에 준하는 자료집이 간행되지 못했던 점을 들 수도 있다. 돌이켜 보건대, 박은식·신채호·안창호·김구·이승만 등 주요 독립운동가의 경우에 있어서는 일찍이 그분들의 저작집이나 전집들이 간행된 바 있었다. 이러한 문헌자료의 정리를 기초로 하여 그 독립운동가에 대한 본격적 연구가 가능하게 되었다. 그러나 안중근은 아직까지도 『저작전집(著作全集)』이나 본격적인 『자료집』이 나오지 못하고 있다. 이로 인하여 안중근에 대한 연구가 제한적으로밖에 이루어지지 못하고 있다. 그리고 안중근에 대한 본격적 이해에도 상당한 어려움이 따르게 되었다.

물론 안중근의 『자서전』과 그의 『동양평화론』이 발견된 1970년대 이후 이러한 안중근의 저술들을 중심으로 한 안중근의 자료집이 몇 곳에서 간행된 바도 있다. 그리고 국사편찬위원회 등 일부 기관에서는 한국독립운동사 자료집을 간행하는 과정에서 안중근의 재판기록을 정리하여 자료집으로 제시해 주기도 했다.

그러나 안중근에 대한 연구 자료들은 그 범위가 매우 넓다. 거기에는 안중근이 직접 저술하거나 집필했던 문헌자료들이 포함된다. 그리고 그는 공판투쟁과정에서 자신의 견해를 분명히 제시해 주고 있다. 따라서 그에 대해 알기 위해서는 그가 의거 직후 체포당하여 받은 신문 기록부터 재판과정에서 생산된 방대한 양의 기록들이 검토되어야 한다. 또한 일본의 관인들이 안중근 의거 직후 이를 자국 정부에 보고한 각종 문서들이 있다. 여기에서도 안중근에 관한 생생한 기록들이 포함되어 있다. 그리고 안중근 의거에 대한 각종 평가서 및 정보보고 등 그와 그의 의거에 관한 기록은 상당 분량에 이른다.

안중근 의거 직후에 국내외 언론에서는 안중근과 그 의거에 관해 자세한 내용을 경쟁적으로 보도하고 있었다. 특히 국내의 주요 신문들은 이를 보도함으로써 의식 무의식적으로 문치주의적 의병정신에 동참하고 있었다. 안중근은 그의 순국 직후부터 우국적 언론인의 탐구대상이 되었고, 역사학자들도 그의 일대기와 의거를 연구하여 기록에 남겼다. 이처럼 안중근에 관해서는 동시대를 살았던 독립운동가들과는 달리 그의 행적을 알려주는 기록들이 무척 풍부하다.

앞서 말한 바와 같이, 개항기 이래 식민지강점기에 살면서 독립을 위해 투쟁했던 주요 독립운동가들의 전집이나 자료집은 이미 간행되어 나왔다. 그러나 그 독립운동가들이 자신의 모델로 삼기 위해 노력했고 존경했던 안중근 의사의 자료집이 전집의 형태로 간행되지 못하고 있었다. 이는 그 후손으로서 안중근을 비롯한 독립 선열들에게 대단히 면목 없는 일이었다. 따라서 안중근 전집 내지 자료집의 간행은 많은 이들에게 대단히 중요한 과제로 남게 되었다.

이 상황에서 안중근의사기념사업회 산하에 안중근연구소가 발족한 2005년 이후 안중근연구소는 안중근 전집 내지 자료집의 간행을 가장 중요한 과제로 삼았다. 그리하여 2005년 안중근의사기념사업회 안중근연구소는 전집간행을 준비하기 시작했다. 그 과정에서 안중근연구소는 안중근 연구를 필생의 과업으로 알고 있는 신운용 박사에게서 많은 자료를 제공받아 이를 중심으로 하여 전집 간행을 위한 가편집본 40여 권을 제작하였다. 그리고 이렇게 제시된 기본 자료집에 미처 수록되어 있지 못한 별도의 자료들을 알고 있는 경우에는 그것을 제공해 달라고 연구자들에게 요청했다. 한편, 『안중근 자료집』에는 해당 자료의 원문과 탈초문 그리고 번역문의 세 가지를 모두 수록하며, 원문의 교열 교감과 번역과정에서의 역주작업을 철저히

하여 가능한 한 완벽한 자료집을 간행하기로 의견을 모았다.

안중근의사기념사업회에서는 안중근연구소의 보고에 따라 그 자료집이 최소 25책 내외의 분량에 이를 것으로 추정했다. 또한 자료집 간행이 완간되는 목표 연도로는 안중근 의거 100주년에 해당되는 2009년으로 설정했다. 안중근의사기념사업회는 이 목표를 달성하기 위해 백방으로 노력했다. 그러나 안중근 자료집의 간행이라는 이 중차대한 작업에 대한 국가적 기관이나 연구재단 등의 관심에는 큰 한계가 있었다. 안중근의사기념사업회는 정리비와 간행비의 마련에 극심한 어려움을 겪고 있었다. 이 어려움 속에서 안중근 의거와 순국 100주년이 훌쩍 지나갔고, 이 상황에서 안중근의사기념사업회는 출혈을 각오하고 자력으로라도 『안중근 자료집』의 간행을 결의했다. 자료집을 순차적으로 간행하기로 하였다.

이 자료집의 간행은 몇몇 분의 특별한 관심과 노력의 소산이었다. 먼저 안중근의사기념사업회, (사)안중근평화연구원 이사장 함세웅 신부는 『안중근 자료집』 간행의 비용을 마련하기 위해 많은 노력을 기울였다. 무엇보다도 이 자료집의 원사료를 발굴하여 정리하고 이를 번역해서 원고를 제공해준 신운용 박사의 노고로 이 자료집은 학계에 제시될 수 있었다. (사)안중근평화연구원 부원장 윤원일 선생은 이 간행작업의 구체적 진행을 위해 수고를 아끼지 않았다. 안중근의사기념사업회의 일에 깊은 관심을 가져준 여러분들도 『안중근 자료집』의 간행을 학수고대하면서 격려해 주었다. 이 모든 분들의 선의가 모아져서 2010년 5권이 발간되었으나 더 이상 진척되지 못하고 있었다. 여러 어려움으로 자료집 발간이 지체되는 것을 안타깝게 여긴 박원순 서울시장님과 서울시의회 새정치민주연합 전 대표 양준욱 의원님과 임형균 의원님을 비롯한 서울시의원님들의 지원으로 자료집 발간 사업을 다시 추진하게 되었다. 이 자리를 빌려 서울시 역사문화재과 과장님과 관계자들 서울시의원님들에게 심심한 감사의 인사를 드린다. 앞으로 이 자료집은 많은 분들이 도움을 자청하고 있어 빠른 시간 내에 완간될 것이라 생각한다. 이 자료집 발간에 기꺼이 함께한 편찬위원 모두의 마음을 모아 안중근 의사와 순국선열들에게 이 책을 올린다.

광복의 날에
안암의 서실(書室)에서
안중근 자료집 편찬위원회 위원장
조 광

# 『중국인 집필 안중근 소설 II-영웅의 눈물』 해제

신운용*

**목차**

1. 들어가는 말
2. 『성세소설 영웅루(醒世 小說 英雄淚)』의 간행 목적과 저자
3. 『성세소설 영웅루(醒世 小說 英雄淚)』의 구성과 내용
4. 맺음말

## 1. 들어가는 말

1909년 10월 26일 중국 하얼빈에서 이루어진 안중근의거는 중국인에게 크나큰 충격을 주었다. 이 충격은 크게 언론과 연극 그리고 문학 등의 방면에서 집중적으로 표출되었다. 언론에서는 당시 대표적인 신문인 『민우일보』·『신보』 등을 중심으로 의거과정과 재판이 상세하기 조명되었다.

소설과 함께 대중에게 큰 영향을 미치는 연극 공연에서 안중근의 중요한 소재였다. 중국 최초의 안중근 연극은 1910년 말 임천지(任天知)가 상해에서 설립한 진화단(進化團)의 『안중근이 이토 히로부미를 죽이다(安重根刺殺伊藤博文)』로 알려졌는데, 손문이 이를 "이 역시 학교"라고 평하였다.[1] 1915년 귀주에서 달덕학교(達德學校)를 창립한 황제생이 안중근연극을 하였다.[2] 1919년에는 팽배(彭湃)는 "해풍백화극사(海豊白話劇社)를 설립하여 첫 작품으로 안중근을 소재로 한 「조선망국한(朝鮮亡國恨)」을 무대에 올렸다. 이후 안중근을 소재로 한 연극은 1920년 조주(潮州) 조안현(潮安

---

\* (사)안중근평화연구원 책임연구원.
1 劉秉虎 『東北亞和平與安重根』, 万卷出版公司, 2006, 80쪽.
2 戴問天, 「以音乐、戏剧教育大众 : 陶行知先生教育实践的一个重要侧面」, 『歌劇』雜誌, 2009.

縣)의 개원사(開元寺)에서 5·1절 경축 연극으로『안중근이 이등박문을 격살하다(安重根刺殺伊藤博文)』가 공연되었다.[3] 또한 5·4"운동 1주년기념대회에서 조주청년도서사(潮州靑年圖書社)가『안중근이 이토를 죽이다(安重根刺殺伊藤)』를 무대에 올렸다.[4]

그리고 고무위(顧無爲) 등이 조직한 도사(導社)도 1920년~1925년에 무한 등에서『안중근이 이토를 죽이다(安重根刺殺伊藤)』를 공연하였다.[5] 이외 많은 곳에서 안중근 연극이 공연되었는데, 주은래(周恩來)와 등영초(鄧穎超)가 천진에서 공연한『안중근(安重根)』은 널리 알려져 있다.

문학 분야에서는 크게 전기류와 소설류로 분류하여 살펴볼 수 있다. 전기류로는 쌍영(雙影)의『망국영웅지유서』[6], 자필(資弼)의『안중근외전』[7], 정원(鄭沅)의『안중근』[8]등을 들 수 있다.

소설류는 이 자료집에 실린 냉혈생의『성세소설 영웅루』가 대표적인 작품이라고 할 수 있다. 이외에 해구(海欧漚)의『애국원앙기(愛國鴛鴦記)』[9], 예질지(倪軼池)·정병해(莊病骸)의『망국영(亡國影)』[10], 양록인(楊鹿因)의『회도조선망국연의(繪圖朝鮮亡國演義)』[11]의 소설이 안중근을 다루고 있다.

그런데 안중근의거에 대한 동북삼성 청국인들의 반응은 대단히 뜨거웠다. 이는 중국최초의 안중근 관련 소설인『성세소설 영웅루』가 1911년 심양의 동지회를 배경으로 한 사실에서 증명된다. 이 소설의 의미는 유명 소설가 소군(蕭軍)이 자신의 아버지가『성세소설 영웅루』를 읽고서 "안중근의사를 봐라, 자기와 담략이 있는 사나이 대장부가 아니냐! 너라면 그렇게 할 수 있느냐!"고 할 정도였고 소군 자신도 "안

---

**3** 潮州風情『闖過開元』(http://www.csfqw.com/html/49/200504221454049957.html.).

**4** 陳韩星主編, 앞의 책, 507쪽.

**5** 武漢地方誌編纂委員會主編,『武漢市誌·文化誌』,「武漢(話)劇團、社一覽表」, 武漢大學出版社, 1998年 2月 第1版, 155쪽.

**6** 雙影,「亡國英雄之遺書」,『禮拜六』, 1916.

**7** 資弼,「安重根外傳」,『小說新報』, 1919.

**8** 윤병석,『安重根傳記全集』, 국가보훈처, 1999.

**9** 해구(海欧漚),「애국원앙기(愛國鴛鴦記)」,『萬權素』7, 1914; 문정진,「중국 근대소설과 안중근(安重根)」,『안중근 연구의 기초』, 안중근의사기념사업회, 경인문화사, 2009; 류창진,「한국 소재 中國 近代小說 속의 韓國 認識과 時代 思惟」,『중국소설논총』19, 한국중국소설학회, 2004, 참조.

**10** 예질지(倪軼池)·정병해(莊病骸),「망국영(亡國影)」, 上海 國華書局, 1915. 문정진,「중국근대소설과 안중근(安重根)」,『안중근연구의 기초』(안중근의거 100주년 기념연구논문집 2), (사)안중근평화연구원, 2010, 418~495쪽, 참조.

**11** 양진인 지음·임홍빈 옮김,『조선은 이렇게 망했다: 근대 격동기 지식인의 입체적 역사소설』1-2, 알마출판사, 2015; 柳昌辰,「繪圖朝鮮亡國演義」小考,『中國小說論叢』21집, 2005 참고.

중근의사를 숭배하는 점은 우리부자가 한 마음이었다."라고 회상하면서 "아들에게 안중근과 같은 인물이 되라"라고 한 데서도 알 수 있다[12]

이러한 점에서 『성세소설 영웅루』를 안중근 관계 자료의 일환으로 선정하여 이 책에 번역본과 탈초본 그리고 원본을 편철하였음을 밝혀둔다. 아울러 앞으로 자세히 설명되겠지만 1914년도 판본 『수상 영웅루 국사비 전집』의 『성세소설 영웅루』과 1919년도 판본 『회도 성세 소설 국사비 영웅루 합각(繪圖 醒世 小說 国事悲 英雄淚 合刻)』의 「성세소설영웅루(醒世小說英雄淚)」도 일반에제공하기 위해 이 책에 수록하였다.

## 2. 『성세소설 영웅루(醒世 小說 英雄淚)』의 간행 목적과 저자

1911년 봄에 출간된 것으로 보는 『성세소설 영웅루』[13]는 현재까지 저자가 누구인지 알려져 있지 않다. 다만 필명이 냉혈생인 점이 확인되었을 뿐이다.

윤병석은 『성세소설 영웅루』의 필자를 박은식이라고 보고 있다. 그는 그 근거로 하와이 대학에 소장되어 있는 『재외배일선인유력자명부』에 『성세소설 영웅루』가 박은식의 저작으로 되어 있다는 점, 이 소설의 역사적 배경과 전개가 『한국통사』와 『안중근전』을 대본으로 삼은 '한국명망의 원인'으로 간주되는 점, 박은식이 1915년 발간된 『한국통사』에서 박은식의 『영웅루 국사비』를 일제총독부가 금서로 지목하여 수색 압수하여 불태운 목록에 들어 있다는 점, 이 소설의 자서(自序)의 필체가 박은식의 간찰 필체를 방불하여 그의 필적일 가능성이 크다는 점, 이 소설의 목적이 박은식의 '국민교화'와 같다는 점 등을 들고 있다.[14]

그러나 『재외배일선인유력자명부』에 박은식의 저서 목록에 『영웅루』가 언급되어 있지만, 이는 일제의 착각일 가능성이 대단히 높다. 왜냐하면 다음에서 보듯이 윤병석의 주장대로 『성세소설 영웅루』를 박은식의 작품이라고 단정할 수 없기 때문이다.

　　　서(敍)

---

**12** 徐塞, 「蕭軍的文學道路」, 『문학평론』 11, 中國社會科學出版社, 1982, 163쪽.
**13** 글쓴이는 이를 '1911년도 판본'이라고 편의상 명명하고자 한다.
**14** 윤병석, 「박은식의 민족운동과 한국사 저술」, 『한국사학사학보』 6, 2002, 89쪽.

그 나라의 국민을 새롭게 하려면 먼저 그 나라의 소설을 새롭게 만들어야만 한다. 소설이란 사람들의 기재를 진작시키고 은미한 사람들에게 감동을 주는 것이다. 경술년 가을(8월) 일본이 한국을 합병하였다. 이는 중국 봉천성(奉天省, 즉 지금의 요령성)의 운명과 관계되는 중대한 일이다. 중국 존망이 경각에 달려 있다. 이 문제는 또한 중국 지사들에게 크나큰 충격을 주었다. 급히 나라를 보존할 방책을 세워야 한다.

우리 학교 동문이 이에 느낀 바가 있어 동지회를 설립하여 나에게 민기를 고취하는 소설을 써보라고 하였다. 나는 스스로 천박하고 고루하여 부끄럽기 짝이 없고, 이런 일을 감당할 능력도 없다. 동지들이 나에게 소설을 쓰라고 진정으로 청하므로 한국 멸망 원인을 찾아서 이 책을 쓰게 되었다. 그리하여 곧바로 석판으로 인쇄를 하였다. 우리나라의 여러 동지들이 이 책을 읽게 되면 열성적인 애국심이 불러일으켜질 것이다. 단연코 그러할 것이다.

여기에서 알 수 있듯이, 『성세소설 영웅루』의 저자는 양계초의 소설론[15]을 계승하여 소설의 시대적 사명을 중국인들을 계몽시키는 중요한 수단으로 보고 있다는 점, 이 소설 속 주인공의 활동 무대가 지금의 요령성이라는 점, 대한제국과 청국 동북삼성을 순치관계로 인식하고 있다는 점, 1910년 일제의 한국병탄을 크나큰 위기의식으로 받아들이고 있는 점, 같은 학교 출신의 동문으로 구성된 동지회의 권유로 대한제국의 멸망을 중국의 타산지석으로 삼기 위해 이 소설을 썼다는 점 등에서 한국인 박은식의 시각이 아니라 중국인의 시각이 반영되어 있다는 점이다.

무엇보다 이 소설 저자의 의식세계를 판단하는 데 있어 한국관은 대단히 중요하다. 이 소설에서 저자는 대한제국을 "청나라의 속국"이라고 인식하고 있다.[16] 윤병석이 『성세소설 영웅루』의 저자가 박은식이라는 주장이 옳다면 박은식은 대한제국을 청국의 소국으로 인식하고 있는 것이다. 하지만 박은식이 이 시기에 대한제국을 청의 속국으로 인식하고 독립운동을 펼쳤을 가능성은 거의 없다고 보는 것이 타당하

---

**15** 양계초는 「論小說與群治之關係」에서 "민중을 다스리는 방법을 개혁하려면 반드시 소설계부터 혁명을 시작해야 한다. 백성을 새롭게 하고자 한다면 반드시 소설을 새롭게 하는 것부터 시작해야 한다."고 주장하였다. 이는 이 소설의 서와 일치하는 것이다. 이점에서 냉혈생은 양계초의 소설론을 계승한 것으로 보아야 한다. 이에 대해서는 문정진, 「19세기말 애국적 담론과 신소설의 정체성」, 『중국어문논역총간』 5, 중국어문논역학회, 2000, 참조.
**16** 신운용 편역, 『중국인 집필 안중근 소설 Ⅰ-영웅의 눈물』(안중근 자료집 25), (사)안중근평화연구원, 2016, 15쪽.

다. 결국 이 소설은 중국인을 대상으로 한 중국인을 위한 소설이라는 점에서 윤병석의 주장은 신빙성이 전혀 없다고 봐야 한다.

이러한 점에서 이 소설의 필자에 대해 황재문은 양계초와의 관련성과 소설의 내용을 들어 박은식일 가능성이 완전히 없는 것으로 보고 있다.[17] 그리고 박재연은 계림 냉혈생(鷄林 冷血生)이라는 필명의 계림이 길림(吉林)과 같이 '지린'이라고 발음하고 있다는 점을 들을 저자가 길림출신이라고 주장하고 있다.[18] 이와 관련하여 김시준은 계림향(鷄林鄕)이라는 지명이 흑룡강성에도 있다는 점에서 저자의 출신을 길림이라고 특정 지울 수 없다고 하면서도 동북지역의 인사일 것이라고 주장하였다.[19]

이상에서 보았듯이, 이 소설의 저자는 박은식일 가능성은 극히 낮다. 정확히 저자가 누구인지 특정할 수 없지만, 분명한 점은 중국 동북 방언이 소설에 보인다는 점에서 중국 동북삼성 출신이거나 적어도 이곳에서 활동하면서 같은 학교 출신의 동지회의 일원이라는 사실이다.

무엇보다도 이 소설이 청대에 민간에서 유행한 민간공연의 대본으로 강창(講唱)문학의 한 분야인 고사(鼓詞) 형식을 띠고 있다는 점도 주목해야 한다. 이는 한국의 판소리와 같이 민간에 공연된 대본을 냉혈생이 강창 소설로 정리한 것임을 의미한다. 다시 말해 이 소설은 특정 소설가의 작품이라기보다도 청국 동북삼성 사람들의 현실인식을 반영하고 있는 작품이라고 할 수 있다. 다만 냉혈생이 이를 정리하여 출간한 것으로 볼 수 있다.

그런데 여기에서 주목할 점은 『성세소설 영웅루』는 1914년과 1919년 두 번에 걸쳐 다시 출간되었다는 사실이다. 1914년에 출간된 『성세소설 영웅루』는 『수상 영웅루 국사비 전집』에 포함되어 '학림[20] 냉혈생저 성세소설 영웅루 상해광익서국(廣益書局) 총발간'이라는 표제로 간행되었다.[21] 1911년도 판본과 삽화·내용은 거의 같고 다만 글자의 배열 차이가 있을 뿐인 이 소설이 1914년 10월 4일 다시 간행되었다는 사실은 「서」의 말미에 민국삼년세차갑인중추냉혈생자서(民國三年歲次甲寅仲秋冷血生自序

---

**17** 황재문, 「서간도 망명기 박은식 저작의 성격과 서술방식」, 『진단학보』 98, 2004, 162~164쪽.
**18** 박재연 교점, 『영웅루』, 학고방, 1995, 1~2쪽.
**19** 김시준, 「중국문학작품에 묘사된 한국독립군의 항일투쟁」, 『한반도와 만주의 역사문화』, 서울대학교 출판사, 2003, 234~236쪽.
**20** 1911년에는 계림으로 되어 있고 1919년본에는 계림·학림이라는 표기는 없다.
**21** 일본외교사료관, 『新聞雜誌出版物等取締關係雜件』第二卷(문서번호: 1.3.1-4).

自序)라고 한 기술에서 확인된다.

이 소설이 다시 간행되자, 일제는 다음과 같은 1915년 7월 2일자 보고서에서 보는 바와 같이 민감하게 반응하였다.

지나 출판물손부의 건

수상 영웅루 국사비 전집전 8책

위 출판물은 일본의 한국병합[22]과 러시아의 폴란드병합을 설명하면서 이권의 옹호를 주장하고 있다. 특히 안중근이 이토공을 살해한 기술을 하여 전체적으로 배일 목적의 저술임이 인정된 바, 상해에서 대련 지나 서점으로 온 것을 발견하였는데 이는 공안을 해치는 것으로 인정되어 그 발매를 금하고 압수하였으므로 참고로 한 부를 보낸다.[23]

1919년도 판본은 『회도 성세 소설 국사비 영웅루 합각(繪圖 醒世 小說 国事悲 英雄淚 合刻)』라는 전집에 『성세소설영웅루(醒世小說英雄淚)』라는 제목으로 합철되어 있다.[24] 저자가 교육계에 몸담고 있다는 점, 이 소설의 출간이 대한제국의 멸망을 타산지석으로 삼기 위한 동지회의 권유에 따른 것이라는 1911년도 판본·1914년도 판본의 내용은 1919년도 판본에서도 확인되고 있다.

그러나 19119년도 판본과 1914년도 판본에서는 기술되지 않은 "저작기간이 3개월여"라는 점, "교정을 한 인물이 경동인(經同人) 진군(陳君)" 즉 경동 출신의 성이 진씨라는 점은 1919년도 판본에서만 확인된다. 구체적으로 진씨가 누구인지 알 수 없으나 냉혈생이 봉천지역 교육계에서 활동하는 동지회를 배경으로 진씨의 도움을 받아 이 소설을 완성하였다는 점은 분명하다.

그런데 『회도 성세 소설 국사비 영웅루 합각(繪圖 醒世 小說 国事悲 英雄淚 合刻)』 출

------

**22** 병합이라는 용어는 대한제국이 스스로 일제의 판도 속으로 들어갔다는 의미로 일제는 사용하고 있다. 그러므로 이러한 용어를 사용하는 것은 부적절함을 밝혀둔다. 자세한 것은 신운용, 「국치(일)투쟁의 전개와 그 의미」, 『한국민족운동사연구』 66, 한국민족운동사학회, 2011 참고.

**23** 일본외교사료관, 「外交問題ニ関スル支那出版物取締ノ件」, 『新聞雑誌出版物等取締関係雑件』 第二巻(문서번호: 1.3.1-4).

**24** 일본외교사료관에도 소장되어 있다(『支那排日関係雑件/排日教科書』 第四巻(문서번호: 3.3.8-6)), 이는 필자도 소장하고 있다.

판연도가 1919년이라는 점은 다음의 일제 기록에서 확인된다. 특히 이 소설이 한국인과 중국인들의 항일사상을 고취할 우려가 있어 발매와 반포 금지에 혈안이 되었다는 것을 아래의 1919년 9월 22일자 보고서에서 확인할 수 있다.

「성세 소설 영웅루 송부에 관한 건」

별포(別包)로 첨부한 성세소설영웅루(醒世 小說 英雄淚)(학림냉혈생 저 상해광익서국총발행소(鶴林冷血生著 上海廣益書局總發行所))라는 불온출판물당지(琿春)에서 구입하여 일람한 바 그 내용이 불온하여 시국에 지나인과 조선인의 호기심을 자극하고 조선인의 불령사상을 격발할 것으로 인정되므로 특히 지나 측에 대해 이 서책의 발매반포를 금지하도록 교섭하였다. 이는 이미 다른 영사관으로부터 보고도 있었으므로 모두 보고하는 바이다.[25]

그런데 이 소설의 저자와 관련하여 양록인(楊鹿因)이 1920년 4월 익신서국(益新書局)에서 간행한 『회도조선망국연의(繪圖朝鮮亡國演義)』를 주목할 필요가 있다. 이 소설은 등장인물과 그 설정이 냉혈생의 『성세소설 영웅루』와 대단히 비슷하다. 이점에서 『회도조선망국연의』는 『성세소설 영웅루』의 모방소설이라고 할 수 있다. 이러한 주장이 옳다면 양록인이라는 중국근대 유명 소설가가 모방을 넘어 '표절'한 것이 된다. 문제는 이미 널리 퍼져 있는 『성세소설 영웅루』를 양록인이 과연 표절하였을까 하는 점이다. 출판사에서 양록인의 명성을 이용하여 간행하였을 가능성은 없을까 하는 점도 생각해 볼 여지가 있다. 이도 아니라면 양록인 자신이 쓴 『성세소설 영웅루』를 수정하여 『회도조선망국연의』를 출간하였을 가능성도 배제해서는 안 된다. 하여튼 이 두 소설이 어떤 관계가 있는지 하는 점은앞으로 밝혀야 할 과제이다.

## 3. 『성세소설 영웅루(醒世 小說 英雄淚)』의 구성과 내용

이 소설은 아래에서 보는 바와 같이 제1권(1회~제5회), 제2권(6회~13회), 제3권(14회~21

[25] 일본외교사료관, 「醒世小說英雄淚送付に關する件」, 『支那排日関係雑件／排日教科書』 第四卷(문서번호: 3.3.8-6).

29

회), 제4권(22회~26회)으로 4권 26회로 구성되어 있다. 그 내용을 정하면 다음과 같다.

### 제1회 대원군이 예수교를 학대하고, 민영준이 일 병선을 잘못 쏘다

저자는 "이 책은 한국이 일본에 모욕당하다가 결국 일본에 귀속되는 사실에 관한 이야기다"라고 하여 대한제국이 패망을 소설의 소재로 삼았음을 밝히고 있다. 청국이 대한제국을 소국이라고 부르는 대한제국의 사람들이 청국인을 망국인이라고 부를 것이라고 경고하고 있다. 특히 저자는 철저한 준비를 하지 않으면 동북삼성도 대한제국의 전철을 밝을 것이라고 강조하고 있다. 여기에서 저자는 러시아와 일본에 대한 경계의식을 보이면서 대한제국을 황제와 기자의 후손이라는 시각에서 청의 속국이라는 인식을 드러내고 있다. 이는 고종이 원세개를 찾아가 종주국(청국)이 속국(조선)을 보호하는 것이 당연하다고 주장하는 장면[26]을 그린 제10회에서 보는 바와 같이 이 소설의 전반에 흐르는 기본적인 시각이다.

대한제국을 몰락시킨 일제에 대한 경계를 드러내는 동시에 청의 속국 대한제국을 일본에 빼앗겼다는 '제국주의'적 시각에서 벗어나지 못 한 청말 지식인의 한계를 여기에서 확인할 수 있다.

이후 이토 히로부미가 일본의 정계에 등장하는 과정을 그리고 있다. 명치유신을 긍정적으로 평가한 저자는 이토가 일본을 강대하게 만든 공신으로 평가하면서도 동북삼성을 침탈하려고 하는 상황을 묘사하고 있다. 또한 청국 관료들이 백성을 탄압하는 정책으로 일관하고 있고 일제의 침략에 대응하지 못하고 있다고 청국의 현실을 비판하고 있다.

저자는 조선의 현실에 대해서도 대원군의 기독교탄압을 언급하면서 "영국과 미국의 국력이 그처럼 강대한 것도 예수교 신자들의 선교활동과 관련 있습니다."[27]라고 하여 기독교를 대단히 긍정적인 모습을 보고 있다. 이후 저자는 미국에 대한 좀 과할 정도로 높이 평가하는 양상을 드러내고 있다.[28] 여기서 냉혈생의 미국인식을 읽을 수 있다. 결국 이 소설에서 안중근 등의 대한제국의 인재들이 미국 유학을 통해

------

**26** 이 소설에 등장하는 대부분의 영웅들은 스스로 대한제국이 청의 속국임을 자임하는 것으로 그리고 있다.
**27** 신운용 편역, 『중국인 집필 안중근 소설 Ⅰ-영웅의 눈물』(안중근 자료집 25), (사)안중근평화연구원, 2016, 22쪽.
**28** 신운용 편역, 『중국인 집필 안중근 소설 Ⅱ-영웅의 눈물』(안중근 자료집 26), (사)안중근평화연구원, 2016, 6쪽.

구국방책을 강구하는 것으로 설정한 이유가 드러난다.

기독교가 조선에 전파되면 조선이 강대해질 것을 우려한 이토가 자신의 하수인 무기타 하루를 통해 김굉집을 매수하여 통상조약을 맺고 운재소를 평양으로 추방하여 기독교를 탄압하는 조치를 취하게 하였다고 그리고 있다.

### 제2회 통상조약을 체결하고, 대원군이 귀정(歸政)하여 영사관을 공격하기 위해 군사를 일으키다

이 회에서는 양요(洋擾)를 이용하여 김굉집이 운재소를 제거하려고 하였으나 오히려 운재소가 양요를 잘 막아 13도 제독으로 승진하였다고 하면서, 이토의 간계로 오오야마 이와(大山 岩)가 강화도를 침략하였으나 민영준이 막아내는 과정을 묘사하였다. 그리고 조약을 체결하는 과정을 그리었다.

미국과 프랑스인들이 이홍장을 찾아와 일제의 강화도 침략상황을 설명하고 일제의 청국 침략 가능성을 경고하였으나 이홍장은 조선이 독립국임을 들어 조선의 내정에 간섭하지 않겠다는 생각하고 있는 것으로 묘사하였다. 그러면서 일제의 침략을 준비할 것을 역설하고 있다.

무기타 하루·하나부사(花房)가 일제의 뇌물을 먹은 김굉집과, 대원군을 앞세워 일제의 강화 침략을 호도하여 강화도조약을 체결하는 장면과 명성황후의 부상을 그리었다. 저자는 명성황후에 대해 "황후의 일처리가 사뭇 사리에 밝았기 때문에 나라 백성들도 아주 만족스러워 하였다."[29]라고 긍정적으로 평가하였다. 이러한 명성황후 평가는 소설의 전개과정에서 두드러지게 나타난다. 반면 고종을 무능하고 유약한 존재로 그려지고 있다.

특히 일제의 지원을 받는 김굉집 대원군 등의 부일세력과 명성황후와 운재소 후필 안중근 등의 세력의 대립을 이후 그려지고 있다. 우전충을 이용하여 대원군 세력의 재부상과 하나부사 등의 일본세력의 후퇴를 묘사하였다.

### 제3회 대원군을 폐하고 군왕과 황후가 정권을 잡고, 변법을 도모하니 신·구세력이 충돌하다

---

**29** 신운용 편역, 『중국인 집필 안중근 소설 Ⅰ-영웅의 눈물』(안중근 자료집 25), (사)안중근평화연구원, 2016, 38쪽.

이 회에서는 우선 청국을 침략한 영국군을 응징한 말과 소의 일화를 소개하면서 외세에 대한 대항을 강조하였다. 우전충의 도움으로 권좌에 복귀한 대원군은 우전충의 미국망명에 따라 군란은 평정되어 실각하여 명성황후가 권좌에 복귀하였다고 하였다.

조선인의 일본공사관 공격을 핑계로 이토의 계략에 따라 이노우에 가오루(井上馨)·오오야마 이와(大山岩)의 조선침략 계획이 이홍장에게 알려지고 장수성(張樹聲)이 정여창(丁汝昌)과 마건충(馬建忠)을 보내어 결국 청일전쟁이 발발하였고 청국의 패전 과정을 그렸다.

한편 명성황후는 내무대신 구기(寇基)을 시켜 김굉집를 제거하는 과정을 묘사하면서 이토에게 넘어간 김옥균의 귀국에 따른 박영효 등의 부일당과 민영익 등의 부청당의 등장과 대립을 그리면서 갑신정변의 발발을 그렸다.

**제4회 오제독(吳提督)이 서울에서 크게 싸우고, 형제는 화목하고 가정 편안하다**

오제독(吳提督)의 갑신정변, 일본세력 진압, 김옥균의 일본 망명을 그리면서, 이토와 김옥균 등 부일세력이 조선에서 중국에 의해 내쫓긴 원인이 명성황후에 있다고 여기고 있으며 조선에서 일제의 지배력을 확보하기 위해 이노우에를 조선에 파견하여 명성황후 제거 계획을 결정하고 실행에 옮기는 과정을 그렸다. 그리고 황해도 출신으로 서울에서 살고 있던 안열공 즉 안태훈(안중근의 아버지)과 안중근을 등장시켰다. 안열공의 부인이자 안중근의 어머니가 바로 운재소 사촌여동생 장씨라고 설정하였다. 이들이 갑신정변으로 서울을 떠나 운재소에게 가는 과정을 그렸다.

**제5회 길에서 안 진사는 봉변을 당하고, 인리촌(仁里村) 후필이 대의를 베풀다**

일본강도를 만나 안열공을 죽고 겨우 안열공 부인과 안중근이 미국유학을 마치고 농비대를 거느리며 세상을 떠난 일곱 살까지 길러준 형과 형수의 아들 후진과 살고 있던 후필의 도움을 받고 겨우 살아나 운재소의 집으로 무사히 도착하는 장면을 묘사하였다.

평양의 운재소에게 일본 도적에 안열공이 죽고 후필의 도움으로 안중근 모자가 살아난 과정을 설정하면서, 후필에게 당한 일본 도적들이 교섭국 총리 인 박영효의 조카 임충에게 고발하여 후필을 체포하려고 것을 후필의 의형제 황백웅이 후필에게 전하는 장면을 그렸다.

### 제6회 한국으로 인하여 중일이 조약을 체결하고 황후는 나라를 위해 흉변을 당하다

이회에서는 우선 주방이라는 사람의 나무가 이계용이라는 노인의 집을 덮친 사건을 통하여 국권수호의 당연함이 강조되었다. 후필이 황백웅의 권유를 받아들여 황백웅의 친구로 평양에 살고 있는 이정에게 신세를 지기로 하였다.

한편 이토는 조선에서 세력을 회복하기 위해 이홍장을 천진으로 찾아가 조선의 '난'을 평정하기 위해 조약을 체결하는 것으로 설정하고, 이홍장이 청국의 속국인 조선을 평정하기 위해 일본과의 조약 체결을 비판하면서 조선의 멸망을 이홍장의 죄라고 평가하였다.

이러한 상황에서 이노우에는 일제의 조선침략 걸림돌이라고 여겨 명성황후를 없애기 위해 박영효 등의 부일세력과 모략을 꾸미고, 결국 박영효의 하수인 곽건수에게 명성황후를 죽이라고 하였다. 명성황후에게서 부일세력의 일소를 지시받은 구대감은 운재소를 구대감의 친척 구본량을 시켜 서울로 불러 부일세력 제거 계획을 세웠다. 구본량이 구대감의 아들 본봉과 평양으로 갔다. 그러나 명성황후는 곽건수에게 죽임을 당하고 만다.

이처럼 냉혈생은 명성황후의 죽음을 일제에 의한 직접적인 행위로 그리지 않고 있다. 사실 박영효는 명성황후 죽음과 관련이 있다는 증거는 어디에도 없는데도 일제의 지시를 박영효 등 부일세력의 짓으로 그리고 있다. 물론 이는 제7회의 서두에서 역사적인 사실이 아님을 스스로 실토하지만 냉혈생이 명성황후 '시해' 사건에 대한 지식의 결여에 따른 결과로 보인다.

### 제7회 구본량(寇本良)이 천리 밖에서 편지를 띄우고, 후필은 평양에서 주연(酒宴)을 베풀다

명성황후를 죽인 곽건수가 이번에는 반역죄를 꾸미며 구대감과 운재소를 없앨 것을 박영효에게 요청하자, 박영효는 고종의 허락을 받아 구대감을 죽인 것으로 그리고 있다. 하지만 구본량은 구본봉과 무사히 빠져 나와 평양으로 다가가 친왕 이응소의 아들 이수소에게서 명성황후가 죽은 일, 박영효가 구대감과 운재소를 해하려고 하여 구대감이 죽은 일을 듣고서 수소의 천리마를 빌려 평양으로 달려갔다. 박영효가 운재소 상경을 명하는 고종의 명령서를 곽건수에게 주어 평양으로 보낸다.

한편, 안중근 모자는 운재소 집으로 온지 3년이 되었고 운재소의 동생 재수의 아들 낙봉과 안중근이 워싱턴에 대한 이야기를 운재소에게 자세히 듣는다. 안중근이 워싱턴과 같은 선생이 필요하다고 한 안중근의 말을 듣고 선생님을 초청한다는 방을 보고 후필이 운재소의 집으로 왔다. 안중근 모자와 후필은 다시 만나게 된다.

### 제8회 운재소(雲在霄)가 친일당의 목을 자르고, 김유성(金有聲)이 동학부흥을 부르짖기 시작하다

후필은 만난 안중근의 어머니와 운재소에게 그동안에 겪을 일을 설명하였다. 이후 후필은 안중근·낙봉·재수·진금가·악공·손자기·왕신지·소감·조덕중 등을 가르쳤다. 이들은 나중에 모두 미국을 유학을 가게 된다.

한편 본량과 본봉은 운재소를 만나 그동안 있었던 일을 소상하게 아뢰었다. 운재소는 결국 본량을 잡기 위해 평양으로 온 곽건수를 잡아 서울로 올라가 곽건수·박영효 등 부일세력을 처단하고 명성황후의 죽음을 고종에게 알렸다.

### 제9회 김옥균이 완용에게 편지를 띄우고, 동학당이 전라도에서 난을 일으키다

후필과 헤어진 황백웅이 우연히 후필과 인연이 깊은 김유성과 전중포·요재천 세람의 인재를 만났다. 이 세사람은 동학을 부흥시킬 꿈을 갖고 있었다.

한편, 이토의 간계로 김옥균은 부일세력을 처단한 운재소에 대한 원한을 갖기 위해 동학당에 침투하여 동학당의 지도자가 되었다.

황백웅은 이 세 사람과 의형제를 맺고 동학당에 들어갔다. 이들이 이끄는 동학세력은 마침내 세력을 확대하여 전라도 일대를 장악하고 몇 만 명에 달하였다. 김옥균은 동학당에 들어가 독통으로 추대되고 이토의 계략이라고 하여 조정 내에 자신과 친한 이완용과 내통할 계획을 토록하고 이를 실행에 옮겼다. 김옥균의 계획대로 동학세력은 태인현을 점령하였다. 그러나 반일을 기치로 일어나 동학에 대한 이러한 설정은 역사적 사실이 전혀 아니다. 이처럼 무리한 설정은 오히려 동학에 대한 냉혈생을 비롯한 청국인들의 인식이 반영된 것으로 이해된다.

냉혈생은 이러한 점을 의식하였는지, 일제와 학정에 반대하여 일어난 동학이 김옥균·이완용 등의 부일세력과 손을 잡은 것에 대해 큰 실수라고 평가하는 것으로 처리하였다.

### 제10회 홍계훈(洪啓勳)은 고부에서 패전하고, 후필은 유성을 깨우치다

동학세력이 태인현을 점령하자, 태인현 지사 우징이 전주 도독 홍계훈에게 병사

3000명을 이끌고 태인현으로 출동하였다. 하지만 고부 지사 서존을 만나 고부로 가서 고부의 동학당을 진압하였으나 김유성에게 당하여 퇴각하였다.

향후 진로를 놓고 논의한 끝에 김유성, 황백웅 등이 후필에게 도움을 요청하였다. 하지만 후필은 동학당의 지도자가 되어달라는 황백웅의 요청을 듣고 전주로 가서 이들과 만난다.

한편, 홍계훈의 보고를 받고 당황한 고종은 친왕 이응번의 조언을 듣고 청국의 도움을 요청하기 위해 청국 영사관으로 원세개를 직접 찾아가 청국을 상국이라고 하면서 도움을 청하였다. 이를 받아들인 청국은 해군제독 정여창과 직예제독 엽지초가 조선으로 출병하였고, 이토는 이를 이용하여 동시에 조선으로 군대를 보내어 결국 청일전쟁이 일어나게 된다. 결국 청국이 패하는 과정을 묘사하였다.

### 제11회 중국이 동학당을 평정하고, 일본이 한국 정치를 개혁하다

황백웅의 편지를 받고 후필은 부일세력과 결탁하였다는 점과 청군이 출동한 점을 들어 거부하여 다른 방안을 제시할 생각으로 전주로 달려갔다. 후필은 이들에게 국가를 바로 잡으려면 공부를 해서 민지를 고양시켜야 한다며 자신의 경험과 발전된 미국상황을 들려주며 미국 유학을 권하였다.

김옥균은 후필의 가르침을 듣고 자신이 그동안 한 일들을 반성하였고 김유성도 자신의 행위가 잘못되었음을 실토하였다. 결국 지도부를 잃은 동학당은 청군의 진압으로 자멸하였다.

여기에서 냉혈생의 지향점을 잘 읽을 수 있다. 그는 현실을 무력으로 개혁하기보다 미국을 모델로 한 계몽주의적 입장에 서 있음을 알 수 있다.

한편 이토는 동학진압을 위해 청군이 출병한 것을 이용하여 조선 침략을 계획한다.

### 제12회 한국 때문에 중일 양국은 전쟁을 하고, 독미 양국은 강화를 주장하다

동학당 진압을 핑계로 조선에 주둔한 일제의 내정간섭을 견디다 못한 고종이 청국 영사관으로 원세개를 찾아가 '귀국은 우리나라의 조국', '순치관계' 운운하며 도움을 요청하였다. 그리하여 원세개가 야마가타 아리토모를 찾아가 조선은 청국의 속국이라는 논리로 철수를 요청하지만 야마가타 아리토모는 천진조약, 조선의 내정개혁, 일본인의 보호, 조선이 독립국이라는 명목으로 원세개의 요구를 거부하였다.

여기에서 보듯이 냉혈생은 조선과 청국이 종주국과 속국관계임을 다시 한번 강조한다. 결국 조선의 문제를 해결할 주체는 청국이라는 것이다. 이러한 의식은 단순히 냉혈생만이 갖는 사고방식이 아니라 당시 청국인의 기본적인 시각임을 이 소설은 보이고 있다.

일제의 속국 조선 장악에 자존심이 상한 청국은 결국 자보귀·위여귀의 6만 군사를 조선에 파견하여 청일전쟁이 시작된 것이다. 하지만 청일전쟁에서 청국이 일본에 패하고 만다. 그 원인을 냉혈생은 군사들의 훈련과 전투의지 부족, 이홍장의 소극적인 자세를 들고 있다.

### 제13회 이홍장이 마관조약을 체결하고, 일본정부가 한국을 감독하다

고야마에게 테러를 당하는 등 어려움을 겪은 이홍장은 독일과 미국의 중개로 한국의 독립국가 인정, 배상 2억 만 냥, 대만·요동반도 등의 할양, 중경·항주 등의 개방 등의 조건을 받아들여 이토와 시모노시키 조약을 체결하였다. 냉혈생은 이 조약으로 이로 "한국은 일본의 관할하에 들어갔고 중국은 무시당하였다. 일본이 한국을 얻었으므로 중국 동북삼성을 탈취할 것이다. 여러분! 두렵지 않은가? 이 땅은 황제 땅이 아니라, 우리 백성들이 이 땅의 주인이다. 땅 주인이 자기 땅을 보호할 수 없다면 결국 다른 사람에게 수모를 당하게 된다."[30]라고 강조하였다. 또한 김유생의 청일전쟁 평가를 "중국이 승전한다면 한국이 망하지 않게 되고 일본이 승전하면 한국은 아침은 있으나 저녁은 없을 것"[31]이라고 설정하여 조선인이 스스로 청국의 속국을 자처하다고 그리고 있다. 결국 냉혈생은 청일전쟁 패전을 동북삼성에 대한 직접적인 위협으로 받아들이고 있는 것이다.

### 제14회 약한 국력을 걱정하는 영웅이 모친과 작별하고, 학문이 깊지 못하다고 여기는 지사들이 유학길에 오르다

후필의 권유와 운재소의 재정 지원으로 안중근 등 자신의 제자들을 미국 유학을 보낸다. 이 때 안중근은 자신의 아버지가 죽은 이유와 후필과의 인연을 알게 되고 이토에게 분개하며 항일의지를 다진다. 유학을 떠나면 이상설 등과 친분을 맺게 된다.

그런데 여기에서 냉혈생은 미국을 평등한 민주주의 나라로 정치를 배워 조선을

---

30 위의 책, 134쪽.
31 위의 책, 136쪽.

구원할 방법을 미국에서 배우기 위해 유학을 가는 것으로 설정하였다. 이는 냉혈생의 미국에 대한 시각을 드러낸 것이다. 미국을 절대화하는 당시 일부 청국 지식인들의 미국인식을 여기에서 확인할 수 있다. 이는 기독교에 대해 긍정적인 시각을 같은 맥락이다. 이러한 점에서 냉혈생은 미국과 기독교에 호의적인 계몽지식인으로 판단된다.

### 제15회 안중근이 길에서 의로운 세 친구를 사귀고, 김유성(金有聲)이 여관에서 아홉 명의 좋은 친구들을 만나다

이 회는 후필의 제자들이 유학을 가기 위해 인천으로 가는 도중에 미국으로 유학 가던 이범윤·이상설 등을 만나는 장면으로 구성되어 있다. 조선의 미래를 짊어진 청년들이 모두 함께 미국으로 떠난다는 설정에서 미국과 기독교 중심 사고를 하는 경향이 있는 냉혈생의 지향성과 현실인식을 다시 확인할 수 있다.

### 제16회 영웅들이 미국학교에 들어가고 후필(侯弼)이 신문사를 열다

70일 걸려 미국에 도착한 안중근 등 유학생 일동은 미국의 문질문명과 정치제도에 매료되고 후필의 동학 미국인 화청을 만나 도움을 받아 이들은 정치학·군사학·물리학을 익혔다. 안중근은 정치학을 공부한다.

한편 후필은 후필을 형님으로 모신 김옥균의 소개로 유학생의 부모들에게서 지원금을 얻어 신문사를 연다. 신문사는 번창하였고 조선인의 계몽에 큰 역할을 하였다.

여기에서도 냉혈생이 신문을 통한 계몽을 구국의 일차적 수단으로 제시하였다는 데서 그의 지향성을 읽을 수 있다.

### 제17회 이토는 통감도장을 받고, 한국은 앉아서 행정권을 잃다

청일전쟁을 통해 조선에서 우월권을 강제로 확보한 이토는 이번에는 조선의 외교내정권을 장악하기 위해 모략을 꾸미며 스스로 통감에 올라 이완용의 도움을 받아 외교권 장악하고 일본인을 정부요직에 앉히는데 성공한다. 여기에서 고종을 대단히 무능한 군주로 그리고 있다. 물론 이러한 냉혈생의 평가는 이 소설을 관통하고 있지만 명성황후에 대한 평가와는 극한 대조를 이룬다.

### 제18회 국채를 청구하고 재정을 감독하며, 인명을 해치고 경찰권을 강탈하다

외교와 내정권을 장악한 이토는 이번에는 채무 변제로 3백만 냥을 요구하면서 변제가 불가능하면 경기도 땅을 넘기고 정부의 수입 지출을 관리하겠다며 조선의 재정권을 장악한다. 냉혈생은 조선의 상황을 예로 들어 청국의 재정권을 차지하려고 혈안이 되어 있다고 지적하여 청국인의 분발을 촉구하였다.

한편 이토는 주씨일가의 경제적 문제로 다투던 요사다 등 일본인들의 보호를 명분으로 경찰권마저 완전히 장악한다. 결국 주씨일가는 멸문을 당한 것으로 묘사되어 있다.

### 제19회 일본인들이 부녀강간을 일삼고, 한국은 재판권을 잃다

외교권·재정권·경찰권을 장악한 이번에는 안중근과 함께 미국 유학을 간 악공의 부인 유애대·동생 향령이 일본인들에게 욕을 당해 죽은 사건이 발생하였다. 이 사건을 이용하여 이토가 결국 재판권마저 강탈하였다.

한편, 냉혈생은 이를 청국의 교훈으로 삼아야 한다며 청국인의 분말을 촉구한다.

### 제20회 농부가 원한을 품고 혁명을 일으키고, 부녀가 복수하기 위해 의단(義團)을 창설하다

모든 권한을 빼앗긴 조선의 민들이 유애대와 향령 사건으로 뇌지풍가 사형시킨 일본인 세 사람의 복수를 위해 케이타니 마츠가 일본인들을 동원하여 장량·장달 형제를 죽인 사건에 주정·유복경 등의 유운포의 농민들이 '설욕회'를 만들고, 요시다에게 상해를 당한 주충 삼형제의 누나 이낭이 이삼저 등의 부녀들과 '부녀복수회'를 조직하여 일제에 저항하는 모습을 여기에서 그리고 있다. 이러한 조선인의 저항을 후필이 만든 신문의 계몽에서 비롯된 것으로 냉혈생을 그리고 있다.

여기에서도 냉혈생은 청국인에게 이와 같은 조선의 상황을 들어 청국인의 분발을 요구하는 사설을 놓치지 않았다.

### 제21회 본량(本良)이 귀국하여 자치를 주창하고, 악자(岳子)가 통감에 대한 복수로 저격을 하다

악공·구본량 등 13명이 3년간의 유학을 마치고 미국 육군사관학교를 졸업하고서 귀국 모임을 연다. 이때 법정대학이 5년 과정인 관계로 미국에서 더 공부해야 했던 안중근이 귀국 후 계몽 자치단체와 무장 조직의 중요성을 강조하는 것으로 설정하여 그동안 존재감이 없던 안중근을 부각시킨다.

유학을 떠난 청년들 중에서 13명과 헤어지면서 구본량과 이범윤이 자치조직을 만들어 각지에 강습회 설치를 다짐한다. 후필을 만난 구본량은 미국유학 경험담과 미국에 남아 있는 안중근 등의 근황을 들려주며 구국의 방안으로 자치를 강조하였다. 그리고 여기에서 냉혈생은 역사적 사실과 달리 김옥균이 병사한 것으로 처리한다.

유애대와 향령의 죽음과 관련된 사건을 모두 들은 악공은 구본량과 이토 처단을 상의하고 폭탄 구입을 의뢰한다.

### 제22회 후필이 제자를 위해 죽고, 구본량(寇本良)이 허름한 옷을 입고 도주하다

구본량이 구한 고성능 폭탄을 받은 악공이 조선의 민심을 살피기 위해 평양을 방문한 이토 처단을 시도하였으나 결국 악공을 현장에서 즉사하고 실패하고 만다. 이토는 현상금 500냥을 걸자 악공과 후필에 대해 잘 알고 있는 관부가 그 배경이 후필임을 알린다. 이러한 사실을 일본 영사관과 후필의 신문사에서 차 심부름을 하던 임중수가 후필에게 알린다. 관부와 일제 경찰이 신문사를 습격하였으나 후필과 구본량을 자리를 피하였으나 결국 후필을 죽고 만다. 이토는 민심을 사기 위해 악공과 후필의 장례를 후하게 지내게 한다.

다시 냉혈생은 후필과 같은 인물이 청국에 드물고 관부와 같은 자들이 많음을 상기시키며 매국자들의 처단을 강조한다.

### 제23회 안 의사(安義士)가 귀국하여 선생님을 추모하고, 운재수(雲在岫)가 애국회를 만들다

아들 낙봉의 편지를 받은 운재소는 가족에게 알린다. 안중근의 어머니에게도 안중근의 안부를 전하였다. 냉혈생은 안중근이 졸업시험에서 1등한 것으로 설정하여 안중근이 총명한 인물임을 강조한다. 이는 어린 안중근이 총명하였다는 설정의 연장선이라고 하겠다.

안중근·운낙봉·김유성·이상설 등의 법정대학 졸업생들이 귀국을 한다. 귀국한 안중근과 운낙봉은 악공·후필의 사망 등 그동안 있었던 일을 모두 듣는다. 이에 안중근은 대단히 분개하여 이토처단의 의지를 다졌다. 분노는 극에 달한다. 안중근·운낙봉·후진 등이 후필의 묘를 찾아 후필의 공적을 회상한다. 이때 김유성·황백웅·요재천 등의 찾아와 후필을 함께 추모하며 구국의 방안으로 '애국회' 설립을 결의하고 통지문을 전국에 보냈다. 이에 따라 유학 동지를 비롯하여 수많은 인재들이 운재소의 집으로 몰려든다. 유운포 낙산의 유경복의 집에 본부를 설치하여 안중근·후진·운낙봉은 이토 처단 임무를 자진해 맡고, 복수회·설요회와 연합하는 등 본격적인 활동에 들어갔다.

**제24회 안 의사(義士)는 길에서 옛친구를 만나고, 이토 통감은 하얼빈에서 흉변을 당하다**

조선을 완전히 장악한 이토는 동북삼성의 침략계획 수립을 위해 만주방문을 계획하고 일왕의 허락을 얻어 만주로 출발한다. 이 정보를 입수한 애국회에서 상의한 결과 안중근이 이토처단을 자임한다. 결국 구본량의 도움으로 안중근이 이토를 처단하였다. 이토 처단 장면을 냉혈생은 다음과 같이 그리고 있다.

> 그가 손에 총을 잡고 이토 히로부미를 향해 총을
> "탕! 탕! 탕!"
> 7발 쏘았다.
> 이토가 총탄에 맞고 땅에 쓰러지는 것이 보였다. 가와카미는 오른팔에 총을 맞았고 코이케 왼쪽 다리에서도 피가 솟아 나왔다. 러시아 병사들이 불상사가 일어난 것을 보고 달려가 자객 안중근을 붙잡아 더 이상 쏠 수가 없었다.
> 안중근은 큰 소리로 "한국만세!"를 세 번 외치고 나서 병사들에게 붙잡혀 관청으로 이송되었다. 이토가 쓰러지는 것을 보고서 황급히 달려가 부축한 일본인들은 이토는 가슴에 총알 두 발을 맞았고 피를 흘리고 있는 것을 보고 크게 놀랐다.
> 그래서 급히 사람들이 영사관으로 호송해 갔고 일본과 러시아 의사들을 불러왔다. 그 의사들이 영사관에 도착하였지만 이토는 이미 죽은 상태였다.[32]

또한 냉혈생은 안중근을 "영웅은 웃음을 지으면서 형장으로 나갔다. 죽었지만 얼굴색이 그대로여서 마치 살아 있는 것과 같았다. 이 사람이 바로 한국의 첫 번째 영

---

32 신운용 편역, 『중국인 집필 안중근 소설 II-영웅의 눈물』(안중근 자료집 26), (사)안중근평화연구원, 2016, 105쪽.

웅으로 그의 이름은 청사에 길이 빛나리라."[33]라고 평가하였다.

반면, 이토에 대해서도 냉혈생은 "이토는 69세를 일기로 일생을 마친 아시아의 지혜로운 대영웅이라고 하겠다. 다만 이토는 마음 씀씀이가 너무 악독하여 충의지사들이 가만히 있지 않았기 때문에 죽을 수밖에 없었다. 이토는 다시는 통감으로 남의 나라를 유린하고 태평스럽게 지내지 못하는 한국 백성에게 포악한 짓을 할 수 없게 되었다. 이번 방문길에 죽었으니 일본과 그 나라 국민을 위해 죽었다고 하겠다."[34]라고 하여 이중적으로 평가하는 모습을 보였다. 이는 제국주의에 대한 철저한 인식의 부족에서 기인하는 것으로 보인다. 이러한 점에서 미국에 대한 그의 평가는 당연한 것이다.

한편 안중근의 유해를 평양으로 모셔 이상설 등이 장례를 지낸 것으로 설정하였지만 이 또한 사실과 거리가 멀다.

### 제25회 이완용이 영달을 위해 나라를 팔아먹고 김홍주(金洪疇)가 패하여 도주하다

일제의 탄압으로 폭동이 일어나자 테라우치가 한국 병탄을 선언한다. 이를 전해 들은 이완용은 고종 황제에게 보고하였으나 황제는 무능하게 대응한다. 일진회를 창설한 이용구는 일본과 합치면 한국이 1등국이 된다는 명목으로 일제의 한국병탄을 찬성하는 의견서를 정부에 제출하였고 고종황제도 받아들인다. 결국 29일 조약이 체결되고 한국은 이날 망한 것으로 묘사하고 있다. 애국회는 조약 발표를 듣고 이상설 등이 봉기를 촉구하는 연설을 하였고, 이홍주가 40~50만 명을 모아서 저항을 하나 후피의 제자와 미국 유학생으로 구성된 애국회의 인사들이 모두 죽고, 이상설과 김홍주만 살아남는다. 물론 조약이 체결되었다는 것은 역사적 사실이 아니다.

### 제26회 나라가 합병되니 영웅호걸 눈물만 훔치고, 나라가 분할되기 전 나랏일에 관심을 갖다

이상설과 김홍주는 남양군도 페낭으로 망명하여 그곳의 동향회의 하평강을 만나 고국의 현실을 피를 토하면서 전하였다. 이평강이 한국의 현실을 생각하며 피눈물을 흘리며 통탄하였지만 어찌할 수 없었다. 냉혈생은 이처럼 일제의 한국 병탄이

----

**33** 위의 책, 105~106쪽.
**34** 위의 책, 105쪽.

후의 상황을 설명하면서 청국의 현실을 비판하였다. 더 나아가 냉혈생은 "한국은 봉천·길림과 인접해 있고 원래 동북삼성의 병풍지로서 담장 밖의 울타리에 비유할 수 있다. 담장이 있으면 이리떼가 마당에 감히 들어오지 못하는 법이다. 담장이 없다면 어찌 마당으로 들어오는 것이 어렵겠는가? 현재 이리떼가 이미 마당을 넘보고 있다. 바라건대. 여러분은 빨리 묘수를 내어 침입을 막아야 한다."[35]라고 청국인들에게 경고를 하면서 다음과 같은 시로 영웅루를 마무리하였다.

> 대세가 기울어가니
> 충의와 지혜로 구국할 때가 되었도다.
> 상하가 서로 통하여 막힘이 없으니
> 민심은 유수를 타고 정처 없이 흘러가누나.

## 4. 맺음말

위에서 보았듯이, 안중근의거에 가장 적극적으로 반응한 나라는 중국이었다. 의거 직후 중국의 민우일보는 안중근의거를 "인도(人道)철학을 극변시켰다."고 극찬하였다. 이는 인류의 철학을 본질적으로 바꾸었다는 의미이다. 이러한 평가는 "한중의 반일 공동투쟁은 안중근의거로부터 시작된다."라는 주은래의 언급에 맞닿아 있는 것이다.

중국에서의 안중근에 대한 평가와 찬양은 국내에서보다 다양하게 전개되었다. 대체로 언론을 중심으로 의거의 의미와 재판과정을 중심으로 한 신문 등의 언론보도, 안중근의 위대성과 일제의 침략성을 중국에 알리는 연극과 소설을 들 수 있다. 연극의 경우, 임천지(任天知)의 진화단(進化團)이 『안중근이 이토 히로부미를 죽이다(安重根刺殺伊藤博文)』를 필두로 주은래와 등영초의 안중근 연극으로 절정에 이르렀다.

소설의 경우, 여러 편이 저술되었는데, 그 중에서도 냉혈생이 상해에서 출간한 『성세소설 영웅루』는 소군의 증언에서도 확인되듯이 안중근을 소재로 한 소설 중에서

---

**35** 위의 책, 116쪽.

가장 대중의 사랑을 받았다. 특히 "안중근은 젊은 날의 영웅."이라고 한 파금(巴金)과 아들에게 "안중근과 같은 인물이 되라."고 교육한 소군의 경우에서 보듯이 중국인들의 영웅이었던 안중근이 반일투쟁의 소재로 등장하는 것은 대단히 자연스러운 현상이었다.

이러한 점에서 이 소설을 안중근 관계 자료로써 이 책에 수록하는 것은 당연한 일이다. 냉혈생이라는 필명으로 알려진 이 소설의 저자가 누구인지는 아직까지 밝혀져 있지 않다. 윤병석은 박은식을 냉혈생으로 특정하여 『백암 박은식 전집』에 수록하였다. 하지만 위에서 밝힌 바와 같이 박은식이 냉혈생일 가능성은 거의 없다는 것이 최근의 연구 결과이다.

여전히 냉혈생의 실명이 밝혀지지 않았지만 이 소설을 통해 냉혈생의 의식구조를 어느 정도 파악이 된다. 즉, 이 소설은 중국인들의 안중근 인식을 넘어서 전반적인 한국 인식과 역사의식을 엿볼 수 있다는데 의미가 있다. 4권 26회로 이루어진 이 소설의 전반에 흐르는 한국인식은 "한국은 청국의 식민지"라는 것이다. 이는 안중근의 독립의식과 중국인식과 완전히 반대로, 소설 속의 고종과 후필 등 주요 인물들이 "스스로 한국을 청국의 속국으로 인정한다."는 설정에서 극명하게 드러난다.

이러한 인식 위에서 냉혈생에게 청일전쟁 패전으로 한국을 일제에 빼앗긴 것은 대국으로서 자존심에 큰 금이 가는 일이었다. 말하자면 청일전쟁은 한국을 위해 일본과 싸운 것은 아니라 자신들의 자존심을 위한 것이었다. 안중근의거도 청국인들의 '분함'을 씻어주었다는 의미에서 중국인들이 안중근을 평가한 것으로 이해된다.

이 소설은 한국이 일제에 망한 원인을 고종의 무능력과 관료의 부패, 부일세력의 부상 등에서 찾고 있다. 물론 이러한 한국의 상황은 청국의 반면교사라고 냉혈생은 강조하고 있다. 냉혈생은 후필을 내세워 일제의 한국 지배정책의 폭력성을 드러내면서 한국인들의 투쟁을 그리고 있지만 역사인물에 대한 지나친 왜곡은 역사 현실감을 떨어뜨리는 한계를 보이고 있다. 특히 제24회에서 안중근의거를 그리고 있지만 안중근이 왜 이토를 처단할 수밖에 없었는가 하는 근본적인 고뇌를 이 소설에서는 엿볼 수 없다는 점은 역사소설로서의 의미를 떨어뜨린다.

무엇보다 한국인의 구국방책을 기독교와 미국유학에서 찾는 것으로 설정한 점은 냉혈생의 의식구조를 적나라하게 드러내고 있다. 이 점에서 그는 서구 특히 미국 지향적인 지식인으로 평가할 수 있다. 이러한 의식 구조는 근대 한국인의 정신세계를 파악하기에는 큰 장애요인이 되었음이 분명하다.

# 차 례

발간사 • 5

편찬사 • 19

『중국인 집필 안중근 소설 Ⅱ-영웅의 눈물』해제 • 23

# 중국인 집필 안중근 소설 Ⅱ-영웅의 눈물

## 중국인 집필 안중근 소설 Ⅱ-영웅의 눈물 번역본

### 제3권
① 제14회 약한 국력을 걱정하는 영웅이 모친과 작별하고, 학문이 깊지 못하다고 여기는 지사들이 유학길에 오르다 …………………………… 5
② 제15회 안중근이 길에서 의로운 세 친구를 사귀고, 김유성(金有聲)이 여관에서 아홉 명의 좋은 친구들을 만나다 ………………………… 16
③ 제16회 영웅들이 미국학교에 들어가고 후필(侯弼)이 신문사를 열다 …………………………………………………………………… 23
④ 제17회 이토는 통감도장을 받고, 한국은 앉아서 행정권을 잃다 …… 31
⑤ 제18회 국채를 청구하고 재정을 감독하며, 인명을 해치고 경찰권을 강탈하다 ……………………………………………………………… 38
⑥ 제19회 일본인들이 부녀강간을 일삼고, 한국은 재판권을 잃다 …… 48
⑦ 제20회 농부가 원한을 품고 혁명을 일으키고, 부녀가 복수하기 위해 의단(義團)을 창설하다 ……………………………………………… 59
⑧ 제21회 본량(本良)이 귀국하여 자치를 주창하고, 악자(岳子)가 통감에 대한 복수로 저격을 하다 ………………………………………… 69

### 제4권
① 제22회 후필이 제자를 위해 죽고, 구본량(寇本良)이 허름한 옷을 입고 도주하다 ……………………………………………………………… 81
② 제23회 안 의사(安義士)가 귀국하여 선생님을 추모하고, 운재수(雲在岫)가 애국회를 만들다 ……………………………………………… 90
③ 제24회 안 의사(義士)는 길에서 옛친구를 만나고, 이토 통감은 하얼빈에서 흉변을 당하다 ……………………………………………… 99

④ 제25회 이완용이 영달을 위해 나라를 팔아먹고 김홍주(金洪疇)가 패하여
  도주하다 ·············································· 108
⑤ 제26회 나라가 합병되니 영웅호걸 눈물만 훔치고, 나라가 분할되기 전 나
  랏일에 관심을 갖다 ···································· 114

## 中國人 執筆 安重根 小說 Ⅱ-英雄淚 中國語本

### 第三卷
① 第十四回 憂國弱英雄別母 患學淺志士游洋 ·················· 125
② 第十五回 安重根路收三義友 金有聲店結九良朋 ··············· 133
③ 第十六回 英雄同入美學校 侯弱集股開報館 ··················· 138
④ 第十七回 伊藤拜受統監印 韓國坐失行政權 ··················· 143
⑤ 第十八回 索國債監理財政 傷人命強奪警權 ··················· 148
⑥ 第十九回 日人肆行淫婦女 韓國又失審判權 ··················· 155
⑦ 第二十回 農夫懷憤倡革命 婦女因仇起義團 ··················· 163
⑧ 第二十一回 本良反國倡自治 岳子復仇刺統監 ················ 170

### 第四卷
① 第二十二回 侯元首為徒殞命 寇本良微服出奔 ················ 179
② 第二十三回 安志士韓國弔恩師 雲在岫義倡愛國會 ············· 185
③ 第二十四回 安志士中途逢故友 伊相國哈埠受凶災 ············· 191
④ 第二十五回 李完用賣國求榮 金洪疇敗兵逃走 ················ 197
⑤ 第二十六回 既合併英雄徒落淚 未瓜分國民宜關心 ············· 202

## 중국인 집필 안중근 소설 II-영웅의 눈물 원본(原本)

### 제3권

① 제14회 약한 국력을 걱정하는 영웅이 모친과 작별하고, 학문이 깊지 못하다고 여기는 지사들이 유학길에 오르다 ·················302

② 제15회 안중근이 길에서 의로운 세 친구를 사귀고, 김유성(金有聲)이 여관에서 아홉 명의 좋은 친구들을 만나다 ·················293

③ 제16회 영웅들이 미국학교에 들어가고 후필(侯弼)이 신문사를 열다 ·····················288

④ 제17회 이토는 통감도장을 받고, 한국은 앉아서 행정권을 잃다 ······282

⑤ 제18회 국채를 청구하고 재정을 감독하며, 인명을 해치고 경찰권을 강탈하다 ·····················276

⑥ 제19회 일본인들이 부녀강간을 일삼고, 한국은 재판권을 잃다 ······267

⑦ 제20회 농부가 원한을 품고 혁명을 일으키고, 부녀가 복수하기 위해 의단(義團)을 창설하다 ·····················257

⑧ 제21회 본량(本良)이 귀국하여 자치를 주창하고, 악자(岳子)가 통감에 대한 복수로 저격을 하다 ·····················247

### 제4권

① 제22회 후필이 제자를 위해 죽고, 구본량(寇本良)이 허름한 옷을 입고 도주하다 ·····················239

② 제23회 안 의사(安義士)가 귀국하여 선생님을 추모하고, 운재수(雲在岫)가 애국회를 만들다 ·····················232

③ 제24회 안 의사(義士)는 길에서 옛친구를 만나고, 이토 통감은 하얼빈에서 흉변을 당하다 ·····················225

④ 제25회 이완용이 영달을 위해 나라를 팔아먹고 김홍주(金洪疇)가 패하여
　도주하다 ·············································· 218
⑤ 제26회 나라가 합병되니 영웅호걸 눈물만 훔치고, 나라가 분할되기 전 나
　랏일에 관심을 갖다 ································· 213

# 중국인 집필 안중근 소설 II

## -영웅의 눈물

**번역본**

## 범례

- 이 책은 냉혈생(冷血生)의 『醒世 小說 英雄淚』(제14회~제26회)를 번역·탈초하고 원본을 수록한 것으로 제목을 『중국인 집필 안중근 소설 II-영웅의 눈물』이라고 하였다.
- 이 책은 크게 번역문, 탈초문, 원문으로 구성되어 있다.
- 중국어 인명, 지명은 한글 발음으로 표기하였다.
- 한자로 된 러시아 지명은 가급적 러시아어로 표기하였다.
- 독자의 이해를 돕고자 편역자가 주에서 본문의 내용을 설명하였다.

제3권

위에서 보았듯이, 후필이 학생들을 불러놓고 말하였다.

"일본이 중국을 이겼다. 또한 중국은 우리나라가 독립국임을 승인하였다. 형세를 보아하니 일본은 우리나라를 병탄할 생각이다. 내 생각에 지금은 너무나 어려운 때이다. 우리나라를 지키려면 다만 전 국민이 하나로 단합해야 한다. 그러나 이것이 쉬운 일이 아니다. 내 생각에 자네들을 미국으로 유학을 보내 학교에서 견식을 넓히고 학문을 닦아 온 다음 우리나라로 돌아와 일하게 한다면 일이 쉬워질 것이다. 내 말에 자네 모두가 동의하는가?

자네들이 동의한다면 내가 운대감에게 말하여 노자를 준비하도록 하여 보내주겠네. 그런 연후에 나와 김옥균 선생은 여기에서 계속 학교를 열어 백성들의 지식을 넓힐 생각이라네. 자네들이 귀국하기를 기다려 우리 모두가 합심하여 나라를 위해 일하기로 하자. 다들 이렇게 하겠는가?"

학생들이 후필의 이 말을 듣고 나서 모두 하나같이

"우리는 미국 유학을 원하고 있습니다. 선생님이 잘 처리해주십시오."

라고 말하자, 후필은

"자네들이 동의한다니 마음으로 아주 기쁘네."

라고 하고서 어린 학생에게 운대감을 모셔오도록 하였다.

어린 학생이 갔고 잠시 후 운대감이 서재로 와서

"선생님께서 무슨 말씀이 계신지요?"

라고 하니, 후필이

"일이 없으면 제가 어찌 감히 대감을 여기로 오시라 하겠습니까? 잘 들어주시기 바랍니다. 천천히 말씀 드리겠습니다."

라고 대답하였다.

후필이 근심스러운 얼굴로 말하였다.

"잘 들어주시기 바랍니다. 저는 어려서 부모를 여의고 형님과 형수님 슬하에서 자랐습니다. 7살 때 남학에서 글을 읽고 통감·서서·오경을 다 익혔습니다. 그리고 늘 저 서양의

각 나라의 영웅에 대한 역사서를 읽었습니다. 그 중에서도 명성이 자자한 워싱턴을 가장 숭모했습니다.

이 때문에 저는 유학을 가고 싶어졌습니다. 형님·형수와 작별하고 저 멀리 대양을 건너서 미국의 수도에 갔습니다. 미국 육군사관학교를 졸업하고 귀국했습니다. 관직을 얻는 것은 원하지 않았습니다. 인리촌(仁里村)에서 농비병 한 부대를 뽑아 훈련시켰습니다. 수백 명의 청년자제를 교육시켰습니다. 마음속에는 늘 하늘과 같은 큰 뜻을 품고 있으면서 나라를 바로 잡고 병사를 부리는 것만 생각했습니다.

형님과 형수께서 연달아 돌아가셨을 때 무엇보다도 가장 마음이 아팠습니다. 하는 수 없어 조카에게 집에서 글을 가르쳤습니다. 이어서 청년들 중 힘 있는 장정들도 가르쳤습니다. 온 나라 국민에게 모두 용기가 있다면 우리를 모욕하는 일본강도를 무찌를 수 있다고 생각했습니다.

그런데 심지가 약했고 불행이 연이어 일어났습니다. 일본강도를 죽인 일로 일본 도적들에게 죄를 얻었습니다. 황해도 교섭국에 저를 고소하였던 것입니다. 저를 오로지 해하려고 하였습니다. 그런 상황을 알려 준 황백웅 덕분에 저는 조카와 함께 난을 피하여 집을 나왔습니다. 우리 숙질이 타향에서 3·4년간 떠돌다가 끝내는 평양으로 와서 대인의 은혜를 입어 대감의 댁에 머물고 있습니다. 저에게 관청에서 아동들을 가르치라고 하였습니다.

부족한 점이 많은 저는 교직을 맡을 만한 선생이라고 할 수 없습니다만 학생들을 진정으로 좋아합니다. 오늘까지 십몇 년 학생들을 가르쳐 그들은 오경과 사서를 다 배웠습니다. 저 후필은 이 생애에 별다른 소원이 없습니다. 다만 바라는 것은 이 학생들이 영웅으로 자라는 것입니다. 학생들이 나라를 일으키고 큰일을 하여 나라를 지켜 망하지 않길 바랄 뿐입니다.

우리나라는 수차례에 걸쳐 일본 세력을 막았습니다만, 일본은 기어코 우리나라를 구덩이에 묻으려고 할 것입니다. 몇 년 전까지만 해도 크게 걱정되지 않았지만 오늘에 이르고 보니 10명 가운데 1명만 살아남을 지경에 이를 겁니다. 나라를 보호하고 생존을 도모하는 데는 다른 대책이 없습니다. 나라 전체 국민이 모두 애국심을 갖도록 하는 것입니다. 이 일이 쉬운 일이 아닐지도 모릅니다. 의기가 넘치는 몇몇 영웅인물이 우리나라에서 나오도록 해야 합니다.

그러기 위해서는 반드시 미국에 가서 배워야 합니다. 미국은 민족주의[1] 나라로 왕과 백성 그리고 신하가 평등합니다. 저는 학생들을 미국으로 유학 보내려고 합니다. 그곳에서 그 나라의 학교에서 있으면서 나라를 평화롭게 다스리는 법을 배우고 돌아와 민심을 불러일으킨다면 서울의 학생들 모두가 미국 유학을 바랄 것입니다.

학비와 식비가 모자라기 때문에 제가 대감을 이리로 모셔 왔습니다. 대감께서 그 비용을 만려해주시어 이들이 유학 갈 수 있도록 해주시기를 바랍니다."

이처럼, 운재소는 후필의 말을 다 듣고서 기뻐하며 대답하였다.

"선생님의 식견은 높고 깊습니다. 저도 우리나라가 약하여 일본에게 망할까 무척 걱정하고 있으나 다른 방법이 없습니다. 선생님께서 오늘 말씀하신 방도에 대해 저도 같은 생각입니다. 다만 알 수 없는 것은 그들 중에 누가 가는지, 다 가는지 하는 것입니다."

후필이 말하였다. "김유성·구본량·황백웅·전중포·요재천·후진·구본봉·악공·손자기·왕순지·소감·조적중·진성사·진성사·운재수·운낙봉·안중근 등이 가기로 했습니다. 이들이 가고 나면 저는 집에 있을 겁니다. 다만 김옥균 선생과 같이 신문사를 꾸려 천천히 저 백성들의 지식을 열어주려고 합니다. 대감께서는 "어떻게 보시는지요?"

운대감이 말하였다. "선생님의 생각이 아주 좋습니다. 비용문제는 제가 모두 책임지겠습니다. 1년에 천만 냥이면 17명이 쓰기에 족할 것 같습니다."

후필이 말하였다. "기왕 이렇게 된 바에야, 오늘은 대청국 광서 22년 3월 20일인데 가족이 있는 사람들에게 집에 다녀오게 하고 다음 달 초하루에 다시 모인 다음 초닷새에 출발하도록 하겠습니다. 이것이 어떻습니까?"

운대감이 말하였다. "좋습니다. 대단히 좋습니다."

그리하여 저 진씨 형제는 검수역으로 갔다. 악공·손자기·왕신지·소감·조적중 등 다섯 사람은 모두 평양사람이니 각자가 제집으로 돌아갔다. 오직 김유성·전중포·요재천은 죄를 지어 집으로 돌아 갈 수 없고, 구씨 형제와 후진·안중근 네 사람은 모두 집이 없어서 운 대감의 집에 머물며 집으로 간 사람들이 다시 올 날을 기다렸다. 모

---

**1**　민주주의 나라의 잘못으로 보임.

7

두 미국으로 가기를 학수고대하고 있었다. 이 이상은 더 말하지 않겠다.

한편, 안중근은 올해 17살로 덩치도 크고 훤칠한 아주 총명한 사람이었다. 그는 학생들 중에서 누구보다 공부를 잘 하였다. 그래서 후필이 각별히 그를 아꼈다. 그날 그는 선생님이 미국 학교로 그들을 유학 보내 준다는 말을 듣고 너무도 기뻐서 어찌할 바를 몰랐다. 얼른 안부인의 방으로 들어가 뵙고 미국으로 유학 가는 사실을 알려주었다. 안부인은 듣고 나서 매우 감격스러워했다.

"우리 모자가 누구 집에 있는지 아느냐?"

"외삼촌집이 아닌가요?"

"여기가 외삼촌의 집인 걸 알 텐데, 우리가 어떻게 여기로 왔는지도 아느냐?"

"어머니, 제가 자주 물었잖아요? 아버지께서 일찍 돌아가시고 집에 다른 사람이 없어서 외삼촌집에 와 있다고요."

"내가 모두 거짓말을 한 거야. 원래는 네가 공부를 할 때 말해주려고 하였지만 학업을 팽개칠까 두려웠단다. 그래서 내가 거짓말을 하여 너를 속인 거야. 내가 외삼촌과 외숙모도 너에게 사실 얘기를 하지 말라고 부탁했어. 그렇지 않았다면 누가 너에게 말했겠지. 다른 사람들은 모른다. 그래서 네가 그걸 진짜로 여긴 거야. 이제 곧 네가 먼 길을 떠나게 되니 내가 진짜 사실을 말해 줄게. 놀라지 말아야 한다. 그렇지 않으면 알려 주지 않을테니 말이야."

"어머니가 그렇게 말씀하시니 놀라지 않을게요."

"이렇게 된 바에야. 내 말을 잘 들어라."

안부인은 눈물을 글썽이며 말하였다.

"우리 집안은 서울 관원으로 네 부친은 황제께서 진사로 임명하였단다. 서울의 일본인들이 늘 난리를 치는 바람에 온 가족이 평양성으로 피난 온 것이야. 그리고는 가산을 정리하여 짐을 챙겨 출발하여 그날 황해도 지역에 이르렀어. 단지 평양으로 와서 난을 피할 생각이었단다. 근데 도중에 난을 만날 줄 어찌 알았겠느냐? 기봉산의 일본 도적들이 강도질을 하고 있었단다. 그것도 오가는 사람들의 재물 빼앗고 강도질을 일삼았지. 그곳을 지나는 우리 마차를 따라왔단다. 네 아버지가 말을 타고서 뒤에서 오고 있었는데 그 일본 도적들이 산에서 나와 총으로 쏘아댔지. 그래서 네 부친은 정말로 한스럽게도 그만 돌아가시고 말았단다."

"어머님은 어떻게 하였습니다. 아버지께서 일본인들에게 살해 된 겁니까?"

"그래."

안중근이 이 통곡하는 소리 다 들리더니 땅바닥에 쓰러져 어찌할 줄을 몰랐다. 안중근은 부친이 일본인에게 죽은 것을 듣고서 땅바닥에 쓰러져 눈을 한번 뜨더니 정신을 잃어 거의 죽을 것만 같았다.

> 안부인은 아들이 땅에 쓰러지는 것을 보고서 놀라 소리를 지르며 얼굴색이 노랗게 질리면서 어찌할 바를 몰라 하였다. 다가가서 아들을 끌어안고 애타게 부르면서 말하였다.
>
> "내가 너보고 놀라지 말라고 했는데 왜 어찌할 바를 모르는 거냐. 애야, 얼른 깨어 나거라. 네가 잘못되기라도 한다면 나도 못산다."
>
> 안부인은 울부짖으면서 아들을 불렀더니 갑자기 아들의 신음 소리가 들었다.

이처럼 안부인이 오랫동안 안중근을 불러댔는데 중근이 신음 소리를 내더니 순간 눈을 번쩍 뜨면서 숨소리를 내더니 눈을 뜨고 일본을 꾸짖었다.

"일본아! 일본아! 너는 내 아버지를 죽인 원수로다. 꼭 그 원수를 갚으리라."

안부인은 아들이 깨어난 것을 보고 말하였다.

"애야, 절대 흥분하지 말거라. 너에게 아직 할 말이 많다."

"어머니, 계속하여 말씀하세요. 흥분하지 않을게요."

"애야, 흥분하지 말고 내 말을 잘 들거라.

> 안 부인은 다시 일어나며 소리치며
>
> "넌 기구한 운명을 타고 났구나. 세살에 너를 낳은 아버지를 여의고 우리 모자도 하마 터면 죽을 뻔했단다. 다행히도 후필 대감이 구해주신 덕에 우린 목숨을 부지했어."

안중근이 말하였다.

"후필 대감은 저의 선생님이 아니십니까?"

> 안부인이 대답하였다.
>
> "그래. 후필 선생님이 농비대를 거느리고 와서 수많은 일본 적병을 죽였어. 그 때문에

우리 모자는 살아난 거란다. 이 은혜는 태산과 같은 거란다. 나중에 그는 우리 모자를 자신의 집으로 데리고 갔고 돈을 주어 네 부친 장례를 지내주시었단다. 그 은혜는 우리 모자가 갚을 수 없을 정도로 크구나. 그래서 내가 가보로 내려오던 여의주를 드렸단다."

안중근이 말하였다.
"우리 선생님이 몸에 지니고 있는 여의주말입니까?"

안부인이 대답하였다.
"맞다. 네 선생님은 또 호송병 2명을 보내 우리 모자를 평양까지 호송해 주었다. 선생님은 우리 때문에 일본인들을 죽여 죄인으로 몰려 할 수 없이 타지로 피하셨단다. 그분은 외지에서 3·4년 떠돌다가 운대감 댁으로 오셨지. 우리 모자는 후필 선생님께 큰 은혜를 입었다. 지금도 네 선생님이시다. 애야, 나중에 네가 출세하면 이 은혜를 꼭 잊지 말아야 한단다. 지금부터 너는 선생님을 아버지로 모시고 절대 내 말을 귓밖으로 듣지 말아라. 이것이 우리 모자가 여기에 온 까닭이다. 애야 이제야 전후 사정을 알았지."

안중근은 안부인의 말을 다 듣고 눈썹을 찌푸리면서 노기가 가득하였다. 그는 손으로 일본 도쿄 방향을 가리키며 승냥이 같은 이토를 꾸짖었다.

"이토 히로부미 이놈, 왜 타국을 침범하는 정책을 펼쳐 우리나라 금수강산을 여러 번 파괴하려는 거냐? 우리 황제를 핍박하여 통상조약을 체결하고 수많은 네놈 나라의 강도들을 보내 온갖 흉한 짓을 하는 거냐. 보아하니 우리나라를 모욕한 놈이 바로 네놈이었다. 나를 낳아 주신 내 아버지를 죽인 놈이 바로 네놈이로다. 내가 살아서 이 원수를 갚지 못한다면 죽어 구천을 떠돌 것이다."

안중근은 말을 하면 할수록 화가 더 났다. 듣고 있던 안부인이 갑자기 옆에서 소리를 질렀다.

이처럼 안중근은 하늘과 땅에 대고 이토를 꾸짖었다.
안부인이
"애야 참거라. 교실에 계시는 네 선생님에게 가서 감사의 인사를 드리거라."
라고 하는 말을 듣고서 안중근은 교실로 가서 후필선생을 뵙고 두 무릎을 꿇고 말하였다.
"선생님께서는 저를 구해주시어 큰 은혜를 입었습니다. 하지만 이 일을 전혀 입 밖에 내시지 않았습니다. 이것을 성현이라고 하겠습니다. 제 부친은 돌아가셨으니 오늘 선생님을 제 의부로 모시겠습니다."

말을 마치고는 엎드려 절을 하였다. 후필이 황급히 안중근을 일으켜 세우고 말하였다.

"내가 진작부터 이런 생각을 갖고 있었네. 네 모친이 허락하지 않아 말하지 않았을 뿐이야. 오늘의 일이 실로 내 마음 기쁘기 그지없구나. 오늘부터 다시는 은혜를 입었다니 하는 말은 하지 말거라. 네 어머니도 다시 이런 말을 하실 필요 없어. 그리고 어디 멀리 가지 말고 빨리 집에 가서 이틀 기다리고 있거라."

이리하여 안중근은 후필과 작별하고 어머니가 계신 곳으로 돌아갔다. 그리고 서 앞서 말한 일을 어머니에게 말하였다. 어머니도 대단히 기뻐하시었다.

시간은 빨리도 흘러서 어느덧 4월 초하루 날이 다가왔다. 집에 갔던 학생들이 모두 돌아왔다. 이때 운대감도 필요한 돈을 미리 다 마련해 놓았다. 마차도 여섯 대나 준비해 두었다. 초닷새 날 아침, 다들 식사를 마치고 운대감·운대감의 부인·안중근의 어머니와 집안 어른들이 전부 나와 전송하였다.

운대감은 10만 냥을 김유성·구본량 두 사람에게 건네주면서 말하였다.

"자네 둘이 제일 어른이니 학비와 생활비로 쓸 돈을 잘 챙기고 떠나게. 그리고 이후 해마다 또 이 정도의 돈을 보내겠네. 미국 가서 공부를 잘해서 여기에 있는 사람들의 기대를 저버리지 않도록 하게."

말을 하고 있는데 후필이 다가와서

"돈을 이렇게 지니고 가면 안 되네. 잘 듣게나. 이번 길에 인천을 거쳐 미국으로 가는데 인천에 가면 미국인이 차린 회동전점(會東錢店)이 있을 거네. 거기에서 미국으로 돈을 부치고 송금표를 갖고 가서 돈을 찾으면 되네. 잘할 수 있겠지?

라고 하자 김유성이

"잘 알겠습니다."

라고 대답하였다.

후필이 몸속에서 편지를 꺼내어 김유성에게 주면서

"미국에 화청(華廳)이라는 외무상서(外務尚書) 한분이 계셔. 이 분은 내가 미국에 있을 때 같이 공부했다네. 지난번 달에 그에게서 편지가 왔었어. 그 편지로 그가 외무상서로 새로 승진한 걸 알았지. 미국에 도착하면 이 편지를 그에게 전해주게. 그 친구에게 자네들에게 학교를 찾아달라고 하게나. 잘 할 수 있겠지. 그리고 길에서 일이 생기면 자네와 구본량이 책임지고 처리하게나. 두 사람이 다른 사람들을 잘 보살피게나."

라고 하자, 유성과 본량(本良)이 같이

"잘 알겠습니다."

라고 대답하였다.

분부를 다 듣고 나서 다들 짐을 마차 여섯 대에 단단히 실고 출발하려고 하는데 후필이 만면에 웃음을 머금고 그들에게 말하였다.

"잠깐, 여러분이 오늘 미국으로 유학 가는데 내가 자네들에게 중요한 말 몇 마디 하겠네. 듣고 잘 기억해 두게나."

학생들은 진지한 얼굴로 후필의 말을 들었다.

"내가 그때 학식이 얕아 미국 유학을 가서 육군사관학교에 다녔다네. 미국 학교가 우수하다는 것을 잘 알고 있기에 이렇게 자네들을 그리로 보내는 걸세. 현재 우리나라는 너무나 약하고 머지않아 일본에게 먹히지 않을까 걱정이라네. 나라를 지키는 일은 자네들에게 달려있네.

학교에 들어가면 꼭 열심히 공부하게나. 홍등가에는 얼씬도 하지 말고 극장이나 찻집 출입도 자제하게. 학교에서 동학들과 사이좋게 지내고 다른 사람에게 자주 화를 내고 싸우면 안 되네. 자네들은 나라를 구하기 위해 공부하러 집을 떠난 몸들이네. 자네들이 그곳에서 열심히 공부하지 않으면 나를 크게 실망시키게 되네. 운대감도 자네들을 위해 많은 돈을 준비하셨고 또 해마다 3만 냥 송금할 거네. 다들 마음속에 이 고마운 정을 간직하게나. 꼭 우리나라를 위해 유학 갔다는 것을 명심하게."

학생들이 일제히 대답하였다.

"알았습니다. 꼭 명심하겠습니다. 선생님께서는 마음을 놓으십시오."

후필이 당부의 말을 마치자, 듣고 있던 안중근의 어머니가 아들을 보고 말하였다.

"얘야, 네가 나를 떠나 먼 곳에 가게 되니 무슨 도움이 되는 말을 해야 할지 모르겠구나. 걱정만 된단다. 이번에 떠나면 5·6년은 만나지 못하게 되겠지 언제 다시 집을 옮길지 모르니 이 어미가 몇 마디 할 테니 꼭 명심해 두거라.

어디가든지 함부로 돌아다니지 말고 가게에 가거든 함부로 말을 하여 다른 사람에게 미움을 사지 말거라. 배를 타거든 물건을 잘 챙겨 무뢰배들에게 빼앗기지 말거라. 학교에서 멋대로 행동하고 공부를 하지 않는다면 네 어미는 집에서 가슴을 태우게 될 거야. 나라의 수모와 아버지의 원수를 늘 마음에 새기거라."

안부인이 자기 아들에게 말을 마치고 또 여러 학생들을 불러 자신의 말을 들어보라고 하였다.

"우리 애가 어려 잘 모르니 여러분이 잘 타일러 주세요. 자기 멋대로 하려고 하거나 잘 못된 점이 있거나 하면 잘 가르쳐 주세요. 여러분들에게 바라건대 공부를 열심히 해서 우리나라 사람들의 기대를 저버리지 마시기 바랍니다."

여러 학생들은 일제히 대답하였다.

"잘 알겠습니다."

안부인이 말을 마치고 돌아서니 눈물이 비 오듯 흘렀다. 후필이 말하였다.

"늦겠다. 이젠 출발하거라."

학생들은 다 같이 땅바닥에 무릎을 꿇었다. 절을 하고 나서 모두 일어났다. 그들 모두 흐르는 눈물이 옷섶을 적시는 것이 보였다. 운대감이 그들을 재촉하면서 차에 타웠다. 마부가 채찍을 휘두르더니 잠깐 사이 고향이 멀리 보였다.

안중근의 어머니는 그때까지도 문에 기대어 마차가 저 멀리 사라져 보이지 않을 때까지 바라보았다. 그리곤 안부인은 한 발짝씩 내디디면서 몸을 돌렸다. 안부인이 집으로 돌아온 것에 대해서는 자세히 말하지 않겠다. 다시 이수소에 대해서 말하겠다.

이처럼, 이수소는 구본량을 전송한 다음 한국이 하루하루 더 약해지고 일본은 하루가 다르게 강성해 지는 것을 보고 내심 걱정이 태산 같았다. 이 해 중일전쟁 이후로 다른 나라의 야심을 보았지만 어떻게 할 방도가 없었다.

어느 날 갑자기 좋은 방도를 떠올리면서 말하였다.

"내게 친한 친구 셋이 있지. 평소에 그들과 늘 함께 모여서 나라를 지킬 방법에 대해 이야기를 나누었지. 오늘 무슨 일이어도 그 친구들과 이야기를 나누어 봐야겠어. 만에 하나 그들에게 방법이 있다면 얼마나 좋겠는가?"친구들에게로 가야겠다."

한편, 저 세 친구는 이상설·이위종·이준이다. 이들은 모두 성이 같은 형제로서 서울사람들이었다. 이날 이수소가 이상의 집에 도착하여 문지기에게 말도 안하고 곧장 안으로 들어갔다. 세 사람 다 집에 있었고 무언가를 쓰고 있는데 그건 알 수 없었다. 그 곳에는 모르는 사람이 다섯이 앉아 있었다.

세 친구는 수소가 들어오는 것을 보고 급히 다가가면서 말하였다. "아우! 왔구만. 마중 나가지 못해 미안하네."

수소가

"우리는 형제일세. 서로 다 아는 처지에 무슨 말을?"라고 하며 물었다. "이 다섯 분은 어디에서 오신 분들인가요?"

라고 하자, 이상설이 대답하였다.

"내 정신 봐라. 바빠 인사도 못 했군요. 이 분은 성은 김이고 이름은 홍주(洪疇)이고, 이 분은 성은 고이고 이름은 운(雲)입니다. 저 분은 성은 오이고 이름은 좌차(佐車)이지요. 모두 평안북도 사람들입니다. 이 두 사람 가운데 한 사람은 이름이 강술견(姜述堅)이고 다른 한 사람은 강술백(姜述白)입니다. 모두 사촌형제지요. 우리 세 사람은 고향이 같습니다."

소개를 마치고 모두 수소와 인사를 나누었다. 여러 사람들이 인사를 나누고 자리에 앉자 이상설이

"내가 사람을 시켜 자네를 부르려고 했는데 마침 잘 와 주었네."

라고 하자, 수소가 말하였다.

"나를 무슨 일로 찾으셨습니까?"

"내 사촌동생들과 김 형으로 인하여 미국에 유학 가려고 생각하고 있었습니다. 나는 우리 형제 세 사람과 힘을 합쳐 나라를 지킬 생각입니다. 그러게 하려면 배움이 있어야 하는데 그들이 나와 함께 미국으로 유학을 가려고 합니다. 나도 동의 하였습니다. 그래서 동생을 불러 상의해보려는 참이었습니다. 함께 유학 가서 학문을 닦은 후 우리나라를 지키는 것이 어떠하겠습니까?"

라고 하자, 수소가 대답하였다.

"저는 나라가 약한데도 구할 방법을 없기에 단지 형님 여러분들과 상의하러 온 것입니다. 이 방법은 실로 좋은 것 같습니다. 어찌 내가 따르지 않겠습니까?"

그리고 이상설은 책상에서 지원서를 가져와서

"이것이 우리가 금방 쓴 지원서입니다. 내가 학부에 가보려는데 아우도 여기에 서명하게나."

라고 하자, 이수소도 자기 성함을 적어 놓고

"갖고 가시지 않고 뭐하세요."

라고 하자 이상설이

"어찌 갖고 가지 않겠나."

라고 하자, 수소가 말하였다.

"꼭 갖다 주어야 하니 우리 모두 학부로 갑시다."

말을 마치고 다들 자리에서 일어나 이상설 집을 나와 학부로 서둘러 갔다.

평양학생들이 고향을 떠나자마자 서울 학생들도 서울을 떠났다.

이후의 일이 어떻게 되었는가를 알고 싶으시면 다음 회를 보시라.

위에서 보았듯이, 이상설 등 아홉 사람이 지원서를 학부로 제출하러 갔다.

한편, 이 무렵 외국학부대신은 이완용이었다. 그는 지원서에 수소의 이름이 적혀 있는 것을 보고 속으로 생각하였다.

"친왕의 아들도 유학 가겠다고 하는데 허락하지 않는다면 좋게 여기지 않을 것이 다. 이렇게 된 바에 차라리 허락해 주는 게 낫겠다. 그렇다고 해도 1년간에 드는 비 용이 얼마나 되겠어? 내 은덕을 기억하라는 것도 좋을 것이다."

그리고는 지원서를 비준하고 관비로 미국 유학 가는 것을 허락해 주어 외무부와 미국영사관에 가서 수속을 밟도록 하여 4월 초열흘날에 출발하도록 해주었다. 이는 이완용이 좋은 일 한 가지를 한 셈이다. 이상설 등 아홉 사람이 이날 지원서가 비준 되어 관비로 유학가게 되자 너도 나도 기뻐하면서 각자가 집으로 돌아가 떠날 준비 를 하였다.

7일이 되자 이수소가 집안사람들과 작별하고 이상설 등 여덟 사람과 함께 한 곳 에서 모여 학부로 가서 수속서류를 가져왔다. 그리고 비용은 학부에서 미국에 송금 해 주니 그들이 신경 쓸 필요가 없었다. 모든 준비가 끝나자 마차 네 대를 빌렸다. 그 리하여 서울을 떠나 인천으로 달려갔다.

여러 영웅들이 집을 떠나 유학을 가지만 모두의 얼굴들에는 웃음기라고는 없고 쓸쓸 한 모습들이다. 일제히 말하였다

"불행하게도 나약한 나라에서 태어나 일본인들에게 수모를 받기만 하였습니다. 군주 는 조정에서 꿈속에서 헤매고 대신은 모두 모르는 척하고 있습니다. 이런 군주와 신하로 어찌 나라가 망하지 않겠습니까?

아무리 생각해보아도 너무나 가슴이 아프다. 백성들도 세상 물정을 모르고 깊이 잠들 어 있는데 누가 그들을 꿈에서 깨우겠습니까? 우리는 칼날이 목에 이르렀는데도 가만히 보고만 있으면서 태평하게 지내고 있습니다. 지금 호랑이와 이리떼가 집문 앞까지 들이 닥치고 있는데 누가 창과 검을 준비하여 그들과 싸우겠습니까?

수많은 우리나라 사람들이 세상모르고 잠들어 있습니다. 해충과 다름없는 자들을 막

을 방도를 아는 사람은 아무도 없습니다. 수 천 년이나 된 한국이 너무나 가엾기만 합니다. 이제 곧 일본인들 손에 넘어갈 것입니다. 그때가 되면 산과 들이 산산조각 나고 사직이 없어질 것입니다. 우리는 이런 상황 속에서 10명 가운데 한 사람도 살아남지 못할 것입니다. 수 십만 냥의 돈을 쌓아놓아도 무슨 소용이 있겠습니까? 부모처자가 여기저기로 흩어질 텐데."

이를 듣고 있던 영웅들은 모두 마음이 너무나 아파 절로 두 눈에서 두 줄기 눈물을 흘리며 말하였다.

"오늘 우리가 미국으로 유학 가더라도 성공할 수 있는지 모를 일입니다. 만일 진정으로 큰 학문을 배워 온다면야 멀리 서양으로 유학 간 보람이 있을 것입니다. 학문을 잘 닦고 귀국하여 큰일을 제대로 하여 꿈속에 있는 수많은 백성을 깨워야 합니다. 그리고 즉시 전국의 백성들과 한 몸이 된다면 어찌 이처럼 흉악한 일본인들을 겁내겠습니까?"

영웅들이 서로 이야기를 나누면서 길을 갔다. 어느덧 인천에 도착하였다. 다들 함께 큰 여관에 머물렀다. 그곳에서 배를 타고 미국에 갈 준비를 하였다.

여러분들은 책을 보면서 남의 일이라 생각 말고 우리 중국의 상황을 잘 살펴보시라. 한국의 멸망을 남의 일로 여기고 있지만 대청국도 한국과 다를 바 없다. 한국에서 일본이라는 호랑이 한 마리만 있을 뿐이고, 우리나라에서는 해충과 다름없는 사람들도 수없이 많다.

여러분! 자신을 하찮게 여기지 마시고 한 사람이라도 적을 상대해야 합니다. 동북사람들 모두 이런 생각을 갖고 있다면 일본과 러시아가 흉악한 짓을 하든 말든 어찌 두렵겠습니까?

이에 대해서는 자세히 말하지 않겠다. 다시 유성과 여러 사람들에 대해 자세히 말하겠다.

이처럼, 김유성과 여러 사람들이 운재소, 후필과 안중근의 어머니와 작별을 하고서 나왔다. 일제히 마차에 올라 인천으로 달려갔다.

열여섯 명의 영웅들이 고향을 떠나 배를 타고 미국으로 가려고 하고 있었다. 모두가 나약한 나라를 구할 생각으로 부모 등 집안사람들과 헤어졌다. 이 젊은이들은 모두 학문을 닦아 나라를 든든하게 만들어야 한다는 것을 알고 있다. 만약 한국 전체가 이와 같다면 다른 나라에 절대 망하지 않을 것이다.

그들은 고향을 되돌아보지도 않고 떠났다. 마차에 몸을 싣고 얘기를 서로 나누었다. 한 사람이 말하였다.

"난 어려서부터 이렇게 먼 길을 떠나본 적이 없어.

또 한사람이

"미국이란 곳이 도대체 어디에 있는지 모르겠다. 사람들이 그러는데 미국이 민족의 나라[1]라고 하는데 그 나라 정치가 그렇게 대단하단 말인가? 그 나라에 가서 먼저 그런 사정을 알아봐야겠다. 귀국하여 민족주의를 고양해야지."

말하자, 또 다른 사람이 말하였다.

"언제 미국에 도착할지 모르겠네. 가는 길에 고생이 심하겠군.

그러자 또 다른 사람이 말하였다. 조급해하지 말고 우리 천천히 가보자구."

또 다른 사람이 거들며

"조급해 해봤자 우리 속만 탄다고."

라고 하였다.

이후 모두 더 이상 말 없었다. 시간을 보니 저녁 무렵이 가까워졌다. 울퉁불퉁하고 평탄하지 않은 길을 달려 수많은 초가집과 산간 마을들을 보며 달렸다. 곳곳에서 농부들이 잡초를 제거하며 부르는 노래를 들었고, 관리들이 길을 바삐 오가는 모습도 보였다 곳곳마다 흰 새들이 숲속에서 지저귀는 소리도 들려왔다.

길옆에는 푸르른 나무들이 늘어서 있었고, 강물에서는 물고기들이 좋아라 뛰놀고 있는 모습도 보였다. 쌍쌍이 날아다니는 제비가 한없이 부러웠다. 여름날 먼 산봉우리에서 구름이 얼굴을 내밀고 눈앞의 느릅나무에서 열매가 연못에 떨어져 누렇게 변하였다. 한창 여름이라 해맑은 날씨가 사람 기분을 상쾌하게 만드니 몸이 평소보다 가볍게 느껴졌다.

영웅들이 길가 풍경을 구경하면서 가노라니 태양이 어느덧 서산에 지고 있었다. 내일 다시 길 떠나기로 하고 여관집에서 하루 밤을 묵었다. 이튿날 아침 서둘러 또다시 길을 떠났다. 배고픔과 목마름이 심했지만 길을 서둘렀다. 이날 아침 조일봉에 이르렀다. 모두들 함께 조일봉을 넘어갔다.

----------------------------------------

**1**  여기에서는 민주의 나라로 보임.

이와 같이, 김유성 등 여러 사람들이 앞으로 달려갔다. 황백웅이 옆에서

"저 앞이 서흥현(西興縣)인데, 오늘저녁 그곳에서 하루 밤 묵읍시다."

라고 하자, 김유성이 말하였다.

"시간이 아직 이르니 몇 리를 좀 더 가야 하지 않겠습니까?"

백웅도

"다시 앞으로 달려 50리 되는 곳에야 여관이 있습니다."

라고 하자 다시 김유성이 말하였다.

"그렇다면 여기에 묵기로 하세."

그리고는 길을 서둘어 길거리 동쪽 어구에 큰 여관이 보여 그들은 마차를 그 집 마당으로 조금 몰고 들어갔다. 점원이 나와 짐을 받아 방으로 날라다 두었다. 점원이 뜨거운 물 몇 동이를 떠다주면서 얼굴을 씻으라고 하였다.

점원이

"손님들 먼저 식사하십시오. 식사 다 하신 다음에 후식도 드시기 바랍니다."

라고 하자, 유성이 말하였다.

"그리 하지요."

라고 하였다.

점원이 밥상을 차리자 다들 식사를 하고 밥값을 치렀다. 점원이 밥상을 다 치우고

"편안히 쉬세요."

라고 하면서 물러갔다.

한편, 안중근이 밥을 다 먹고 손자기(孫子奇)에게

"아직 날이 어둡지 않으니 우리 둘이 나가 노는 게 어떻습니까."

손자기가

"좋습니다."

라고 대답하였다.

그래서 두 사람은 여관을 나와 남쪽으로 2리쯤 걸어 강가에 이르렀다. 두 사람이 사방을 보면서 구경하고 있었는데 갑자기 멀리서 마차가 다가오는 것이 보였다.

잠시 후 그들 앞에 와서 멈추어 섰고 마차에서 세 사람이 내려 인사를 하며 물었다.

"이보시게들! 한 가지 물어보세. 앞으로 얼마나 계속 더 가면 여관이 있는가?"

안중근은 그 사람이 보통사람이 아니라고 생각하며

"약 2리 길을 더 가시면 여관이 있습니다. 여러분은 어디로 가시는가요. 존함은 어떻게 됩니까?"

라고 대답하였다.

그 사람이

"나는 성은 이이고, 이름은 범윤(範允)이라 한다네. 이 사람은 성은 주이고 이름은 장(莊)이라네, 저 사람은 성은 조이고 이름은 명존(名存)이라네. 모두 함경도 중본진(中本鎭) 사람들이네. 우리는 나라가 약해서 미국으로 유학 가는 길이네."

라고 한 말을 안중근이 듣고 말하였다.

"일이 묘하게 되었습니다. 우리 둘도 미국으로 유학 가는 길입니다." 그리고는 자기와 손자기의 성명을 알리고 말을 이었다. "오늘 우리가 이렇게 만나니 아주 반갑습니다. 우리 친구 열 몇이 있는데 지금 여관에 묵고 있습니다. 여관으로 가시려면 우릴 따라 오세요. 내일 우리 함께 미국으로 떠나시는 게 어떻습니까?"

그러자 이범윤 등 세 사람은 일제히 말하였다.

"우린 지금 사람이 적어서 고민하고 있었다네. 안 동생이 우리와 같이 가기를 바라니 어찌 같이 가지 않겠소?"

그리고는 그 다섯 사람은 웃고 떠들면서 여관으로 향하였다.

한편, 구본량이 안중근과 손자기 두 사람이 나간 지 한참 되어도 돌아오지 않자, 걱정하고 있을 때 안중근이 세 사람과 함께 들어오는 것을 보았다.

본량이 말하였다.

"동생, 어디로 갔었나? 이 세 분은 누구시지?"

안중근이 방금 있었던 일을 다 말하고 세 사람을 다른 사람들에게 하나하나 소개해주고 자리에 앉아 얘기를 나누다가 각자 돌아가 잠에 들었다. 이튿날 아침 세 사람은 김유성 등과 한 곳에서 만났다. 마차를 타고 인천으로 향한 큰길에 들어섰다.

어린 안중근이 길에서 세 영웅을 사귀었다. 안중근이

"우리나라가 약하지 않으면 우리가 길에서 이렇게 만날 수 있겠습니까? 일이 공교롭게 된 걸 보니 이게 바로 인연이니 천 리 떨어져 있어도 만나는 것 같습니다. 그렇지 않다면 서로 천 리나 떨어져 있는데 어찌 함께 미국 수도로 유학 갈 수 있겠습니까?"

라고 하자, 이범윤 등 세 사람이 함께 말하였다.

"말이 나왔으니 말이지, 이게 그리 쉬운 일이 아닙니다. 우리 세 사람은 어려서부터 같이 글공부를 몇 년이나 하였습니다. 평소에 늘 우리는 학문이 천박하고 마음속이 비어 있음을 걱정하였습니다. 그런 생각 할 때마다 서양 여러 나라로 유학 가려고 했지만 어리다며 집사람들이 허락하지 않았습니다.

　　요 몇 년간 나라가 약해진 것은 이루 다 말할 수 없습니다. 하는 수 없어 집을 떠나 가야할 길로 가기로 했습니다. 우리 세 사람은 우리가 쓸모가 없을까 두려워하고 있습니다. 그리고 더 많은 친구와 교제하려는 생각을 갖고 있습니다. 마침 안중근 아우와 이렇게 만나게 되었습니다. 한번 보고서 몇 마디 나누었는데도 마음이 통합니다. 안중근 아우로 인하여 또한 여러분 서로 친하게 되었습니다. 우리 세 사람은 너무나 기쁩니다. 여러분 우리 함께 미국 학교에서 공부하고 돌아올 때는 마음과 힘을 합쳐 이 나라를 부흥시킵시다.”

　　여러 영웅들이 웃으면서 같이 앞으로 걸어가는 데 모두 득의양양하고 힘이 솟구쳤다. 낮에는 길을 걷고 밤에는 여관에 묵으면서 며칠을 더 가 이날 인천에 도착하였다. 다들 함께 큰 여관을 골라 짐들을 풀었다. 여러 영웅들은 함께 큰 여관에 들어갔다.

이와 같이 김유성과 여러 사람들이 이날 인천에 도착하여 여관에 들어갔다.

김유성이 말하였다.

“모두 여기서 기다리세요. 내가 회동전점(會東錢店)에 가서 송금하고 배표를 끊어 오겠습니다.”

말을 마치고 그는 여관을 나와서 송금하러 회동전점으로 갔다. 배표도 끊고 돌아오려고 하는데 맞은편에서 홀연 아홉 사람이 나타나 미국 가는 표를 끊고 있었다. 유성이 그 사람들의 모습을 살펴보면서 표를 사는 이유가 있을 것이라고 생각하여 그들에게 물었다.

“여러분은 미국에 무슨 일로 갑니까?”

한편, 이 아홉 사람들은 다름 아니라 이상설 등이었다. 이날 인천에 도착해서 회동전점에서 송금하고 배표를 끊으러 온 것이다. 이들은 김유성을 보고서 묻고는 서로 통성명을 하고 말하였다.

“우린 미국으로 유학 갑니다. 귀하도 미국유학 가는 거 맞습니까?”

김유성이

“맞아요.”

라고 하며 인사를 하며

"우리가 머물고 있는 여관에 열 몇 분이 더 있습니다. 그 분들이 여러분들을 환영할 겁니다. 같이 가셔도 좋습니다."

라고 하자, 이상설이 말하였다.

"그것 참 잘됐네요."

말을 마치고 배표를 산 후 유성과 함께 자기네들이 묵고 있는 여관으로 가서 짐들을 다 챙겨, 유성이 묵고 있는 여관으로 와서 짐을 풀었다.

이수소는 구본량을 보고

"아우가 무슨 일로 여기까지 왔는가?"

라고 하였다.

구본량은 누가 자기를 부르는 소리를 듣고 고개를 돌려 보니 다름 아닌 이수소이었다. 그래서 급히 다가가 서로 인사를 나누었다.

"몇 해 간 떠돌면서 만나지 못하고 이제서야 여관에서 만났구려."

본량이 어떤 말을 하려고 하는지를 알고 싶으시면 다음 회를 보시라.

제16회 영웅들이 미국학교에 들어가고 후필(侯弼)이 신문 사를 열다

위에서 보았듯이, 구본량이 이수소를 만났다. 서로 인사를 나누고 나서 말하였다.

"형님! 형님은 어떻게 여기에 오셨습니까?"

그래서 이수소가 미국으로 유학 가려는 생각을 말해주고 본량도 자기의 생각을 말하였다. 이때 본봉이 다가와서 수소를 알아보고 그동안 헤어져 그리워하던 이야기를 나누었다. 유성·본량도 그들과 서로 인사를 나누고서 둥굴게 모여 앉았다. 이때 그들은 모두 스물여덟 명이었다. 또한 서로의 나이를 확인하였다. 이상설이 가장 위였다. 그 다음은 이범윤·김홍주·김유성·이위종·고운·주장·강수견·오좌군·증준·이준·구본량·황백웅·요재천·전중포·강술백·이수소·악공·소감·도적중·운재수·진성사·진성가·후진·구본봉·손자기·운낙봉·안중근이었다. 이날 여러 사람들은 나이순을 따진 후 한참동안 이야기하다가 헤어져 각자 쉬었다.

이튿날 아침 여덟시, 그들은 자기네를 호송한 마차들을 돌려보내고 배에 올랐다. 잠시 후 영웅들은 배에 올랐다. 배는 빠르게 태평양으로, 미국을 향해 달려갔다.

영웅들이 탄 배는 인천을 떠나 마치 쏜살같이 앞으로 나갔다. 배는 요란한 소리를 내면서 바닷물을 가르며 앞으로 향해 나아갔다. 잠깐 사이 수 천 리나 달렸는데 고개를 돌려 보니 인천이 시야에서 사라졌다. 망망한 바다 속에서 해안과 강촌의 초가집들 그리고 마을의 밥 짓는 연기가 보이지 않았다. 물을 높게 내뿜는 고래가 보일 뿐, 동서남북을 분간하기 어려웠다. 바다 새가 공중에서 날다가 지쳤는지 푸드득거리면서 뱃머리에 내려앉았다. 망망대해는 며칠을 가도 계속되었다. 이런 저런 생각을 하니 모두 처량하기 그지없었다.

미국이 얼마나 먼 곳에 있는지 알 수가 없었다. 모두 70일이나 걸린다고 하였다. 파도가 하늘 높이 치솟고 육지가 보이지 않았으며 오가는 배가 몇 척밖에 없었다. 만일 불행이도 태풍이라도 만난다면 배는 산산 조작이 나 침몰할 터이고 이 많은 사람들이 모두 바다에 빠져 고래 밥이 될 것이다. 그러니 마음속에 크나 큰 뜻을 품고 있다고 해도 소용없는 일이다. 그렇게 된다면 고향의 친척일가는 다시 볼 수 없을 것이다. 또한 그 많은 국치

도 갚지 못할 것이다.

배에는 같이 떠난 친구들 외에 아는 사람이라고는 없었다. 그런데 옆방에서 웃음소리가 크게 들려왔다. 영웅들이 서로 이런 저런 이야기를 나누고 있었는데 갑자기 선장이 식사하라는 소리가 들여왔다. 다들 식사를 마치고 방으로 들어가 침대에 눕자 어느새 잠이 들었다. 실제로 가는 데 두 달이 걸렸는데 이를 다 이야기 하면 두 달은 걸릴테니 그냥 넘어가겠다.

이날 미국 호놀룰루에 도착하였다. 호놀룰루는 미국 본토로부터 8천 리나 떨어져 있었다. 며칠 지나 배가 도착하였다. 배에서 내려 기차를 갈아 탄 후 미국의 워싱턴에 이르렀다. 다들 기차에서 내려 여관으로 들어가 짐들을 놓았다.

이처럼 이상설 등 여러 사람들이 이른 아침 미국 수도 워싱턴에 도착하여 기차에서 내려 여관으로 들어가 짐을 풀었다. 김유성이 말하였다.
"우리 외무부로 가서 서류를 접수해야 합니다."
다들
"그래요. 갑시다"
라고 하였다.

그런데 독자 여러분 중에 이렇게 말하는 사람이 있을 것이다. "한국말과 미국말이 서로 통하지 않고 쓰는 글씨도 다른데 그들이 하고자 하는 것을 미국인 그 사람들이 잘 이해할 수 있을까? 그리고 그 사람들이 서류에 쓰인 글씨를 알아 볼 수 있을까?" 하지만 걱정하지 마시기 바란다.

여러분은 모르시겠지만 여기에는 그만한 이유가 있다. 후필이 미국에서 오랫동안 있다 보니 미국말과 문자를 다 잘 알고 있었다. 그리고 후필의 학생들도 그에게서 배워 미국문자와 미국말을 잘 알고 있었다. 김유성도 기독교 신자이므로 영어를 잘 하였다. 영어가 바로 미국말이므로 그들도 미국사람과 대화가 가능하였다. 서류도 역시 영어로 작성되어 있었다. 바로 후필이 영어로 쓴 것이었다. 위의 몇 회에 이에 대해 나와 있다. 그러므로 독자 여러분들은 의심할 필요 없다. 다시 소설로 돌아가겠다.

김유성 등이 같이 여관을 나와 거리에 나와 문서를 접수하기 위해 외교부로 갔다. 길에 나와 자세히 보니 미국 수도는 아주 번화하였고 벅적거렸다.

영웅들이 일제히 여관을 나와 문서를 접수하기 위해 외교부로 갔다. 잘 닦아놓은 길은 거울처럼 매끌매끌했고 서양 차들이 분주히 오갔다. 가게마다 하루에 세 번 길에 물을 뿌려서 길에 흙먼지라고는 전혀 보이지 않았다. 길 양측에 늘어서 있는 건물들은 모두 유리창을 단 높다란 고층건물들이었다.

건물 안에 이름 모를 골동품이 가득 배열되어 있었다. 모두 자세히 보았지만 그 이름을 알 길이 없었다. 건물 꼭대기에는 피뢰침 하나가 있어 번개가 쳐도 아무 문제가 없었다. 거리 양측에 전주대가 두 가닥 줄로 쭉 늘어서 있다. 붉은 구리로 된 전선이 전봇대 위에서 있어 전력을 보내는데, 한 가닥 줄은 전보 송수신용으로 사용되고 다른 한 가닥 줄은 유리 전등을 켜는데 사용되고 있다.

전등은 기괴한 물건으로서 기름을 사용하지 않고도 스스로 밝은 빛을 발할 수 있다. 다들 서양 사람들이 학문이 깊다고 하면서 발명품들을 보고 이 사람들은 크게 감탄하였다. 이 물건들은 말할 필요도 없이 우리나라에서 본적이 없었거니와 우리나라 대도시에서도 들어본 적이 없었다. 오늘 그들은 눈이 번쩍 뜨였다. 천신만고 끝에 이곳에 온 보람이 있었다.

여러 영웅들이 서로 이야기를 나누면서 걷고 있다가 뜻밖에 아주 멋진 건물 하나를 발견하였다. 사방에 경사진 면과 굽어진 면이 잘 조화되어 있었고 유리공이 꼭대기에서 반짝반짝 빛나고 있었다. 이곳은 바로 미국 국회 상원이었다.

어떤 사람은 이렇게 멋있는 황궁을 어떻게 지었는지 모르겠다고 하고 어떤 사람은 미국에는 황제가 없고 전 국민 투표로 대통령을 선거한다고 알려주었다. 일이 있으면 국회에서 논의와 투표를 거쳐 대통령이 반포하고 실행에 옮긴다고 하였다. 또 어떤 사람은 미국도 원래 국가가 약했었는데 워싱턴이라는 사람이 미국부흥의 서막을 열어 놓았다고 하였다.

백성들이 힘을 합쳐 영국과 9년간 전쟁을 벌인 끝에 영국의 지배를 벗어나 독립된 나라를 세웠다. 다들 미국정치가 좋다고 말하던데 오늘 자기 눈으로 직접 보고나니 듣던 소문과 다를 바 없었다. 여러 사람들이 국회청사로 가는 중에 갑자기 한패의 병사들이 보였는데 북치고 나팔을 부는 소리도 들렸다. 그 젊은이들은 모두 위풍당당하였다. 당연히 나라가 강대하니 병사들을 보아도 용맹해 보였다. 여러 사람들이 웃고 떠들면서 걷다보니 외무부 대문이 눈앞에 나타났다.

초병이 다가와서 그들에게 물었다.

"여기서 뭐하는 겁니까?"

이처럼, 이상설 등 26명이 미국외무부 문 앞에 이르니 초병이 다가와서 "여기서 뭐하는 겁니까?"라고 물었다. 이상설 등이

"우리는 한국에서 온 유학생입니다. 서류가 여기 있습니다. 안으로 들어가게 해주십시오."

라고 대답하자, 초병이

"잠깐만 기다리시오."

라고 하였다.

초병이 안으로 들어간 지 얼마 안 되어 나와서 말하였다.

"저를 따라 오시오."

그들은 초병을 따라 안으로 들어갔고 결국 화청(華聽)을 만났다. 서로 인사를 나누고 나서, 이상설과 이범윤이 서류를 주었고, 김유성이 후필의 서한을 주었다. 화청은 서류를 다 보고 나서 후필이 자신에게 쓴 편지를 뜯어 읽었다.

편지에는 삼가 인사말을 올린다는 몇 자로 시작하여 화청 등 기타 동창생들의 안부를 묻는 내용이 쓰여 있었다.

"우리 형제가 헤어진지도 10년이 넘었습니다. 늘 생각하지만 만나지 못하는 것이 마음에 걸리었습니다. 몇 년 전에 형님이 보낸 편지를 보고 외무부 상서랑(尚書郎)으로 승진한 걸 알았습니다. 우리는 산 높고 길 먼 곳에 있어 만날 수 없었습니다. 이곳에 있어 승진 축하도 못해주어 실례를 범하였습니다.

형님께서 이 아우를 너그럽게 생각하시어 이해해 주십시오. 오늘 편지를 보내 아우의 이런 마음을 알리고자 합니다. 그리고 들어주어야 할 한 가지 부탁이 있습니다. 우리나라가 약하고 현명한 재상이 없습니다. 정부에 있는 국왕과 신하들이 아직도 정신을 못 차리고 있습니다. 일본이 우리에게 여러 번 세력을 뻗치려고 하고 있습니다. 가련하게도 수많은 우리 백성들이 그들에게 화를 입고 있습니다.

우리 한국은 원래 중국의 속국입니다. 일본이 제멋대로 우리나라를 독립국으로 인정하였습니다. 분명 이처럼 우리나라를 침해하려 하고 있습니다. 그런데도 우리나라 사람들은 꿈속에서 헤매기만 합니다. 백성들 또한 나라를 지킬 방법을 모르고 있습니다. 한국이 다른 나라에 망하지 않을까 두렵습니다.

이 아우는 나라를 지켜 태평을 누리게 하려면 전 국민이 배워서 강해지는 수밖에 없다

고 생각합니다. 우리나라에서 학교도 별로 없고 제대로 되어 있지도 않습니다. 백성들이 모두 학교를 좋게 보지 않습니다. 학교에 대한 말을 꺼내면 다들 귀를 막고 피하고 아이들을 학교에 보내려고 하지 않습니다. 백성들이 이러고서야 어떻게 나라를 지켜 일본에게 망하지 않게 할 수 있겠습니까?

다행히 내가 괜찮은 제자 몇 사람을 가르치고 있습니다. 그들은 진심으로 외국 유학을 바라고 있습니다. 때문에 내가 학생들을 귀국으로 보냈는데 형님께서 아무쪼록 그곳에서 잘 보살펴 주십시오. 형님 나라의 정치와 학문은 대단합니다. 그래서 나는 그들이 형님의 나라에서 유학하기를 희망합니다. 해마다 학비와 생활비를 보낼 테니 형님께서 안심하시기 바랍니다.

후필이 4월 4일 평양에서 세 번 머리를 숙여 올립니다.”

화대인이 후필의 편지를 다 보고 나서 눈살을 찌푸리며 속으로 생각하였다.

이처럼, 화대인이 후필의 편지를 다 보고서 속으로 생각하였다.

“한국이 약하기 때문에 학생들의 유학은 백년대계이다. 내 생각에 일본은 반드시 한국을 멸망시킬 것이다. 그렇다면 우리나라에도 이로운 점이 전혀 없을 것이다. 오히려 우리에게 해가 될 것이다.

그러므로 그들이 학교를 알선하여 공부하도록 하지 않을 이유가 없다. 만일 그들 중에서 영웅이라도 태어나 한국을 지킨다면 한국 사람들이 나를 정말로 좋은 사람으로 여기지 않겠는가?”

이렇게 생각하고는 김유성 등에게 말하였다.

“그대들이 미국에 유학 왔는데 어떤 학교에 가서 공부하고 싶은지 모르겠습니다. 다들 뭐를 어떻게 할지 잘 모르는 모양이니 내가 한 번 말해보겠습니다. 나라를 지키고자 한다면 육군사관학교나 법정대학이 좋습니다. 법정대학에서는 정치학을 가르치고 육군사관학교에서는 군사학을 가르칩니다. 그리고 이과도 있어 물리화학을 전문적으로 연구할 수 있습니다. 육군학교와 물리학과는 3년제이고, 법정대학은 5년제입니다. 다들 어떤 학교에 다니고 싶은지 모르겠습니다.”

이상설이 말하였다.

“잠깐 서로 의론해 보겠습니다.”

이리하여 악공·김홍주·이범윤·진성전·진성조·상존·강술백·이준 등 여덟 사람은 육군사관학교를 지망하였다. 구본량·도적중·손자기·고운·주재 등 다섯 사람은 이공과를 지원하였다. 나머지 13명은 법정대학에 들어가기를 원하였다.

화청이 듣고 나서 한마디 말을 하였다.

"그럼 내가 그대들이 입학할 수 있도록 해드리겠습니다."

그리고는 그들에게 여관으로 가서 짐을 갖고 오라고 하여 학교로 갔다. 구본량이 이과 중에 의과공에 입학하였다. 다른 사람도 모두 각자가 원하는 지망대로 학교에 입학하였다.

이에 대해서는 자세히 말하지 않겠다.

한편, 후필은 김유성을 비롯한 학생들을 떠나보낸 후 집으로 돌아왔다. 며칠 후에 김옥균에게

"학생들이 다 갔습니다. 우리 두 사람은 신문사를 할 준비를 합시다."

라고 하자 후필이

"신문사를 만들 자금을 어디에서 구하지요?"

라고 하였다. 다시 김옥균은 이렇게 말하였다.

"형님은 걱정하지 마세요. 저에게 방도가 있습니다."

그리고는 청첩장 몇 장을 써서 악공의 부친 악회숭, 손자기의 부친 손선장, 도적중의 형 도적의, 소감의 부친 소수성을 모셔 오고 전승은·장건충·화금 세 신사에게도 청첩장을 보냈다. 이날 청첩장을 받은 사람들이 모두 후필의 학교에 모였다. 후필이 여러 사람들을 교실로 모신 후 자리에 앉았다.

여러 사람들이 일제히 후필에게 물었다.

"선생님께서 부르셔서 왔는데 무슨 하실 말씀이라도 있습니까?"

후필이 웃으면서 대답하였다.

"아무 일도 없는데 여러분을 오시라고 할 수는 없습니다. 잘 들어주시기 바랍니다. 여러분이 제게 돈을 좀 도와주셨으면 합니다. 다른 일이 아니라 신문사를 차려서 국민을 새롭게 만들려고 합니다.

우리 한국은 일본에 모욕을 당하고 있습니다. 그래서 집을 떠나 미국에 유학 중인 학생들이 되돌아왔을 때 민지를 개발시켜 이 나라의 뿌리를 튼튼하게 하려고 합니다. 현재 우리들은 이미 고향을 떠나 집에서도 편안하게 살수 없습니다. 나는 늘 우리나라가 망하지 않도록 하려는 생각뿐입니다. 그리고 오직 수많은 백성들의 마음을 하나로 합치도록 할 생각뿐입니다. 반드시 신문을 이용하여 백성들의 정신을 고취시킬 겁니다.

그리하여 일본의 해로움을 알도록 하겠습니다. 일본의 해로움으로부터 나라를 지킬 방법을 알게 하려고 합니다. 이 사직과 강산이 반드시 불타지 않도록 하겠습니다. 이로 나는 사람들로 하여금 자신의 집을 지키도록 할 것입니다. 저에게 졸견이 하나 있습니다. 그것을 여러분 앞에서 감히 말씀드리도록 하겠습니다.

이곳에서 쉬운 말로 된 신문을 발행하여 매일 곳곳에서 발매하여 어리석은 백서들을 교화시키려고 합니다. 여러분들에게 도와달라고 한 이유는 바로 이것입니다. 여러분들! 제발 저의 이런 마음을 버리지 마시길 바랍니다. 또한 여러분들이 집집마도 몇 부씩 나누어 주시기 바랍니다. 신문사의 성공은 바로 여러분에게 달려 있습니다. 이러한 때에 백성들의 지식이 더욱 개발된다면 어찌 우리의 복이 아니겠습니까? 여러분! 생각하시고 또 생각해보시기 바랍니다."

후필의 말은 절절하였다.

이처럼, 후필이 신문사를 열기 위해 도움을 요청한 이야기가 끝나고 나니, 악회승 등이 일제히 말하였다.

"선생님의 생각이 아주 지당합니다. 우리 모두 찬성입니다. 돈이 얼마 필요한지요? 우리가 꼭 돕겠습니다."

후필이

"그리 많이 필요하지 않습니다. 3·4천원정도면 충분합니다."

라고 답하자, 악회승 등이 말하였다.

"그 정도라면 큰 문제는 없습니다. 선생님! 일을 추진하십시오. 우리 여덟 사람이 먼저 각기 5백 냥씩 내겠습니다. 부족하면 더 내도록 하겠습니다."

다시 후필이

"4천 냥이면 충분합니다."

라고 하였다.

그리하여 여덟 사람은 각자가 돌아가 돈을 모아 후필에게 보냈다. 후필은 드디어 인쇄기를 구입하고 직원 몇 사람을 고용하여 자기가 주필을 담당하고 신문사를 열었다. 여기저기에서 신문을 사러왔다. 처음에는 사람들이 잘 사다 보지 않았지만 점차 재미가 있어서 앞 다투어 사다 보았다. 신문사는 번성하였다. 이에 대해서는 자세히 말하지 않겠다.

한편, 일본 황제는 어느 날 이른 아침 조회에 나갔는데 이토가 말하였다.

"폐하만세! 제게 드릴 말씀이 있습니다."

영웅이 민심을 불러일으키자 일본 이리떼가 덮쳐온다.

이토가 무슨 말을 하였는지를 알고자 하면 다음 회를 보시라.

위에서 보았듯이, 이토가 내전에서 국왕을 뵙자, 일황이 이토에게 황금의자에 앉으라고 하였다. 이토가 감사하다면서 자리에 앉았다.

"그대가 그날 한국을 병탄하기 위해 먼저 우리가 한국을 지켜준다고 했는데 어떻게 되고 가고 있는가?"

"폐하! 제가 여기에 왜 왔는지 모르시겠지만 바로 이 일 때문에 왔습니다. 모든 준비가 이미 완료되었습니다."

"그럼, 그대가 나와 상의한 다음에 실행에 옮기는 게 어떠한가?"

저 이토가 내정으로 와서 일황에게 들어보라며 다음과 같이 말하였다.

"폐하 제 말을 잘 들어보십시오. 제가 세상에 나온 후로부터 지금까지 오직 이루지 못한 두 가지의 목적이 있습니다. 하나는 한국을 완전히 우리의 관할 하에 두지 못한 것입니다. 다른 하나는 만주를 아직 우리 관할에 귀속시키지 못한 것입니다. 두 가지 목적 중 첫 번째 것이 중요합니다. 저 만주와 한국은 부르면 들릴 정도로 가깝습니다. 그때문에 한국을 손에 넣으면 동북삼성 문제는 아주 쉬워집니다.

한국을 먹기 위해 신은 많은 피를 흘려 이제 겨우 한국을 손에 넣을 수 있었습니다. 한국이 더 이상 중국의 관할에 속하지 않습니다. 지금 힘을 급히 안 써도 한국은 이미 얻은 것입니다. 며칠 전 제가 한국을 보호한다는 명목으로 계책을 생각해 냈습니다. 한국에 통감부를 설치하고 말 잘 하는 대신을 주재시키는 것입니다. 그에게 한국통감 도장을 주어서 일체 사무를 결정하게 하는 것입니다. 한국에서 계책을 써서 화려하고 교묘한 말로 국왕과 신하들을 이렇게 구슬리는 것입니다. "한국은 본래 괜찮은 나라이다. 오직 내정과 외교가 좀 잘 못되었다. 이 때문에 귀국은 다른 나라로부터 수모를 당하였다.

우리는 지금 귀국과 함께 하나의 방법을 생각해 냈는데 그것은 우리가 당신네 나라를 보호하는 것과 여러 가지 재정문제를 개혁하는 것이다. 제반 정치는 우리가 한국을 대신하여 행사하겠다. 이렇게 하면 다른 나라로부터 받는 수모와 억압을 덜 수 있다. 외교는 우리나라가 한국을 대신하여 관할하고 재한 외국영사를 모두 철수시키는 것이다."

이렇게 하면 그들이 받아들이지 않을 것을 걱정할 필요가 없습니다. 그리고 저에게 그들을 처리할 방법이 있습니다. 겉으로는 한국을 지켜준다는 명목을 내세워 남모르게 조금씩 권력을 빼앗는 것입니다.

한국 국왕과 신하들이 너무나 무모하여 때를 보아 그들을 어르고 달래면 한국의 권력은 모두 우리의 손안에 들어올 것입니다. 우리는 한국을 야금야금 먹고 들어가면 됩니다. 설사 한국에 대영웅들이 많이 나타난다고 해도 권력이 없으면 어찌 하지 못할 것입니다.

한국을 먹은 후에 다시 동북삼성을 분할한다면 우리나라는 비로소 발달하게 될 것입니다. 폐하께서 허락해 주신다면 통감을 한국으로 조속히 파견하겠습니다. 이 일은 한시 각이라도 늦추어서는 안 됩니다. 늦어지면 일을 그르치게 됩니다."

이와 같이 이토가 한국과 동북삼성 병탄 문제에 대한 이야기가 끝나자, 일황이 말하였다.

"그대의 견식이 대단하오. 과인은 통감직을 다른 사람이 능히 감당할 수 없을 것으로 보오. 그대가 가시오. 뭐라고 할까! 모든 일을 그대가 했으니 그대가 가면 두서 있게 일을 처리하지 할 것이외다. 그러므로 과인은 그대가 통감의 자리에 앉기를 바라오."

이토가

"폐하께서 저를 이미 보내시었는데 제가 어찌 사양하겠습니까. 모레 제가 가겠습니다."

라고 하자, 일황이

"좋소. 빠르면 빠를수록 좋겠소. 늦으면 일에 차질이 생길 수도 있소."

라고 하였다.

그리하여 이토는 일황과 작별하고 집으로 돌아갔다. 일황은 공부(工部)에 명하여 통감도장을 파도록 하였다.

3일 후, 이토는 내전에 있는 통감도장을 향해 아홉 번 절을 하고 나서 그 도장을 일황에게서 받았다. 일황은 이토를 통감으로 봉하고 한국에 전보를 쳐서 일본영사에게 이토를 영접하라고 명령하였다. 그리고는 연회를 베풀었다.

이후 일황은 만무백관과 함께 십리에 이를 정도로 길게 줄을 서서 이토를 전송하였다. 이토는 모든 준비를 마치고, 한국을 다스릴 많은 관원들을 이끌고 빠른 차를 타고 서울을 향해 출발하였다. 백성들이 이토가 통감이 되어 한국으로 간다는 소식을 듣고 길거리로 나와 전에 없는 전송을 하였다.

도쿄를 떠나는 이토가 탄 마차 행렬의 위풍은 대단하였다. 말 36필로 이루어진 호위대가 앞서 갔다. 기마병이 내는 나팔소리가 마치 학과 용이 내는 소리를 방불케 하였다. 뒤에도 호위대가 있었는데 이들은 모두 청년으로 작은 보병용 칼을 갖고 있었다. 병사들이 든 총칼이 빛을 받아 반짝거렸다. 구경군 5·6백 명이 차를 에워싸 바람도 샐 틈이 없었다. 위풍당당하게 앞으로 갔다.

또한 백성들이 와자지껄 떠들었다. 한 사람이

"이토 각하께서 오늘 떠나시는군."

이라고 하자, 다른 한 사람이

"어디로 가시는 거지"

라고 하였다.

또 다른 사람이

"통감으로 한국으로 가신데. 당신네들은 정말로 모를 테지."

라고 하자, 옆에 있던 또 한 사람이 말하였다.

"통감이 한국에 가면 그분이 한국을 반드시 망하게 할 것이네. 그러면 우리나라는 필연적으로 토지를 얻을 테고. 또 그렇게 되면 한국이 망하는 것이 이미 정해진 거나 진배없지."

말할 필요도 없이 백성들이 거리를 가득 메우고 한가하게 이야기를 나누고 있었다. 더욱이 이토의 행렬이 어느덧 십리 장정에 이르렀다. 일본의 군신이 그 곳에서 이토를 기다리고 있었다. 이토는 황급히 차에서 내려

"오늘 저는 죄를 지었습니다."

라고 하자, 일황이 말하였다.

"그대는 이리 예의 바르게 행동할 필요 없소이다. 과인이 오늘 그대에게 술 석 잔 드리리라. 그대의 충성심에 대한 보답으로 말일세"

일황의 말이 끝나자 이토에게 술잔을 건넸다. 이토 후작이 절을 하면서 겸손하게 손으로 받았다. 술 세 잔이 가슴 속으로 흘러들었다. 이번에는 문무백관들이 한사람씩 술 석 잔씩 권하였다. 이토의 얼굴은 어느새 붉어졌다.

그는 백관들에게 예를 표하며 말하였다.

"여러분의 호의에 감사를 드립니다."

그리고는 차에 올랐는데 그 위세 당당함이 쭉 이어졌다. 해변에 도착하려 배에 올라 한국으로 향하였다. 이 글에서는 이토의 행렬을 간단하게 그렸지만 실로 대단하였다. 말

은 간단히 하는 게 좋다. 잔소리를 많이 해봤자 졸음만 올 테니 말이다.

이처럼, 이토가 이날 서울에 도착하니 일본영사가 한국 대신들과 길게 줄을 서 있었다. 이토는 인사를 나누며 수고가 많았다고 말하였다. 그리곤 이토는 일본영사관으로 들어갔다. 한국 대신들은 잠시 이야기를 나누고 헤어져 돌아갔다.

한편, 이토는 일본영사관에서 며칠 머물면서 말하여 영사를 귀국시켰다. 그 후 한국의 모든 것을 그가 관리하였다. 이날 청첩장 몇 장을 한국 대신 이완용·조병직·박정양·윤용구 등에게 보내어 오라고 하였다.

한편, 거실에 주인과 손님이 자리를 잡으니 차가 올라왔다. 차를 다 마시고 나서 찻잔 위에 올려놓았다. 이완용 등이

"귀 대신께서 오늘 저희들을 초대하였는데 무슨 상의하실 일라도 있으신가요?"

라고 하자, 이토가

"특별한 일은 없습니다. 몇 년 전 우리가 귀국을 대신해 동학당을 평정하였습니다. 귀국 백성들이 이유 없이 우리의 병사들을 무수히 다쳤습니다. 우리는 귀국을 대신해 내정을 개혁하려고 합니다. 그런데 중국과 전쟁을 하는 바람에 이 일을 처리하지 못 하였습니다. 올해 우리 황상께서 나를 귀국의 통감으로 파견하여 상업을 보호하고 지난 1년간의 일을 처리하라고 하였습니다.

물론 그때의 일은 귀국 백성들의 무례임이 틀림없다. 하지만 그렇다고 해서 우리는 귀국의 정치를 억지로 개혁하려고 하였으니 귀국에 미안하다고 생각합니다. 그래서 오늘 여러 분을 모셨습니다. 상의할 일이 몇 가지 있는데 들어 주시겠습니까?"

라고 하자, 이완용이 "통감! 얘기하십시오. 어찌 듣지 않겠습니까."

라고 대답하였다.

그러자 이토가 의자에 앉아서 천천히 말하였다.

"당신네 나라의 백성이 난을 일으켜 무수히 많은 우리의 병사들이 다쳤습니다. 이것은 모두 귀국의 내치가 완비되지 않은 까닭입니다. 이로 인하여 무수한 백성들이 발광하고 있는 것입니다. 우리 황상께서 나를 보내 당신네 나라의 통감으로 삼아 한국정치를 개혁하라 하셨습니다.

내가 오늘 당신네 나라의 정치를 개혁하면 귀국의 체면은 말이 아닐 겁니다. 나에게 양측이 다 만족할 수 있는 확실한 좋은 방법이 있습니다. 감히 여러분 앞에서 말씀 드립

니다. 한국은 여러 면에서 연약합니다. 이는 모두 내정이 심히 엉망이기 때문입니다. 우리의 군사력은 강성하고 정치도 잘 되고 있습니다.

당신네 나라를 대신하여 한국을 보호하고 모든 관청에 우리나라 사람을 한명씩 두어 그들로 하여금 각종 사무를 모두 협의하도록 하겠습니다. 만약 잘 되지 않는 점이 있다면 그들이 당신네와 함께 개혁을 할 수 있습니다. 이렇게 우리가 여러 방면의 정사를 관리하고 보호한다면 모든 것이 강해질 겁니다.

각국에 당신네 영사를 주재시킬 필요가 없습니다. 필요 없는 영사들은 모두 고향으로 돌려보낼 것입니다. 외교사무는 전부 당신네들을 대신하여 처리하겠습니다. 한 푼의 돈도 귀국에서 받지 않을 것입니다. 절약한 돈으로 귀국의 군비를 부흥시키고 관리하여 보호한다면 한국은 망하지 않을 것입니다.

이후로 귀국은 우리나라의 보호를 받게 될 것입니다. 이렇게 된다면 다른 어떤 나라도 감히 귀국을 불행에 빠트리는 일은 없을 것입니다. 개혁이 되어 우리가 귀국에서 손을 땔 때 면 어찌 일거양득이라고 하지 않을 수 있겠습니까?"

이토가 화려하고 교묘한 언변으로 한 바탕 연설을 하였다. 이토의 말에 공명한 한국대신들은 다른 말을 하지 않았다. 이들은 일제히

"서로 이익이 많겠습니다. 우리 황제에게 빨리 아뢰어야 하겠습니다."

라고 할 뿐이었다.


이와 같이, 이완용은 이토의 말에 공명하여 눈이 휘둥그레져

"귀국은 이처럼 호의를 갖고 우리나라를 보호하는데 어찌 좋지 않겠습니까? 어떻게 감사해야 할지 모르겠습니다. 우리는 돌아가서 황제께 아뢴 다음에 통감께서 바라는 대로 각부에 사람을 보내주시면 얼마나 좋겠습니까?"

라고 하자, 이토가 말하였다.

"그렇다면 여러분은 돌아가서 당신네 국왕에게 알리시오."

그리하여 이완용 등은 영사관을 나와 내전으로 가서 한국 황제를 뵙고 이토가 한 말을 본받아야 할 것으로 여겨 말하였다.

"이토는 너무나 마음이 좋아서 우리를 대신하여 한국을 보호하고 우리의 정치를 개혁한다고 합니다. 개혁이 잘 되면 그들은 돌아간다고 합니다. 폐하! 보십시오! 이것이 얼마나 서로에게 이익이 되는지 말입니다. 오늘 만약 윤허해주시지 않으시면 이는 마을에 가게가 없는 것과 같은 것으로 꼭 들어주셔야 합니다.

저 이희 왕은 아무 것도 모르는 일개 황제에 지나지 않았다. 그래서 대신들의 말을 듣고 이 일이 좋다고 여겨 말하였다.

"그대들이 알아서 잘 처리하도록 하시오."

이리하여 그들은 모두 함께 다시 일본 영사관으로 가서 조금 전의 일을 이토에게 전하였다. 그러자 이토가 말하였다.

"한국왕은 그렇게 생각하시니 현명하신 분이십니다."

이어서 노즈시 즈오(野津鎭雄)[1]을 한국 병부고문으로, 후지 마스오(藤增雄)을 내궁 학농공(內宮學農工)의 삼부(三部)의 고문관으로, 메가타 타네타로오(賀田種太郎)을 재정국 고문으로, 시데하라 타이라(幣原坦)을 학부 참여관으로 큐야마 시게토시(九山重俊)을 경찰고문관으로, 미시마 키미네(三島奇峯)을 법부 고문관으로 임명하였다. 한국 내 각처와 백성들의 자문과 소송 등 모든 일을 그들 영사들이 대신하도록 하였다.

이날 이토가 그들을 보내기로 정하였던 것이다. 이날은 한국의 행정권이 전부 일본의 손으로 들어간 날이었다. 저 한국의 관원은 그들에게 바싹 붙어서 한 덩어리가 되어 식사를 같이하면서 친하게 지냈다. 그들 모두는 일본을 호의로 대하였다. 이는 너무나 한탄스러운 일이다.

간사한 이토가 한 모든 짓은 한국은 망하게 한 일이었다. 한국을 보호한다는 명분을 내세워 몰래 한국의 이권을 빼앗았다. 한국 대신들은 무모하고 견식이 짧아 온종일 아무 생각 없이 지내는 벙어리와 귀머거리에 지나지 않았다. 한국 사람들은 일본인들이 악독한 술책으로 한국인들에게 한 짓을 호의로 여기고 있었다.

자기 나라는 자기의 힘으로 지켜야 하고 결코 다른 나라에 의지해서는 절대 안 된다. 자신의 모든 일을 다른 사람이 전부 대신 한다면 망한 거나 다름이 없다. 권력이 있어야 나라가 유지할 수 있다. 권력이 없다면 나라는 빼앗기는 것이다.

권력 그것은 무엇인가? 여러분은 잘 모르실 것이다. 내가 알려주리다. 권력과 인간은 곧잘 저울에 비유된다. 그것으로 물건의 가벼움과 무거움을 재는 것이다. 권력은 우리의 권력이어야 한다. 권력이란 저울추에 해당하다. 저울추가 있어야만 물건을 달 수 있다.

---

1   노즈 시즈오(野津鎭雄陸).

저울추가 없으면 아무도 것도 달 수 없는 것이다.

우리 인간은 저울대에 비할 수 있다. 저울추를 이용하여 무게를 다는 것이다. 저울추가 다른 사람 손에 넘어 간다면 이 저울대는 아무 소용이 없다. 정치가 바로 국가 권력이다. 권력을 얻어야만 나라가 일어날 수 있는 것이다.

한국이 권력을 일본인 손에 넘겨주는 것은 바로 금수강산을 버리는 것과 같다. 중국인도 모두 권력을 지킬지 줄을 모르고 있으니 한국의 뒤를 따라 망하지 않을까 두렵다.

여러분들에게 권하노니, 반드시 권력을 강하게 해야 한다. 결코 멍하니 가을과 겨울을 보내서는 안 된다. 이번에 한국이 나라를 잃은 것을 한탄할 일이다. 다음으로 일본은 중국의 재정을 탈취할 것이다.

오늘은 여기까지만 이야기하고 내일 다시 들려드리겠다.

## 5 제18회 국채를 청구하고 재정을 감독하며, 인명을 해치고 경찰권을 강탈하다

의복은 순경에 비유되고 혈관은 돈에 비유된다. 입을 옷이 있어야만 추위를 막을 수 있고 혈맥이 온몸에 통해 야만 신체가 튼튼해 질 수 있다. 양자는 서로 보완관계로 어느 하나가 없어도 안 된다. 유식자들이 시국을 한탄하는 것도 모두 나라경제가 어렵기 때문이다.

이상의 시구가 끝나니 이야기는 계속 이어간다. 위에서 보았듯이, 한국은 일본이 보호하는 처지가 되었다. 일본이 모든 정치기구에 일본인을 배치하여 일을 처리하도록 하였다. 한국의 군신은 자기 나라의 정사를 다른 나라 사람이 대신하여 처리하도록 맡기고서도 모르는 척하고 오히려 좋다고 하고 있다.

처음에는 어떤 것이라도 처리할 때 한국대신들과 함께 의론하기로 하였으나 나중에는 저 한국 대신들을 따돌렸던 것이다. 말할 것도 없이 모든 일을 일본인이 시키는 대로 했다. 한국 국왕과 대신들은 귀머거리와 같았다.

그들은 이 문제에 대해 전혀 신경을 쓰지 않았다. 그들은 정치가 잘 개혁되어 편안하게 태평세월의 복을 향유하기만 기다렸다. 그러나 그들은 호랑이와 이리와 같은 저 일본인들이 입에다 문 고기덩이를 어떻게 토할지 모를 일이었다.

하물며 저 일본은 늘 한국을 병탄하려고 생각하였다. 지금 한국이 일본의 손아귀에 있는데 어찌 놓아주겠는가? 한국이 무능하여 권력을 남의 손에 넘겨주었다. 중국은 한국의 전철을 밟지 않도록 조심해야 한다.

이야기 줄거리와 상관없는 소리를 그만하겠다.

한편, 이토는 한국의 권력을 전부 손아귀에 장악한 다음 한국 내 일본인들이 마음대로 행패를 부리도록 방임하였다. 한국 백성들이 일본인에게 수모와 탄압을 당한 것은 실로 말로 형언하기 어렵다. 이로부터 1년이 지나고 한국 권력의 절반이상이나 일본인들에게 넘어갔다. 한국은 또 이토와 통감부에 장악되었다.

이날 이토가 통감부에서 책을 보고 있다가 갑자기 한 가지 생각이 떠올라서 마차를 준비시켜 한국정부로 타고 갔다. 한국정부에 도착하여 내렸다. 이완용이 기다리고 있다가 방으로 맞이하여 모두 자리에 앉았다. 모두 이토에게 말하였다.

"통감께서 오늘 여기에 오셨는데 무슨 상의할 일이라도 있습니까?"

이토가 웃으며 말하였다.

"아무 일 없이 이곳에 어찌 오겠습니까. 여러분들이 물으니 제 말을 잘 듣기 바랍니다. 오늘 여러분에게 드릴 말씀이 있어 왔습니다. 그해 1년간 한국에서 내란이 일어나 이유 없이 우리나라 영사관을 공격하여 우리나라 상인 몇 백 명이 살해되었습니다. 또한 우리 영사 하나부사(花房)군은 영국 상선을 타고 목숨을 건졌습니다. 그렇지 않았다면 그는 죽고 말았을 겁니다.

그때 우리나라는 파병하여 문죄하였습니다. 당신네 나라는 한국에서 50여만 금을 갚기로 했었습니다. 하지만 이 돈을 그 때 갚지 않았습니다. 국토를 담보로 3분의 이자를 물기로 했습니다. 이것이 첫 번째 배상이고 두 번째 배상은 3만금입니다.

두 번째 배상은 다름 아니라 귀국 대신 김옥균 때문입니다. 그는 오로지 귀국에서 유신을 도모하였습니다. 그가 우리 영사에게 와서 군대를 파견해 달라고 하였습니다. 나중에 우리는 중국에 졌습니다만, 이로 인하여 한국이 우리에게 은 13만 냥을 배상하기로 했습니다. 1년에 3분 이자를 내기로 했는데, 오늘까지 16년이 지났습니다. 원금과 이자를 합치면 도합은 3백만 냥입니다. 그런데도 지금까지 한 냥도 갚지 않았습니다.

우리나라에서 전보가 날아 왔습니다. 육군 2개 부대를 창설한다고 합니다. 한국에 있는 나에게 채무를 받아서 새로 만든 육군의 군량비로 충당하라고 합니다. 우리나라의 군량비가 모자랍니다. 그래서 채무를 받아오라고 합니다. 여러분이 위에 아뢰어서 땅을 팔든 해서 우리 돈을 꼭 갚아야 합니다. 내가 한 달을 줄 테니 기한 내에 나에게 보내야 합니다. 때가 되어도 돈이 오지 않으면 우리군대는 군량비를 충당하는데 곤란합니다. 만일 진정으로 우리에게 갚을 돈이 없다면 내가 두 가지 방법을 당신들에게 알려주겠습니다.

첫째, 돈이 없다면 땅을 우리에게 파는 겁니다. 경기도가 대략 은 3백만 냥의 가치가 있습니다. 이 땅을 우리에게 넘기면 됩니다. 둘째, 한국 재정을 우리가 관리하여 수입지출 현황을 당신네는 관여하지 않는 것입니다. 쓸데가 있으면 우리에게 와서 받아 쓰면 당신네들이 조금이라도 헛되게 지출하도록 하지 않을 겁니다. 많이 아껴야 우리에게 그 오래된 채무를 갚게 될 겁니다. 그리고 탐관오리들이 꿀꺽하는 것도 막을 수 있습니다.

당신네 나라 사람들은 재정을 어떻게 관리하는지 재산을 모으는지도 모르고 부를 구한다는 말조차도 들어보지 못했을 겁니다. 재산을 모으고 부를 구하는 것은 백성을 풍요롭게 하는 길입니다. 또한 이것은 백성들의 생활고를 더는 길이기도 합니다.

이 두 가지 방법 중 꼭 한 가지를 택해 어떻게 하든 우리에게 부채를 갚아야 합니다. 돈이 있다면 우리에게 갚으면 그만입니다. 하지만 당신네에게는 돈이 나올 데가 없습니

**39**

다. 여러분! 돌아가서 잘들 생각해보오."

이토가 말을 마치니 이완용은 혼이 나갔다.

이처럼, 이토가 말을 마치니 이완용은 눈이 휘둥그레지면서 반나절이나 지나서 입을 열었다.

"요즘 한국은 너무 가난하여 돈이 없는데 돈을 구할 방법도 돈도 없습니다."

이토가 말하였다.

"돈이 없으면 안 됩니다. 우리나라는 저 채무를 받아 군량비를 만들어야 합니다. 당신네들이 우리 돈을 갚지 않으면 우리가 무엇으로 양병하겠습니까? 아무튼 한 달 기한을 주면 충분할 것입니다. 돈이 준비되지 못하면 말 할 것도 없이 우리에게 땅을 주시오, 아니면 우리가 당신의 재정을 관리하겠습니다. 더 이상 말할 필요가 없겠습니다."

말을 마치고 이토는 통감부로 돌아갔다.

한편, 이완용 등이 당일 서로 의론했지만 아무에게도 방법이 없었다. 그래서 그들의 황제 희왕에게 아뢰었다. 이희도 방법이 없었다. 서로 의론한 끝에 백성들에게 손을 내밀어 보자고 했지만 백성들은 누구 하나 돈을 내지 않았다. 그런데 한국 백성들은 아무것도 모르고 있었다. 상세한 상황을 잘 안다면 다들 힘을 합쳐 국채를 갚을 돈을 모아서라도 일본의 빚을 갚는다면 재정이 남의 손에 넘어가지 않을 수도 있었다.

그들 모두 사심으로 인하여 돈을 내어 나라 빚을 갚으려 하지 않았다. 돈을 갚지 않는다면 그 땅을 잃고 재정권마저 잃게 되는 것을 어찌 알겠는가. 재정은 국가의 혈맥이다. 혈맥이 다른 사람의 손에 넘어가면 국가는 결국 망하고 마는 것이다. 중국도 외국에 빚이 있다. 그것도 한국보다 몇 배나 더 많다. 요 몇 해 동안 외국 사람들은 중국의 재정권을 차지하려고 혈안이 되어 있다. 재정권이 외국인들의 손에 들어가면 중국도 곧 망하게 된다. 이런 사실을 여러분은 잘 생각해보시라. 더 이상 말하지 않겠다.

한편, 이완용 등이 부채를 갚을 돈을 준비하였지만 한 달이 지나도 진척이 없었다. 하는 수가 없어 통감부로 가서 이토에게 사실대로 말을 하였다.

이토가 말하였다.

"준비를 못하였다는데 뭐라고 하겠습니까? 어차피 두 가지 방법 중에서 한 가지를 택해야 할 테니."

이완용 등이 기일을 연장해 달라고 하니 이토가 머리를 저울 뿐 응답하지 않았다. 이완용은 별다른 방법이 없는 것을 보고서 드디어 이토에게 한국의 재정 관리를 허가하였다. 재정권이 일본인 손에 넘어갔다. 대한(大韓)의 세무·지조(地租)·왕조(王租) 등 모든 수입을 이토가 관리하였다.

한국 사람들이 어떤 일을 하려고 하거나 정치를 하려고 하면 이토는 돈을 주지 않았다. 오히려 그들에게 말하였다.

"당신네들이 우리에게 돈을 갚아야 할 것 아니오. 내가 당신네들에게 줄 돈을 절략하여 빚을 갚는데 쓰고 있소이다. 당신네들은 쓸데없는 곳에 돈을 쓰려고만 하니 우리의 돈을 언제 갚겠소이까?"

이렇게 한국은 재정권을 잃었기 때문에 상황이 더욱 악화되었다.

이토는 한국의 재정을 강탈하는 데만 정신이 팔려 있는 악랄한 인간이다. 돈은 사람의 혈맥과도 같아서 조금이라도 부족하면 병에 걸린다. 만약 혈맥을 다 잃는다면 그 사람은 바로 끝나는 것이다. 세상 누가 돈을 쓰지 않겠는가? 말하자면 돈은 생명 다음으로 중요한 것이다. 돈 한 푼도 없이는 아무 것도 할 수 없다. 제아무리 영웅호걸이라 해도 돈이 없으면 어쩔 수 없을 것이다.

얼마나 많은 영웅호걸들이 돈 없음을 걱정하였고, 가난한 백성들이 그 짐을 짊어졌는가? 그리하여 의식주를 해결할 수 없어 할 수 없이 밖에서 굶주리며 고통 속에서 살아가고 있다. 그런데 돈만 있으면 마시고 도박하고 오입질이나 하며 빈둥거리다가 산처럼 많은 빚만 지게 되면 빚쟁이들의 빚 재촉에 견딜 수 없을 것이다. 그렇게 되면 그는 집을 팔아서 빚을 갚아야 한다. 재산을 다 말아먹고는 가련한 몸만 달랑 남게 된다. 나중에 입을 옷과 음식을 살 돈이 없으면 굶어 죽거나 얼어 죽게 되는 법이다. 이렇게 되면 얼마나 처량한 일인지 생각해보시라.

보아라. 나라도 사람과 마찬가지이어서 재정이 없으면 어떻게 정치를 하겠는가? 이토가 한국의 재정을 관리하게 되어 지세가 모두 다 그의 손으로 들어갔다. 저 돼지·말·소·양에도 모두 세금을 부과하였다. 저 일본 도적들은 이를 잡듯이 세금을 조사하였다. 조금이라도 세금을 누락하면 가중처벌을 하였다. 일본 도적에 시달리는 한국 백성들은 너무나 가련하였다. 이 재정이 전부 그 자의 손에 장악되었다. 한 푼이라도 쓰는 것은 하늘에 별 따기처럼 어려운 일이었다.

한국의 모든 정치는 잘 시행되지 않았다. 국왕과 신하들은 하루에 밥 세끼를 먹는 일밖에 할 일이 없었다. 각 관청의 일은 전부 일본이 관리하였다. 한국은 부속물과 다름이 없었다. 한 나라에서 정사가 시행되지 않는다면 어떻게 강토의 안정과 보존을 꾀할 수 있겠는가?

한국 왕과 신하들은 물론 겁쟁이들이거니와 내가 보기에 백성들도 우매한 사람들뿐이다. 나라 빚이 자기 집 빚과 다름이 없는데 누가 대신 갚아 주겠는가? 남의 빚을 갚지 못하면 그들은 당신들의 인민과 강산을 달라고 할 것이다. 설사 그렇게 되지 않는다고 하더라도 나라 재정 감리권을 관리하겠다고 할 것이다. 재정은 본래 나라 명맥이다. 재정을 잃으면 나라를 잃는 것과 같은 것이다. 나라가 외국인에게 망하면 그대들의 집이 어떻게 보전될 수 있겠는가. 국가와 가정은 본래 긴밀하게 연결되어 있는 것이다. 여러분은 한 번 마음속으로 깊이 생각해 보시라.

우리 중국도 외채가 몇 천만에 달한다. 아마 열에 여덟 사람은 이 사실을 모르고 있을 것이다. 갑오·경자 해에 일어난 전쟁으로 산과 같이 늘어난 국채를 줄여야 한다. 외국이 늘 우리에게 빚을 갚으라고 하고 있으며 또 늘 중국 재정권을 앗아갈 생각뿐이다. 지금 각 성마다 국채 보상회가 있으니 여러분은 거기에 가서 얼마간이라도 의연금을 낼 수 있다. 외국에 진 빚을 다 갚게 되면 동북삼성을 보존할 수 있을지도 모른다.

여러분! 한국과 중국의 상황을 생각해보시라. 중국은 한국과 같은 상황에 있다. 재정이 다른 사람들의 손에 들어간다면 황당무계하여 아무런 방법이 없는 것이다. 돈이 없으면 군대를 훈련시킬 수 없고, 총과 포가 있다고 해도 돈이 없으면 소용이 없다. 그때가 되면 앉아서 죽기를 기다리는 수밖에 없다. 이것이 얼마나 불쌍한 일인가?

여러분! 생각해보라. 이것은 지당한 이치이고 명언이며 가슴에서 우러러 나온 말이다. 여러분은 이를 한가한 말로 듣지 말시라. 내 말이 여기에 이르니 두 볼에 눈물이 흘러내린다. 여러분들은 잘 생각해 보시라.

이에 대해서는 더 이상 말하지 않고 일본인의 악행을 토로하겠습니다.

그런데, 서울 동쪽에 한 집안이 있었다. 성은 주(周)이고 형제가 세 명 있었다. 맏이가 주충(周忠)이고 둘째가 주효(周孝), 셋째가 주의(周義)라고 불렸다. 집이 두 채가 있었다. 하나는 길 남쪽에 있었고, 다른 하나는 길 북쪽에 있었다. 길 남쪽 집에서는 그 집 사람들이 살았고, 길 북쪽 집은 세를 주었다.

그런데 공교롭게도 요시다(吉田)라는 일본인이 세를 내어 약방을 차렸다. 세 칸 방

월세를 30조[1]로 계약하고 매달 월말에 지급하기로 하였다. 이날 주충의 아들이 태어났다. 태어난 지 네 닷새만에 몸에 두드러기가 심하게 났다. 주충이 일본인이 차린 약방에 가서 약을 사고 약값을 주려고 하였다. 이 때 요시다가 돌아보며

"주인집과 셋방 사이에 무슨 돈 이야기를 하세요. 갖고 가세요."

라고 하자 주충이 말하였다.

"이러면 안 됩니다."

요시다 머리를 저으면서 기어코 돈을 받지 않겠다고 하였다. 주충은 집안사람들이 약을 기다리고 있어 서둘러 집으로 돌아갔다. 집에 가서 약을 썼지만 효과가 없었다. 하루가 지나 아이는 죽고 말았다. 이에 대해서는 더 이상 말하지 않겠다.

한편, 요시다는 그 셋집에서 몇 개월이나 넘게 있으면서도 주충에게 방세를 갚지 않았다. 이날 참다 못 한 주충이 그를 찾아가 셋돈을 달라고 하니 요시다가 말하였다.

"오늘은 공교롭게도 돈이 없소. 나중에 보십시오."

주충은 먼저 번에 약을 살 때 돈을 주지 않았던 것을 생각하고는 길게 말하지 않고 그대로 돌아갔다. 또 두 달 지나서 주충이 돈을 받으러 갔다.

요시다가

"미안하게 되었소. 다음 달에 꼭 갚겠소."

라고 하자 주충이 생각하였다.

"서너 달도 기다렸으니 한 달 더 못 기다리겠어."

그래서 한 달을 더 미루었다.

이날 세 형제가 함께 요시다에게 돈 받으러 갔더니 요시다가

"돈이 없소이다."

라고 하였다. 이에 주충이 말하였다.

"내가 5개월이나 봐주었소. 근데 어째서 오늘에 와서 돈이 없다고 하는 거요? 다 줄 수 없다면 석달치만이라도 먼저 주시오. 내가 급하게 쓸 데가 있어서 그렇소."

그러자 요시다가 얼굴색이 변하더니

"그대들과 긴 말을 하지 않겠소. 사람이 왜 그리 양심이 없소? 그때 2백조나 되는

---

**1** 조(弔), 옛날의 화폐 단위. 1,000전에 해당.

43

약을 갖고 갔는데 그거면 이 몇 달 방세를 갚고도 남소이다."

라고 하였다.

그러자 주충이

"그때 돈은 필요 없다고 하지 않았소."

라고 하자,

"누가 돈을 안 받겠다고 말했소. 그 때 얼마냐고 묻기에 내가 200조이라 하여 약을 받아 갔소. 다섯달 방값이 고작 백 50조이니 그대가 나에게 50조을 빚지고 있는 것이오. 오늘 내가 그 50조을 받아야 겠소이다!"

라고 하였다.

이때 주의·주효가 옆에서 말하였다.

"그 약이 그렇게 비싸단 말이오? 그럼 비싸다 하더라도 우리가 썼으니 약값을 30조으로 계산하여 한 달 방세를 제합시다. 근데 우린 오늘 그 나머지 넉달치를 꼭 받아야 하겠소!"

다시 요시다가 "그건 안 되오. 50조은 받아야겠소."

라고 하였다.

말 몇 마디가 더 오간 뒤 그들은 싸우기 시작하였다. 요시다는 그들이 사람이 많은 것을 보고 안방으로 달려가서 총을 들고 나와 총을 두 번 쏘아 주충과 주의를 죽였다. 주효는 상황이 나쁜 것을 보고 거리로 뛰쳐나가 순경에게 알렸다. 순경이 방안으로 들어가 보니 요시다는 이미 도망가고 없었다. 주효는 요시다가 도망간 것을 보고서 외무부로 가서 고소하였다.

한편, 요시다는 통감부로 달려가 이토에게 말하였다.

"소인이 그곳의 주충이라는 사람의 방에 약방을 차렸습니다. 주충이 약을 사고도 돈을 주지 않고 멋대로 방값을 내라고 했습니다. 그래서 내가 그 약값으로 방세를 갚고도 50조이 남았다고 하여 그들에게 돈을 요구했습니다. 그들은 돈을 주지 않을 뿐만 아니라 싸움을 걸어와 사람들이 떼로 몰려와 나를 때렸습니다. 제가 할 수 없이 두 사람을 쏴 죽였습니다. 대인께서 잘 처리해 주시기 바랍니다."

이토가 다 듣고 나서 양미간을 찌푸리더니 말하였다.

"이일로 떨 필요 없소이다. 내게 방법이 있단 말이오. 그대를 묶어 가지고 한국 외무부로 가자. 그들에게 모욕을 당하지 않도록 하겠소이다." 그리하여 이토는 요시다를 묶어 차에 싣고 외무부로 가서 상서(尙書) 김병지(金炳之)를 만났다. 이때 주효도 고소장을 이미 내려 왔었다.

김병지가 이토가 온 것을 보고

"통감께서 여기에 오신 것은 십중팔구 살인사건 때문에 오신 것 같은데 맞습니까?"

라고 하자, 이토가

"그렇소이다. 한 가지 의논할 일이 있습니다."

라고 하였다. 김병지가

"무슨 일이 있으신지 다 말씀하시지요."

라고 하였다.

이토가 웃으면서 말하였다.

"어차피 이렇게 되었으니 이야기 하겠습니다. 일한이 통상조약을 체결하여 우리나라 사람들이 무역하러 이곳에 왔습니다. 저 요시다가 그 거리에서 주충의 방을 3개 세내어 약방을 차렸습니다. 그 자리에서 끝난 이야기로 방값을 월세 30조로 정하였다고 합니다. 주충의 아들이 병이 나서 요시다에게서 약을 헤아릴 수 없을 정도로 많이 사갔는데 모두 200조나 된다고 합니다.

요시다가 주충에게 방값 150조를 물고 나면 주충은 요시다에게 아직도 50조의 빚이 있는 거지요. 그들 형제는 약값은 계산하지 않고 방값만 달라는 겁니다. 그래서 요시다가 총을 쏘아 두 형제를 죽이는 사건이 일어났습니다. 이 때문에 그들 형제가 일제히 요시다를 때렸습니다. 저 요시다는 어쩔 수 없이 야만적인 행동을 한 것입니다. 총을 쏘아 그들 형제 둘을 죽였습니다. 이로 인해 일본과 한국이 교섭해야 하는 일이 생겼습니다. 우리나라 사람이 사람을 죽였지만 그 살인죄의 유무는 한국 법률과 다릅니다. 요시다가 사람을 죽였으니 유죄입니다. 그래서 우리나라 법률에 따라 그를 재외 충군형(充軍刑) 12년에 처하였습니다.

이 사건으로 이것으로 끝내고 당신에게 할 말이 하나 있습니다. 당신네 나라 사람들이 이유 없이 와서 다른 나라 사람들을 모욕하고 억압하는 데도 순경은 어째서 가만히 보고만 있는 겁니까? 순경은 오로지 폭력사건을 관리하여 한국에 있는 다른 나라 사람들을 보해야 하는 겁니다. 따라서 우리나라 사람들을 당신네 나라 순사들이 보호하지 않으니 그야말로 우리를 모욕하는 것입니다.

그런 순사를 어디에다 쓰겠습니까? 당신네 나랏돈만 헛되이 쓰고 있지 않습니까? 차라리 그들을 해산시켜 우리나라 순사들이 한국의 치안을 유지하도록 하는 게 좋겠습니다. 이래야만 우리나라 사람들이 억울함을 당하지 않을 수 있고 한국도 치안이 유지될 수 있습니다. 요시다 일은 그렇게 처리하고 순경에 관한 일은 내일 내가 처리하겠습니다. 이 일이 오래 걸리던 말든 난 신경 쓰지 않습니다. 돌아가 쉬어야 하겠습니다.”

말을 마치고 이토는 차를 타고 돌아갔고 김병지는 놀라서 얼굴색이 새파랗게 변하였다.

이상에 보았듯이, 이토는 요시다가 사람을 죽인 사건을 멋대로 압력을 가하여 처리하였다. 또한 한국의 순사를 해산시켜 일본 경찰로 바꾸었다. 김병지는 아연실색이 되었다.

주효가 김병지에게 죽은 형제들을 위해 복수해 달라고 다그치자 김병지는 말하였다.

“지금 일본인들이 우리나라의 권력을 전부 장악하고 있소. 이 일은 이 일이고. 그들이 우리와 논의하여 처리하였소. 만약 그들과 관계없는 다른 일이라면 그들은 우리를 상대하지 않았을 것이오. 그대의 억울함을 잘 알겠지만 나에게 아무런 권력도 없으니 어떻게 도와줄 방법이 없소이다. 돌아가서 스스로 복수할 방법을 찾아보시오.”

주효는 하는 수 없어 억울하지만 집으로 돌아가 주충과 주의의 장례를 치렀다.

주효는 깊이 생각하였다.

“내 이 억울함을 하소할 곳이 없구나!”

생각하면 생각할수록 화가 치밀어 올라 결국 화병을 얻어 죽고 말았다. 이렇게 되어 주씨 형제 모두가 일본인 손에 죽고 말았으니 얼마나 가여운 일인가! 이에 대해서는 더 이상 말하지 않겠다.

한편, 이토가 통감부로 돌아온 후 일본병사를 골라서 순경으로 만들어 거리로 내보내고 한국 순경을 전부 해산시켰다. 이로 인하여 한국은 갈수록 상황이 안 좋게 변하였다.

마음이 이리와 같이 악독한 이토가 한국 백성들을 못살게 굴어 고통 속으로 몰아 놓았다. 분명 일본인들이 잘못했는데도 한국 백성이 그들을 능욕하였다고 모함하였다. 안타깝게도 주씨 형제는 목숨을 잃었다. 누가 그들의 억울함을 대신 풀어주랴!

　　일본인들이 서울에서 폭행을 저질러도 순경들은 감히 어쩌지 하지 못하였다. 그런데도 순경이 보호하지 않는다면서 이처럼 한국 경찰권을 탈취하여 장악하였다. 순경은 의복과 마찬가지로 몸에 입으면 바람을 피할 수 있다. 자기 옷이 없어 다른 사람 옷을 입는 것은 결코 좋은 일이 아니다.

　　일본이 순경을 서울에 배치하니 가련하게도 수많은 한국 백성들은 고통을 당하였다. 일본인이 제멋대로 시끄럽게 굴어도 아무도 상관하지 않았다. 일본인들은 한국 사람들이 말 한마디 잘못 해도 한국 사람들을 괴롭혔고, 한국 사람들은 한 마디도 못하였다. 한국 사람이 일본인과 싸우면 순경이 바로 와서 한국 사람들을 잡아 갔다. 적게는 3백조의 벌금을 부과하고 크게는 반년 간의 강제노동 형벌을 내렸다. 어느 누가 일본인이 나쁘다고 하면 몽둥이가 그에게로 날아왔다. 한밤에 집집마다 돌아다니면서 검색하여 밤잠조차 제대로 잘 수가 없었다.

　　여러분들은 일본인들이 저지른 악행은 차마 귀에 듣기조차 거북할 것이다. 이 일을 안 이하게 보면 안 된다. 앞으로 우리도 이렇게 당할 수 있다. 일본인들이 동북삼성을 분할하게 되면 한국에서 한 것과 같은 흉악한 짓을 할 것이고 못 살게 굴 것이다. 지금 미리 대책을 강구하지 않으면 나중에 권력을 빼앗긴 다음에는 아무 소용이 없다. 그렇게 된다면 편안하고 태평한 세월의 복락을 누릴 생각을 아예 버려야 한다.

　　여기에서 이야기를 줄이기로 하자. 계속해 나가다가는 내가 지레 숨이 넘어 가겠다.

## 6 제19회 일본인들이 부녀강간을 일삼고, 한국은 재판권을 잃다

위에서 보았듯이, 한국이 재정과 경찰권을 빼앗겼다. 이번 회에서는 한국의 재판권에 대해 말하겠다. 그들이 어떻게 재판권을 잃었을까? 원인이 있을 것이다.

앞서 미국 유학을 간 학생들 중에 악공이라는 학생이 있지 않았는가? 이 일은 악공의 아내와 관련이 있다. 악공의 부인이 무엇을 어떻게 하였기에 한국이 재판권을 빼앗겼을까? 여러분은 모르실테니 제가 자세하게 알려드리겠다.

한편, 악공은 유(劉)씨 부인을 얻었는데 어릴 때의 이름은 유애대(劉愛戴)라고 불렸다. 그녀는 평양 성북 회현촌 사람이고 유진생(劉眞生) 진사의 딸이다. 너무나 아름답게 태어나 경국지색으로 달 선녀와 같았다. 어려서부터 부친에게서 글을 배워 윤리도덕을 잘 알고 있었다. 평양성에서 아름답기로 치면 부녀자들 중에서 그녀를 따라올 이가 없었다. 18살 때 시집와서 부부가 화목하게 지냈다. 1년 뒤에 악공이 미국으로 건너가고 애대는 시부모를 모시면서 살았다.

세월은 어느덧 흐르는 물과 같아 2년이 지났다. 이날 유씨 집에서 모친이 병환으로 딸을 그리워하고 있다면서 마차를 보내 애대를 데리러 왔다. 애대는 소식을 접하고 시부모에게 말하였다.

"제 어머니가 병이 나서 사람을 시켜 저를 데리러 왔습니다. 병문안 다녀오겠습니다."

악공의 부모가

"네 어머니가 병을 얻으셨는데 어찌 가보지 않을 수 있겠느냐? 여기서 별로 할 일도 없으니 얼른 다녀오너라."

라며,

"집에 있는 과일과 식품을 갖고 가서 네 모친에게 드려라."

라고 하자, 애대가 말하였다.

"말씀대로 하겠습니다."

그래서 애대는 자기 방으로 가서 갈 준비를 시작하였다.

한편, 악공에게 여동생이 있었다. 이름은 향령(香鈴)이라 부르고 방년 15살이었다. 태어나면서부터 아름답기 그지없었고 온유하고 우아하였다. 평소에 새언니와 매우 잘 지내면서 매일 새언니에게 뜨개질을 배웠다. 이날 새언니가 길을 떠난다는 말을 듣고 그도 따라 가겠다고 하면서 부모를 졸랐다. 부모가 평소에 그를 각별히 사랑하고 아끼는 터라 허락해 주었다. 그리하여 애대는 떠날 준비를 하고서 시부모와 작별하였다. 시부모가 향령에게 마차를 타고 가라고 하였다.

아황(娥皇)[1]과 같은 애대는 집안에서 최선을 다해 시어머니를 모셨다. 떠날 준비를 다 마치고서 시부모에게 작별 인사를 올리고 문을 나섰다. 향령에게 마차에 오르라고 하고 악 부인이 며느리와 딸을 문밖까지 배웅하면서 당부하였다.

"며늘아기야, 가서 네 부모님을 뵙고 우리를 대신해서 문안을 전하라. 우리가 늙어서 병문안 못 간다고 말씀 잘 드려라. 향령이가 16살 어리니 낯선 사람과 접촉하지 못하도록 잘 단속하거라. 다른 사람들의 입에 오르내리지 않게 말이다. 길 조심 하고 도적들에게 당하지 않도록 백배 조심하야 한다."

악 부인의 분부가 끝나자 애대는 향령을 데리고 마차에 앉아 회현촌으로 갔다.

애대가 차에서 마음속으로 생각하였다.

"어머니께서 무슨 병에 걸리셨는지 모르겠다. 노인들은 병에 걸리면 아들딸들이 생각나신다는 데, 그렇지 않으면 나를 왜 부르시지 않으셨겠지."

애대는 차에서 이런저런 생각을 하고 있었다. 문득 여름날의 날씨가 화창하고 상쾌하게 느껴졌다. 먼 산은 파르스름하게 보이고 가까운 곳에 핀 야생의 풀들과 꽃들은 향기를 풍기고 있다. 제비는 쌍쌍이 하늘에서 진흙을 물어와 둥지를 짓고 있었고, 나비들은 쌍을 이루어 바삐 꽃을 찾아다니고 있었다. 꿀벌들은 화분을 모아 서둘러 벌집으로 돌아가고 있었고, 참새는 벌레를 찾아 날아다니고 있었다. 강변에 뽕나무·해바라기·누에고치가 흔하고 이곳저곳에서 일어나는 밀밭의 파도가 대지를 노랗게 뒤덮었다.

애대는 풍경을 보고서 돌연 감동하여 향령을 부르며 자기의 이야기를 들어보라고 하였다.

"우리 둘이 성 밖 구경을 한 지도 두 달이 넘었어. 바깥 경치가 전에 비해 너무나 아름다워. 때가 때인지라 들꽃과 들풀들이 청초하고 날씨도 따뜻하구나. 우리가 이 세월을 그냥 보낼 수는 없지. 학생들은 글공부를 열심히 해야 하고 농부들은 농사일을 게을리 하지

---

**1** 중국 고대 요임금의 장녀.

말아야 한다. 직공들은 좋은 물건을 만들어야 하고 상인들은 남들에게 뒤지지 말고 장사를 해야 한다.

조정의 국왕과 신하들도 정치를 잘해서 나라를 잘 지켜야 한다. 우리나라는 백성들이 어리석고 정치가 무너졌는데도 왕과 신하들이 조정에서 잠만 자고 있다. 이때에 나라를 지킬 대책을 강구하지 않고 어찌 좋은 세월만 헛되게 보내지 않겠는가? 아름다운 경치는 한번 가면 다시 돌아오지 않는 법이다. 약한 우리나라는 어떻게 강성해 질 수 있겠는가?"

둘이 마차에서 이야기를 나누다가 고개를 들어 보니 큰 산이 시야에 들어왔다. 길 양옆에 우거진 나무숲에 인적이 없었고 멀리 있는 절에서는 종소리가 들려왔다. 이 두 여인이 저 멀리 풍경을 감상하고 있는데 갑자기 뒤쪽에서 사람 말소리가 들려왔다. 고개를 돌려 보니 일본인 세 사람이 부지런히 마차를 따라 오고 있었다.

애대는 일본인들을 보자 겁이 덜컥 나서

"저자들이 언제부터 이곳까지 따라 온 거지?"

라고 하였다. 일본 도적들이 돌아보는 애대를 보고 나쁜 마음을 품고 서로 말하였다.

"저 여자 엄청 이쁘네. 저 처녀도 아주 이뻐. 우리나라에도 이처럼 예쁜 미녀가 있을까? 선녀가 인간 세상에 내려 온 거 같아. 우리 어떻게 해서든 두 사람을 손에 넣어 저 여자들을 사랑해 주고 마누라로 삼자."

세 사람은 이렇게 말하며 산 어구에 이르렀다. 어느새 나쁜 마음이 생겨났다. 마차가 깊은 숲 속에 이르러 행인이 보이지 않자 세 사람은 일제히 앞으로 달려 나가서 길을 막아섰다. 그리고는 달려들어 마부를 땅바닥에 때려 눕혔다. 한 놈이 애대를 끌어안고 다른 한 놈이 향령을 숲속으로 끌고 갔다.

두 여인은 깜짝 놀라면서 소리쳤다. 저 일본 도적들이 말하였다.

"어딜 가려고."

두 눈을 뜨고서 그 두 여인이 정조를 잃을 찰라 갑자기 숲 속에서 두 사나이가 나타났다. 이들은 손에 몽둥이를 들고 달려 나와 휘둘렀다. "윙윙"하고 몽둥이 휘두르는 소리가 나더니 "딱딱"하는 소리가 들리면서 두 일본 놈이 땅바닥에 쓰러졌다.

다른 한 놈은 사태가 불리한 것을 보고 도망치다가 옷이 나무 가지에 걸리는 바람에 그만 사로잡히고 말았다. 두 사나이는 그 세 놈을 나무에 묶어 놓았고 마부와 향령이 땅에 쓰러진 것을 보고 부추겨 일으켰다.

이처럼, 일본인 세 명이 두 여인의 마차를 세워 강간을 제멋대로 하려고 하는데도 구할 사람이 아무도 없었다. 바로 그 때 숲속에서 두 사나이가 나와 손에는 큰 몽둥이를 들고서 저 일본 도적 세 사람 앞에 나타나, 그들을 나무에 묶었다. 이어서 마부와 향령이 땅에 쓰러진 곳을 보고 그 두 사나이는 다가가 부축하여 일으켰다. 애대가 그곳으로 오자 두 사나이가 물었다.

"여러분은 어디로 가시는 길입니까? 얼마나 위험했는지 몰라요."

그래서 애대가 이름과 고향 그리고 사건의 전말을 그 두 사나이에게 쭉 설명하면서 말하였다.

"의사님의 존함을 어떻게 되십니까? 어디 분이신가요? 목숨을 구해주신 은혜는 백골이 되어도 갚지 못할 겁니다. 바라건대 이름을 알려주십시오. 저의 집으로 같이 가신다면 제가 사의를 표하겠습니다."

두 사나이가 같이 대답하였다.

"우리 모두는 한국인입니다. 누구라도 일본도적들이 우리를 괴롭히는 상황에 닥치게 된다면 나서서 구해 줄 것입니다. 하물며 가까운 곳에 있었는데 예로 보아 환난상휼(患難相恤)해야지요. 일본놈들이 제멋대로 음탕하여 잔학한 짓을 하는데 우리가 어찌 가만히 앉아 보고만 있고 구하지 않겠습니까? 이것은 우리 형제가 응당 나서서 해야 할 일입니다. 어찌 감사하다고 하십니까?

두 사나이는 계속하여 말하였다.

"여기는 유운포(留雲浦)라는 곳이고 이 산은 낙안산(落雁山)이라고 합니다. 우리는 형제로 저는 장양(張讓)이고 이 사람은 장달(張達)이라고 하며 산 남쪽에 있는 포수촌(炮手村)에 살고 있습니다. 사냥을 하며 살고 있습니다. 오늘 아침에 백로 한 마리를 맞혔는데 어디에 떨어졌는지 몰라 찾아다니다가 돌연 여러분들의 "사람 살려"라는 소리를 듣고 달려 온 것입니다."

애대가 듣고 나서

"두 형제분은 의사(義士)입니다." 그리고는 엎드려 절을 두 번 하였다.

라고 하자, 두 사람은 손으로 답례하면서 말하였다.

"어찌 감히 그런 말씀을 하십니까? 당치도 않습니다."

장양이 장달에게

"네가 가서 촌장을 모시고 오거라. 그 분에게 이 세 강도를 붙잡아 가서 재판소에 넘겨 처리하도록 하자."

라고 하자, 장달은 시키는 대로 갔다.

장양이 애대에게

"여러분은 이제 친척집으로 가지 마시고 마차를 타고 집으로 돌아가세요. 일본놈들을 고소해야지요."

하자

"당연히 그래야지요."

라고 애대가 대답하였다.

드디어 향령을 불러 마차에 태웠다. 향령은 옆에 멍하니 서서 벙어리처럼 한마디도 못 했다. 애대는 향령이 도적놈들에게 크게 놀란 것을 알고 안아서 마차에 태웠다.

이때 장달이 촌장을 데리고 왔다. 그들은 나무에 매놓은 세 놈을 풀어 다시 꽁꽁묶어 재판소로 잡아 갔다. 장씨 형제가 따라가서 증인을 섰다. 저 차부는 차를 손보고는 악씨의 집으로 돌아갔다.

한편, 그 촌장이 장씨 형제와 함께 저 일본인 도적 세 사람을 데리고 재판소에 도착하였다. 재판소 소장은 성이 뇌(雷)이고 이름은 지풍(地風)이라 하는 평소 일본인들을 아주 혐오하는 사람이었다. 이날 유운포(留雲浦)의 촌장이 일본인이 부녀를 강간했다는 신고를 듣자 뇌대감은 그들을 모두 재판소에 불렀다.

그리고 먼저 그 촌장에게 물었다.

"일본인이 어떻게 부녀를 강간하려고 하는가? 강간당한 사람은 어디 사람인가? 그대 두 사람이 자초지종을 상세히 고하게."

그 촌장이 앞으로 나서면서 예의를 표하며 말하였다.

"대감께 아룁니다. 평양성에서 사는 악회숭(岳懷嵩)의 며느리 유애대가 시누이 향령과 같이 현장에 사는 유진사 집으로 가기 위해 낙안산을 지나는데 일본인 세 명이 음험한 마음을 먹고 저 두 여자 분을 마차에서 끌어내려 강간하려 했습니다. 다행히 장씨 두 형제가 살려달라는 소리를 듣고 달려와 두 사람을 구하고 강간범 세 놈을 잡았습니다. 그리고 저희에게 알려주어 이 일이 작은 일이 아니라고 여기고 여기까지 압송해 왔습니다."

뇌대감은 또 장씨 다시

"두 사람이 이 일본 도적들 세 명을 잡았는가?"

물으니 장양과 장달이 대답하였다.

"그렇습니다. 우리 둘이 이 자들을 때려잡았습니다."

뇌대감은 이 말을 듣고서 대단히 노하여 말하였다.

"여바라! 듣거라! 그 세 놈을 잡아드려라!"

하급관리들은 말소리가 떨어지기 무섭게 일본놈 세 명을 당상(堂上)으로 잡아들였다.

뇌대감은 당상에 앉아 노기에 차서 예의를 모르는 일본 도적들을 질타하였다.

"우리 두 나라가 좋은 뜻에서 통상조약을 맺었는데 너희 세 놈은 여기까지 와서 어째서 범행을 저질렀느냐? 우리나라 부녀자들을 강간하려고 하다니. 보아라! 이런 행위는 도저히 용서받을 수 없는 일이다. 아마 네놈들 나라에서 부녀를 강간하는 것이 유행인가 보다. 그렇지 않으면 어찌 이렇게 나쁜 짓을 저지를 수 있느냐?

우리 두 나라의 법률이 어찌 같을 수 있겠느냐. 법률이 다르니까 너희 세 사람이 이렇게 못된 짓을 하면 안 된다. 너희 나라 사람들이 여기에서 저지른 범행이 이번뿐이 아니다. 생각만 해도 치가 떨린다. 네놈들이 온갖 짓을 다하여 우리 백성들에게 수모를 주었는데 오늘 내가 네놈들을 용서치 않으리라."

뇌대감 말하면 말할수록 더 화가 치밀어 올라서 하급관리들에게 명하였다.

"세 놈을 땅바닥에 쓰러 뜨려 곤장 80대를 쳐라. 인정사정 보지 말고 죽도록 쳐라."

하급관리들은 대감의 분부가 떨어지자 다투어 곤봉을 빼어 들었다. 그리고는 세 놈을 땅바닥에 넘어뜨리고 곤봉을 휘두르기 시작하였다. 잠깐사이 한 놈당 80대를 맞았고 손에서 피가 솟아 나왔다.

뇌대감은 하급관리들이 매를 다 친 것을 보고서 또 당상에서 소리 높여 말하였다.

"오늘은 네 놈들을 많이 봐주는 거다. 악씨 집안 부녀자들의 말을 들어보고 이 분들이 네 놈들 때문에 병이 나거나 갑자기 죽거나 하는 문제가 생긴다면 내가 반드시 네놈들을 다 죽여 없애겠다. 그리고 하급관리들에게 세 놈을 옥에 가두라 그 다음에 악회송을 재판소로 데리고 와라." 이에 대해서는 자세히 말하지 않겠다.

다시 말하건대 이 대감의 이름은 뇌지풍이다. 그는 당상에서 은 10냥을 꺼내 장양과 장달 형제에게 상으로 주며

"두 사람이 도적놈들을 잡는데 큰 공이 있으니 당연히 상을 받는 것이오. 이 은을 갖고서 집으로 가시오."

라고 하였다. 두 형제는 고마움을 표하고 은을 받아서 촌장과 함께 마을로 돌아갔다. 뇌대감도 그들 모두가 돌아가는 것을 보고 나서 자신도 당상에서 내려와 집으로 갔다. 이

에 대해서는 여기서 그치고 더 이상 말하지 않겠다.

이처럼, 애대는 향령을 데리고서 집으로 돌아와 향령을 부축하고서 마차에서 내렸다. 그리곤 또 마부에게 말하였다.

"돌아가서 제 부모님에게 말씀 좀 전해주세요. 나중에 제가 뵈러 간다고요."

마부는

"알겠습니다."

라고 대답하고는 마차를 몰고 돌아갔다.

애대가 향령을 부축하여 침대에 돌렸다. 그리고 나서 시부모를 뵙고 문안을 드리자 악씨 부부가 말하였다.

"너희들이 어찌하여 돌아왔느냐? 향령이는 어찌된 일이냐?"

그래서 애대는 일본놈들이 흉악한 짓을 하였다는 것과 사람들이 그들을 구해주었다는 것을 모두 아뢰었다. 악씨 부부가 이를 듣고 얼굴색이 변하면서 일제히 말하였다.

"저 일본인들은 정말로 예를 모르는 몹쓸 것들이다. 다행히도 장씨 형제가 구해주었으니 말이지 하마터면 너희 둘 다 크게 모욕을 당할 뻔 했구나."

애대가

"그 일은 다시는 말하고 싶지 않습니다. 근데 의원을 불러 아가씨를 치료해야겠습니다."

라고 하자, 어머니가 향령을 찾아가 물었다.

"애야, 좀 어떠냐?"

향령은 아무 말이 없이 숨소리만 거칠어지고 있었다. 어머니는 향령의 병이 아주 심한 것을 보고 의원 몇 분을 불러 약 몇 첩을 지어 먹였다. 하지만 며칠이 지나도 좋아지기는커녕 병세가 더 심해져갔다.

악씨 부부가 속만 태우고 있는데 갑자기 하인이 와서 말하였다.

"어르신! 밖에 관리두 사람이 와서 어르신 보고 재판소에 나오시라고 합니다."

악회승이 말하였다.

"가서 관리에게 우리 애가 일본놈들에게 크게 놀라 병이 나서 지금은 갈 틈이 없으니 일이 있으면 다른 날 가겠다고 하거라.

하인이 집에서 나가 관리에게 그렇게 말하자 관리는 돌아갔다.

한편, 애대는 뒤채에서 약을 달이면서 향령을 보살폈다. 날이 어두워지자 어머니가 말하였다.

"며늘아기야! 그만 돌아가 쉬어라. 내가 애를 돌보마."

그래서 애대는 인사를 드리고 자기 방으로 돌아가 구들에 앉아 낮에 겪은 일에 눈물을 흘리면서 생각하였다.

애대는 낮일을 눈물을 흘리며 생각하였다.

"어머니께서 병환에 계신다고 하여 시누이를 데리고 길을 떠났는데, 도중에 일본놈들에게 우리가 능욕을 당하리라고 어찌 알았으랴? 다행히도 장씨 형제가 와서 우릴 구해주었다. 그렇지 않았다면 우리는 정조를 잃었을 것이다. 비록 정조를 잃지 않았지만 이 어찌 부끄러운 일이 아니겠는가? 설상가상으로 향령 아가씨가 크게 놀라 병들고 말았다.

약을 먹여도 효험이 없으니 잘 못 될지도 모르겠구나. 향령 아가씨가 불행하게 죽는다면 내가 무슨 면목으로 시부모를 대하랴. 낭군님이 미국으로 유학간지도 2년이 지났다. 내가 집에 있는 동안 가문에 이런 수치스러운 일이 생겼으니 어찌 낭군의 명예에 먹칠을 하는 것과 다름이 없겠는가? 다른 사람들에게 내가 일본놈들에게 능욕 당하였다는 사실이 알려진다면 황하에 뛰어 든다고 해도 수치를 씻을 수 없을 것이다.

오늘 밤 내가 죽음으로 모든 수치를 씻어버려 다른 사람들의 웃음거리가 되지 않으리라. 여보! 당신은 미국 학교에 있으면서 어찌 내가 오늘 이 세상을 떠날 줄 알았겠소! 우리 부부가 이 생애에 다시는 만날 수 없고 꿈속에서 만날 수 있을지 모르겠소. 제발 낭군께서 공부를 열심히 하여 돌아와 이 사람의 원한을 풀어주고 원수를 갚아 주오. 일본놈들을 우리나라에서 쫓아내고 나라를 부강하게 만들어 세상에 큰 이름을 남겨 주오."

친어머니를 마음속으로 생각하였다.

"어머님! 다시는 어머님을 뵈올 수 없게 되었습니다. 다른 사람들은 자식을 키워 노후에 덕을 본다고 하지만 이 딸은 부모님을 헛고생만하시게 되었습니다. 어머니! 저 세상에서 만나면 제가 꼭 효도를 다 하겠습니다."

낳아주신 부모님을 다시 보지 못함에 통곡하고, 머나먼 곳에 있는 낭군을 다시 만나지 못함을 탄식하면서 그녀는 한참동안 울다가 벌떡 일어나서 석가레에 석자길이 되는 새하얀 비단천을 걸었다. 그리고 의자에 올라가 손으로 목에 천을 감고 의자를 차버렸다. 두 다리는 공중에 떠 다녔고, 목은 석가레에 걸려 있었다. 한참동안 몸부림쳤다. 얼마 안 되어 손발이 굳어 움직이지 않고 혼은 날아가 버렸다. 지혜롭고 꽃과 같이 아름다운 여인이 이렇게 아쉽게도 세상을 떠났다. 이에 대해서는 더 이상 말하지 않겠다. 다시 악씨 노부부 이야기로 돌아가겠다.

악씨 부부가 딸을 간호하고 있는데 점점 악화되니 애가 탔다. 날 밝을 무렵에 향령은 끝내 저세상으로 갔다. 노부부는 향령이 죽자 연신 사람을 불렀지만 누구 하나 대답이 없어 발을 구르며 가슴을 치면서 울기 시작하였다.

"내 딸아! 병을 얻더니 어찌하여 이렇게 빨리 가느냐? 어찌하여 하루 밤 사이에 죽었단 말이냐? 내 딸아! 내가 죽어 우리는 의지할 곳이 없구나! 어제 아침까지도 우리 두 사람이 웃고 떠들었는데 잠깐사이 어째서 먼저 죽었느냐? 이렇게 영리하고 예쁜 널 내가 어려서부터 얼마나 귀여워하고 보배처럼 키웠느냐? 지금 미국에 유학 가 있는 네 오빠가 너를 마음속으로 늘 생각한다. 내가 우울해 있을 때마다 너를 보기만 하면 웃게 된단다. 네가 오빠가 집에 있을 때 오빠를 늘 따랐단다. 이렇게 갈 줄 어찌 알았겠느냐? 일본놈들이 너를 죽인 거다. 만약 그렇지 않았다면 이렇게 병으로 죽지 않았을 거야. 이 어미는 너와 며늘아기의 사이가 좋아서 네게 며늘아기와 문을 나서게 했는데 이런 처참한 일이 생길 줄을 알았다면 결코 너희를 보내지 않았을 거야."

늙은 부인은 울면 울 수록 고통스런 눈물을 비 오듯 흘렸고 어느새 앞섶을 다 적셨고 뒤채에서 술 취한 사람처럼 통곡하였다.

이처럼, 부인이 방에서 울고 있을 때 여종이 와서 악씨 부부에게 고하였다.

"마님, 큰일 났어요! 아침에 일어나 제가 마당을 쓸다가 우리 작은 마님이 목을 매어 자결한 것을 발견했습니다."

"뭐라고 며늘아기가 목을 매어 죽었다고?"

"네. 목을 매어 돌아가셨어요."

부부는 이 말을 듣고 허겁지겁 방으로 달려가 애대가 목을 맨 것을 보서 빨리 풀어서 내리라고 하였다. 여종이 시체를 풀어 구들에 눕혔다. 이미 시체는 굳어 있었다. 부부는 며느리 시체를 보고는 또 정신이 나가 통곡하였다. 하인들을 시켜 관 두 개를 사오게 하여 이 두 사람을 관에 넣었다.

악회승이

"부인! 울지 마오. 운다고 해서 무슨 도움이 되겠소. 내가 재판소에 가서 일본놈들을 고소하여 며느리와 딸을 위해 복수하리다."

라고 하자. 부인이이 말하였다.

"당신! 꼭 재판소에 가세요."

그리하여 악회송은 문을 나서 재판소에 가서 뇌지풍을 만나 향령이가 놀라서 죽고 애대가 목매죽은 사실을 뇌소장에게 말하였다.

"내가 이일을 걱정했었는데 이렇게까지 되리라고는 생각지 못했소. 어제 관리가 와서 따님이 병에 걸렸다고 하였소만 며느리가 자결하리라고는 생각지 못했소. 이렇게 된 바 더는 비통해 하지 마세요. 내가 그 일본 도적들에게 목숨으로 올케와 시누이에게 사죄하게 하리다."

"대감! 잘 생각하여 처리해 주시오."

뇌대감과 작별하고 집으로 돌아와서 사람을 시켜 그 둘의 장례를 치르게 하였다. 그리고 나서 뇌대감이 일본 도적들을 처치하였다는 소식을 들려왔다.

뇌지풍은 악회송을 돌려보내고 즉시 출정하여 일본놈을 옥에서 끄집어내어 부녀를 강간하고 사람을 죽게 한 죄를 물어 사형장으로 끌고가 목을 베었다. 악씨 부부는 그 소식을 듣고 한을 풀었다.

그러나 뇌 재판소 소장이 세 일본놈 목을 자른 일은 성내 많은 일본인들을 경악케 하였다. 그들은 영사관으로 가서 일본영사에게 이 일을 고하였다. 영사는 이 소식을 듣고 급히 서한을 작성하여 서울 통감부로 보냈다.

이날 이토가 서한을 보고 바로 은밀하게 한국을 해칠 방책을 생각해내고는 차를 타고 한국 총독부로 가서 이완용 등을 만나고 말하였다.

"우리 두 나라가 통상조약을 체결했소. 우리나라 사람이 한국에서 죄를 지으면 바로 우리나라 영사관에 넘겨서 문책하게 해야 하오. 얼마 전 우리나라 사람 셋이 평양에서 무슨 일을 했는지는 모르지만 부녀를 강간하였다고 하고는 사형을 하였소.

우리나라에는 종래로 사형이라는 형벌이 없소. 설사 죽을죄를 지었다고 해도 우리 관청에 보내 처리하게 해야지 당신네가 사사로이 결코 사형에 처해서는 안 된단 말이오. 우리나라 사람이 한국 법률의 제재를 받은 것은 정말로 아쉽소. 지금부터 재판소는 일체 내가 책임지고 관리하겠소. 그렇지 않으면 당신네 나라가 우리나라 국민을 보호할 방법이 없소이다. 그리세 우리나라 국민이 당신네에게 굴욕을 당하고 있소. 오늘 내가 이렇게 통보를 하고 내일부터 실시하겠소. 동의하는가?"

그리고는 이토는 차를 타고 통감부로 돌아갔다. 이완용 등은 너도나도 입이 막혀서 말을 못하였다. 일본인들이 하는 대로 하는 수밖에 없었다. 나중에 한국의 재판권이 일본 손에 넘어가 상황은 더욱 악화되었다.

이토는 워낙 악독한 모사꾼으로 오로지 한국 강산을 탈취하려는 생각뿐이었다. 재정과 경찰권을 빼앗아 가고서도 만족하지 않고 재판권마저 강탈하였다. 일본인이 한국 부녀를 제멋대로 강간했는데 자국 사람이 해를 입었다고 하였다. 그리고 한국 법률이 완비되지 않았다고 거짓말을 하면서 재판권을 강탈하여 자기 손아귀에 넣었다. 한국의 재판소 소장들은 권력을 모두 박탈당하였고 일본인이 다 관리하였다. 소송이 걸려오면 그들 마음대로 판결을 내렸고 설사 잘못 판결하였다고 해도 누구 하나 찍소리 못하였다. 누구라도 불복하면 즉시 목숨을 잃었다.

한국 백성은 도리에 맞게 해도 불리하였고 일본인이 도리에 어긋나도 유리하였다. 일본인이 도리에 어긋나는데도 유리한 것은 무엇 때문인가? 그것은 바로 그 일본인들에 적용되는 형법이 한국과 달랐기 때문이다. 일본 형법에는 사형이 없고 큰 죄를 지어도 고작 십 몇 년 충군(充軍)하면 된다. 한국 형법에는 사형이 있어 죄를 범하면 목을 자르게 되어 있다. 작은 죄를 지어도 큰 형벌을 가하니 한국 백성들이 가엾다.

일본인은 자기들 하고 싶은 대로 하였고 누구 하나 감히 그들에게 옳고 그름을 따지지 못하였다. 일본인은 한국 사람들을 소와 말에 비하였고 물을 먹이라고 하면 절대 풀을 먹어서는 안 되었다. 지금 한국은 이미 망했다. 멀지 않아 일본인이 우리 땅으로 쳐들어 올 것이다. 중국의 권력이 그들의 손에 들어가면 마찬가지로 우리를 관용으로 대하지 않을 것이다. 그때가 되면 상황이 한국보다 더 심할지도 모른다. 여러분! 상상해보시라 처참한가 아닌 가를 말이다.

오늘은 여기에서 줄이고 내일 이야기를 계속 하겠다.

## 제20회 농부가 원한을 품고 혁명을 일으키고, 부녀가 복수하기 위해 의단(義團)을 창설하다

한국이 외국에 주권을 잃었는데도 왕과 신하들은 꿈속을 헤매는구나. 유운포(留雲浦)에 도착한 농민이 나타나 단체를 세워서 혁명을 선언하도다. 일본인들이 부녀자들을 간음하니 하늘도 용서하지 않을 것이다. 주씨 두 여자가 의기를 발휘하여 일본인들과 목숨 걸고 싸우도다.

시구가 끝나니 이야기는 계속 이어진다.

위에서 보았듯이, 한국의 재판권이 일본인의 수중에 모두 떨어졌다. 일본인은 재판권을 빼앗은 후 온갖 짓을 제멋대로 해댔고 죄를 범해도 사형시키지 않았다. 그러나 한국인은 작은 죄라도 지으면 옥에 가두었다. 일본인들이 한국인에게 수모를 안겨 주어도 재판관이 모두 일본인들이라 한국인들은 감히 억울함을 고소할 엄두도 내지 못 하였다. 재판관이 모두 일본인이므로 고소한다고 해도 그들과 이치를 다툴 수 없었다. 때문에 한국인들은 모두 억울한 일을 당하면 참고서 가슴속에 원한을 품고 있을 수밖에 없었다. 이런 사실을 듣는 이는 눈물 흘리지 않을 수 없다. 이에 대해서는 여기에서 더 이상하지 않겠다.

평양성에 기생집을 운영하는 케이타니 마츠(奊谷松)라는 일본인이 있다. 이 자는 죽은 세 일본인의 친구였다. 그날 세 친구가 뇌지풍에게 살해 되었다는 소식을 들은 그는 속으로 분노가 치밀었다. 나중에 사람들의 말을 들으니 세 친구가 장씨 형제에게 사로 잡혔다는 것을 알고 나쁜 계책을 꾸몄다. 그래서 그 사람들은 열 명이 넘는 일본인들을 만났다.

"자네들은 우리나라 세 사람이 뇌지풍에게 살해당한 것을 들어 보지 못하였는가?"

"우리도 들었지만 누구에게 붙잡혔는지는 모르겠소."

"나도 처음엔 누구에게 붙잡혔는지 몰랐소. 나중에 들어보니 성의 북쪽에 있는 유운포에 낙안산이 있고, 그 산 북측에 살고 있는 장씨 형제 두 사람이 붙잡았다고 하오. 그들에게 붙잡히지 않는다면 우리나라 사람들이 어찌 살해되겠소. 유운포에 가서 장양과 장달을 죽여 친구들의 원한을 갚으려는 생각에서 내가 오늘 여러분들을 부른 것이오. 하지만 말만 들었지 문제는 그들의 얼굴을 모르겠소."

그들 중 한 일본인이 말하였다.

"내가 알고 있어요. 하루 전에 내가 그들에게서 가죽을 산적이 있어, 그들이 살고 있는 집도 어디에 있는지 알고 있소이다."

라고하자, 케이타니 마츠가 말하였다.

"너무나 잘 됐군. 그럼 우리 가서 그 두 사람을 죽여 버리는 것이 좋겠소이다. 둘 다 죽여 버린다고 해도 보상을 받을 수 없소이다. 지금은 한국 사람들이 재판권을 갖고 있을 때와는 다르단 말이오. 다들 동의하시는가요?"

그러자 일본인들이

"좋소이다. 우리는 모두 동의하오. 그들 제 친구를 대신하여 원수를 갚읍시다."

라고 하자, 케이타니 마츠가

"이리 된 바에 우리 같이 갑시다."

라고 하였다.

이리하여 준비를 마치고 어떤 사람은 총을, 어떤 이는 칼을, 또 어떤 사람은 두 사람이 빼앗은 무기를 챙겨 가지고 평양성을 나와 유운포로 서둘러 갔다.

일본 도적 케이타니 마츠는 오로지 자기 친구들을 대신하여 원한을 갚을 생각뿐이었다. 그가 거느린 10여 명은 모두 양미간에 노기를 띠고 두 눈은 독충처럼 이글거렸다. 이들은 일제히 말하였다.

"오늘 유운포에 가서 장량·장달 두 형제를 반드시 찾아 그 두 사람을 두 손으로 잡아 반드시 가죽을 벗기고 살점을 씹어 먹고 두 눈을 파내어 그들을 죽여 원수를 갚으리라."

이렇게 일본도적들이 서로 이야기를 나누며 길을 걸어가 드디어 장씨 형제가 사는 마을이 눈앞에 보였다. 장씨 형제가 사는 집의 대문을 보고는 일제히 방으로 뛰어 들어 흉악한 짓을 하려고 하였다. 그러나 그들 형제 둘은 이미 외출하고 없었다. 도적들은 그가 집에 없는 것을 보고 모두 말하였다.

"오늘 이렇게 멀리 왔는데 헛수고 했군"

그 중 한 사람이 말하였다.

"이렇게 왔는데 빈손으로 돌아갈 수는 없소이다. 이들 집에 불을 지릅시다."

말을 마치고 바로 집에 불을 질렀다. 별안간 훨훨 시뻘건 불길이 하늘로 타오르고 집은 불바다로 변하였다. 이웃 사람들이 일제히 달려들어 불을 껐다. 그리곤 일본인들을 보고서 놀라 모두 말하였다.

"저 자들이 불을 지른 것이 틀림없소. 아니면 저 자들이 저기에 무엇 때문에 있겠소?"

케이타니 마츠는 불을 끄러 온 이웃 사람들을 돌아온 장씨 형제인 줄로 여기고 일제히 달려들어 때리려고 하였다. 이웃들은 모두 놀라 벌벌 떨면서 되돌아 도망쳤다. 도적들이 뒤에 바싹 붙어 따라왔다. 다들 자기 집으로 들어가 바로 문을 걸어 잠가 버렸다. 일본 도적들은 그들이 그 형제가 아닌 것을 알고서 말하였다.

"오늘 비록 그 두 놈들을 잡지 못하였지만 내일 다시 와서 저 두 놈을 죽입시다."

도적들이 돌아가려고 하는데 장씨 형제가 눈앞에 나타났다.

이처럼, 이날 장씨 형제는 산에서 사냥을 하다가 별안간 집이 불타는 것을 보고 황급히 총을 메고 집으로 돌아왔다. 중도에 그 일본 도적들과 부닥치고 말았다. 장씨 형제에게 가죽을 산 적 있는 일본인이 장씨 형제를 보고 뛰어가 소리쳤다.

"바로 저놈들이다! 어서 저자들을 잡자."

이리하여 일제히 다들 총칼을 꺼내 들고 흉악스럽게 장씨 형제에게 달려들었다. 그리고는 장씨 형제를 에워 쌓고 기세 좋게 무기를 휘둘렀다. 두 형제는 총을 지니고 있었지만 적은 수로 다수를 상대할 수 없는 것이 현실이었다. 저 장양과 장달이 비록 호걸이었지만 어떻게 일본인 수십 명을 상대할 수 있었겠는가. 하물며 창졸지간에 당한 일인지라 전혀 방비를 못하였다. 이들 형제는 한꺼번에 달려드는 놈들에게 맞아 땅에 쓰러지고 말았다. 그 자들은 두 형제의 가슴을 찔렀다. 애석하게도 그들 형제는 죽고 말았다.

도적들은 장씨 두 형제를 죽여 시체를 낙안산 강물에 던져 버렸다. 유운포에서 도적들이 두 형제를 죽인 것이다. 놈들은 모두 만족하여 평양성으로 돌아갔다.

여러분! 일본놈들을 미워할 수밖에 없다. 밝은 대낮에 일본놈들은 생사람 둘을 죽였다. 한국 사람들은 이렇게 당하고도 어디에 하소연할 곳이 없다. 사람들의 용서를 받을 수 없는 악행이다. 한국이 일본인들에게 수모를 당해도 권력이 없다. 한국의 주권이 일본인에게 떨어지지 않았다면 억울함을 당해도 하소연할 곳이 있으련만.

우리중국도 만약 주권이 남의 손으로 들어간다면 우리가 비록 큰 나라지만 한국과 같은 신세를 면하기 어려울 것이다. 여러분은 이런 말을 듣기 만해도 무섭지 않은가? 지금부터라도 우리나라 주권을 보호해야만 타국인에게 수모를 받지 않을 수 있다. 여러분이 이런 이야기를 웃음거리로 여긴다면 짐승과 다를 바 없다. 오늘 내 말이 너무 냉정하게 들릴지도 모르겠지만 우리 백성들이 목숨을 잃을까 두려워서 하는 말이다. 이에 대해서는 더 이상 말하지 않겠다. 다만 분노하고 있는 농부에 대해 말하겠다.

이와 같이, 케이타니 마츠 등이 장씨 형제를 죽이고 평양성으로 돌아갔다. 그 뒤로 일본인들은 자주 유운포로 가서 소란을 피우면서 이유 없이 재물을 약탈하고 부녀자들을 강간하였다. 뿐만 아니라, 손에 잡히는 대로 소와 말, 양을 끌고 가면서도 돈도 주지 않은 등 무법천지였다. 마음대로 곡식밭에 들어가 곡식을 베어 말을 먹였다. 그놈들이 저지른 폭행은 이루다 말할 수가 없었다.

이로부터 오래 동안 이런 일이 계속되자, 유운포의 농민 세 사람 주정(周正)·이득재(李得財)·최만금(崔滿金)은 대단히 화가 났다. 그들은 모두 몇 십 경(埛)[1]이나 되는 땅에 작물을 심었는데 스스로 거두기 전에 일본놈들이 벌써 다 거두어 갔다. 그 자들은 밭을 가는 소와 말도 열 몇 마리나 빼앗아 갔다.

밖에서 일본놈을 만나면 수모를 당하게 되어 집에 있는 부녀자들은 밖에 나갈 엄두도 내지 못하였다. 세 농부가 많은 사람들에게 이야기 했지만 감히 어떻게 할 수가 없었다. 그래서 법원에 고소했지만 관리들도 어찌할 수 없었다.

그래서 세 사람은 이날 모였다. 이 때 주정이

"여러분, 일본놈들이 우리를 업신여기는 것도 분수가 있지 더는 참지 못하겠소. 우리가 계속 이렇게 가만히 있다면 이런 일이 언제 끝날 수 있겠소?

라고 하자 이득재와 최만금이

"형님! 일본놈들에게 수모를 받지 않을 무슨 방법이라도 있는 거요?"

라고 묻자,

"내게 한 가지 방법이 있다. 우리 마을 사람들 모두를 비어 있는 넓은 사랑채에서 불러 모아 회의를 하면 좋은 방도가 생길지도 모르겠다. 만일 누가 좋은 방법을 생각해 내어 다시는 그놈들에게 수모를 받지 않게 된다면 이 또한 우리의 행복이 아니겠느냐?"

라고 주정이 대답하였다.

최씨와 이씨도

---

**1** 토지 면적의 단위로서 각 지방마다 다르다. 예를 들어, 동북(東北) 지역은 '15무(畝)'를 '1경(埛)'이라 하고, 서북(西北) 지역은 '3무 또는 '5무'를 '1상'이라고 한다.

"이것도 좋겠군요. 그렇게 하시지요."

라고 하였다.

그리하여 주정은 다른 친구 몇 사람에게 부탁하여 마을 사람들을 불러 오라고 하였다.

심부름하러 간 사람들이 떠난 지 얼마 안 되어 마을사람들이 하나 둘 모이기 시작하여 백 120여 명 마을사람들이 거의 다 모였다. 주정이 마을사람들을 방으로 안내하였다. 사람들이 모두 그에게

"주정 어르신! 우리를 불렀는데 무슨 할 말이라도 있으십니까?"

라고 묻자, 주정이 말하였다.

"일이 있어 감히 여러분들을 오시라고 하였습니다. 우리 마을 사람들이 일본놈들에게 수모를 계속 받아 그 문제를 의논하려고 합니다.

여러 사람들은 '일본'이라는 두 자를 듣자마자 모두 일본 욕하기 시작하였다.

주정이

"여러분 흥분하지 마시기 바랍니다. 우리가 일본놈들에게 그렇게 당하고 원한을 풀 곳도 고소할 곳도 없으니 이 모욕을 언제 갚겠습니까? 그래서 여러분들에게 오시라고 한 것입니다. 여러분! 이곳에서 상의해봅시다. 누구라도 방법이 있으면 말해보십시오."

라고 하였다.

이때 회의에 참여한 유복경(劉福慶)라는 농부가 옆에 서 있다가 말하였다.

"저에게 한 가지 졸견이 있습니다. 여러분이 듣고자 한다면 말씀 올리겠습니다. 일본놈들이 우리나라에서 폭행을 일삼고 무고한 부녀자들을 닥치는 대로 강간하고 있습니다. 멀쩡한 곡식을 베어다 말을 먹이고 물건을 산다고 하고는 돈도 주지 않았습니다. 마을에 들어와 온갖 짓을 다하며 우리 재물을 약탈하고 소와 양, 말 등 좋은 가축을 빼앗아 갔습니다. 부녀자들은 그 자들이 흉악한 짓을 할 까봐 감히 바깥출입도 하지 못하고 있습니다.

장씨 형제가 그놈들에게 살해되어 실로 가슴이 아픕니다. 그날 너무나 억울한 일을 당했는데도 호소할 곳도 없습니다. 고소하러 관리에게 가도 어찌 할 수가 없습니다. 여기는 분명 한국 땅인데 권력이 모두 일본인의 수중에 있습니다.

모든 일은 일본 놈들이 원하는 대로 되었습니다. 우리나라 사람들은 감히 찍소리 하나 못

내고 있습니다. 우리 모두가 한국 백성들인데 지금 지옥에서 사는 것과 같습니다. 그 자들이 살라고 하면 우리는 감히 죽을 수 없고 그 자들이 우리를 죽으라 하면 감히 살 수가 없습니다. 생사권이 일본인의 수중에 있으므로 억울함을 하소연할 곳이 없습니다.

내가 보기에는 어떻든 반드시 한번 죽는 것이므로 우리 다 같이 한번 그 자들과 목숨을 걸고 싸우는 것이 좋겠습니다. 그 자들이 또 포학한 짓을 여기서 저지르면 우리가 힘을 합쳐 그 놈들을 쳐야합니다. 지금부터 더 이상 참지 말고 그 자들과 정면으로 대결해야 합니다. 그 놈들이 다시 와서 우리를 모욕하도록 내버려주어서는 안됩니다.

여러분! 설욕회(雪辱會)를 만들겠습니다. 어르신 여러분! 제가 선두에 서겠습니다. 어르신 여러분! 저는 올해 64살입니다. 이제 몇 년을 더 살겠습니까? 만일 우리가 다시는 일본 놈들에게 수모를 당하지 않게 된다면 제가 구천을 떠돌다가 죽는다 해도 원이 없습니다.

여러분! 나와 함께 '생사' 두 글자를 새깁시다. 이렇게 하여 죽게 된다고 해도 남아로서 기개를 떨치게 될 것입니다. 일본놈들이 알아서 물러간다면 몰라도 그렇지 않으면 그 자들과 목숨을 걸고 싸웁시다. 이것이 이 늙은이의 생각입니다. 여러분들은 어떻게 생각하실지 모르겠습니다."

유복경이 말을 마치자 다들 우뢰와 같은 박 수를 치면서 말하였다.
"어르신 말씀이 지당합니다. 우린 다른 방법이 없습니다. 그들과 싸우는 길 밖에 없습니다. 만일 그 자들이 죽음을 겁나서 물러가면 우리가 편히 지낼 수 있습니다."
이어서 유복경이 말을 하였다. "다들 찬성하시는 겁니까?"
그 자리에 있는 사람들은 한 목소리로 대답하였다.
"찬성합니다!"
유복경이 또
"여러분들이 이미 원하시니 지금부터 우리 일본놈들과 목숨 걸고 싸웁시다."
라고하자, 다들 말하였다.
"우리 다 목숨을 걸었습니다. 유 어르신이 지휘하시는 대로 모두 따르겠습니다."
모든 사람들의 결심을 확인하고 나서 유복경은 드디어 주정의 사랑방에서 농부로 이루어진 '설욕회'를 만들어 회장으로 뽑혔다. 150여명의 청년들은 탄약을 사들여 무기를 준비하였다. 일본인들이 그들의 마을에서 못된 짓을 일삼으므로 유경복이 마을 사람을 데리고 필사적으로 그 일본인과 싸웠다. 이로부터 일본인들이 감히 그 마을로 들어가 못된 짓을 하지 못하였다. 이에 대해서는 더 이상 말하지 않겠다.

한편, 일본인 요시다에게 살해당한 주충 삼형제에게 이낭(二娘)이라는 누나가 있었다. 그녀는 서울에 사는 손광원(孫光遠)이라는 사람에게 시집을 갔다. 일본인들이 서울에서 난리를 일으키자, 그들 부부는 평양 회현촌으로 집을 이사하여 유 진사의 집과 아주 가까운 곳에서 살고 있었다. 이낭은 서울에서 이사 온 뒤로 길이 멀어 십여 년이나 고향에 가보지 못하였다. 그래서 마음속으로 늘 세 동생들이 걸렸다.

어느 날 이낭은 주충이 일본놈들에게 살해당했다는 비보를 듣고 엉엉 울면서 마음속으로 생각하였다.

"내가 일본인들에게 살해당한 동생들의 원수를 꼭 갚아 주리다."

나중에 일본놈들이 때와 장소를 안 가리고 부녀자들을 강간하였다는 소식을 듣고 이낭은 화가 치솟아 올라 말하였다.

"토끼가 죽으면 여우가 슬퍼한다고 하는데 내가 여자로 태어나 같은 동포들이 수모를 받고도 하소연할 곳이 없는 것을 보고만 있을 수 없다. 목숨을 바쳐 일본놈들과 싸워야 하겠다. 실 하나로는 천이 될 수 없고 나무 하나로는 숲이 될 수 없다는 말이 있듯이 내게 힘이 있다고 하더라고 어떻게 할 수 없는 노릇이다. 그러므로 마을의 부녀자들을 마을에 있는 기자묘에서 모아서 아무도 모르게 부녀복수회(婦女復讎會)를 조직하는 것이 좋겠다."

그녀는 이렇게 생각을 정하여 드디어 자기와 마음이 맞는 아홉 명의 여자를 모았다. 나중에 또한 여러 부녀자들이 그 소식을 듣고 모두 스스로 기자묘에 모였다. 이낭이 이미 먼저 그곳에서 기다리고 있었다. 모인 부녀는 모두 180여 명에 이르렀다. 기자묘의 사랑방에서 대회가 열렸다. 기자묘는 사랑방은 사람들의 모여 노는 곳으로 책상과 의자들이 갖추어져 있었다.

이로부터 저 일본놈들이 늘 난리를 피우는 바람에 오랫동안 이 곳에서 노래 소리가 흐르지 못하였다. 이날 그들은 그곳에서 이랑을 둘러싸고 앉았다.

주이랑은 무대에 올라 사람들에게 얼굴에 웃음을 가득 머금고 한마디 하였다.

"자매 여러분! 제 말을 잘 들으시기 바랍니다. 저는 여러분에게 몇 마디 하고자 이렇게 앞으로 나왔습니다. 우리나라에는 임금이 무도하고 현명한 신하가 거의 없습니다. 그리하여 드디어 이 나라에는 백성을 살릴 계책이 없습니다. 그들 왕과 신하들은 단지 자리만 다투고 부귀만 누리려고 만합니다. 그들이 일본인들이 국정을 농단하는 것을 어찌 알겠습니까. 이 나라가 일본인의 손에 들어가도 대수롭지 않게 여기고 있습니다.

가장 애석한 일은 우리 부녀자들이 마음 조리며 고생하는 것입니다. 대낮에는 친척을 뵈려 감히 문을 나갈 수 없습니다. 밤에도 집에서 덜덜 떨고 있습니다. 오로지 저 일본인들이 제멋대로로 부녀를 강간합니다. 우연히 그 자들을 만나면 하늘도 용서하지 못할 범죄를 당하게 됩니다.

너무나 슬픈 일은 악씨 가문의 올케와 시누이가 모욕당하고 그 어린 처녀가 황천으로 간 것입니다. 이것은 도저히 참을 수 없는 일입니다. 더욱이 우리는 완전히 같은 입장입니다. 그들에게 강간당할지 어찌 알겠습니다. 그렇게 된다면 너무나 가련한 일이 아니겠습니까?

토끼가 죽으면 여우가 슬퍼한다는 말이 있는데 하물며 사람으로서 우리도 동포의 죽음을 보면 슬퍼하지 않을 수 없다. 제 생각에, 우리는 피하려고 해도 피할 곳이 없습니다. 그들이 이곳에서 언제든지 소란을 피울 것이라는 사실을 알고 있으므로 오늘 그들과 싸울 대책을 강구하지 않으면 안 됩니다. 그렇게 해야만 매일 집에서 벌벌 떨고 있지 않을 수 있습니다. 오늘부터 우리는 복수회(復讎會)를 조직해서 모두가 이런 마음으로 뭉쳐야 합니다.

'일본'이라는 두 글자를 마음속 깊이 새겨두고 다시는 그들이 이와 같이 우리를 모욕하지 못하도록 해야 합니다. 만일 그들이 여기에서 악행을 일삼는다면 우리는 죽음을 무릅 쓰고 그들과 싸워야 합니다.

우리 두 손으로 일본놈 몇 놈이라도 없애 버린다면 세상을 떠난 그 두 올케와 시누이를 대신하여 원수를 갚게 되는 것입니다. 그 자들에게 우리가 떨지 않는다는 것을 보여주어야 합니다. 이로 인해 죽는다하더라도 마음으로 달게 받아들일 겁니다.

만일 이로 인해 죽는다고 해도 이는 빛나는 위업이 될 것입니다. 세상 사람들이 비록 100세를 산다고 하더라도 결국 죽습니다. 이런 죽음은 모욕을 당하고 사는 것보다 천배 만배 나은 것입니다. 이것이 내 졸견입니다. 여러분들은 어떻게 생각하십니까?"

주이랑이 말을 마치고 무대에서 내려왔다. 듣고 있던 부녀자들이 다투어 말을 하였다.

"그 방법이 대단히 좋습니다. 죽어도 수모를 받지 말아야 합니다. 그러면 많은 돈이 필요할 건데 난 내 장식품들을 내겠습니다. 일본놈들을 쫓아낼 수 있다면 난 매일 하늘을 향해 절을 하겠습니다.", "내 옷을 팔아 돈을 내겠습니다. 가업이 망한대도 달갑게 받겠습니다. 추위에 떤다 해도 수모를 당하지 않겠습니다. 굶는 한이 있더라도 이 보다 중요한 일은 없습니다."

이처럼, 부녀자들이 분에 넘쳐 서로 다투어 말하고 있을 때 한 30여 살로 보이는 여자가 말하였다.

"내가 보기에 우리들 마음이 굳건합니다. 그럼 이 복수회는 설립되었으나 우리를 이끌 사람이 없습니다. 다음으로 지도자 두 사람을 뽑읍시다."

이 부인은 이름이 이삼저(李三姐)이다. 그녀는 저 유애대의 외사촌여동생으로 평소에 애대와 가장 친하게 지냈다. 후에 애대가 죽었다는 소식을 듣고 속으로 분이 치밀어 올랐다. 그리고는 어떻게 하면 애대를 위해 복수할 것인가를 고민하였다. 이날 주이랑이 복수회를 만든다는 소식을 듣고 적극적으로 호응하였던 것이다.

이삼저가 말을 마치자 다른 부녀자들이

"바로 그겁니다."

라고 하며 주이랑을 회장으로 추대하였다. 그리고 이삼저가 부회장을 맡고 단체 이름을 '부녀복수회'라고 하였다. 부녀복수회가 만들어진 뒤 일본놈들이 마을로 내려와 난리를 피우면 부녀자들이 앞장서서 싸웠다. 일본놈들은 회현촌의 민심이 강해지자 감히 이유 없이 난리를 피우지 못하였다.

여러분 가운데 한국의 많은 지방 중에서 유독 이 두 마을의 농민들과 부녀자들만 대의를 알았을까 묻는 분이 있을 것이다. 그것은 바로 후필(侯弼)의 신문사가 감화시킨 것이 원인이라는 사실을 모르기 때문이다. 만약 그렇지 않았다면 이 두 지방 사람들이 어찌 이와 같이 했겠는가?

한국 정치가 부패하고 주권은 기울어가고 국왕과 신하들은 세상 돌아가는 것을 모르고 잠들어 있었다. 일본인들이 다른 나라에서 포악한 짓을 일삼으니 피해를 입은 한국 백성들이 큰 고통 속에서 살고 있었다. 후필이 나라와 백성들을 걱정하여 신문사를 차려 유운포의 수많은 선량한 농민들을 감동시켰다. 유복경이 의로운 마음으로 설욕회를 창설하고 고향 사람들과 더불어 일본 도적들과 용감히 맞서 싸웠다.

주이랑이 기자묘에서 단체를 세우고 많은 부녀자들을 연합하여 위풍을 떨쳤다. 설욕회와 복수회가 창설된 후로 일본인들은 감히 두 지방에서 멋대로 흉악한 짓을 할 수가 없었다. 일본인들은 겁을 내지 않을 수 없었다. 이는 모두 백성들이 감히 그들과 맞서 싸우리라고는 생각하지 못했기 때문이었다. 백성들이 힘을 합쳐 목숨을 내걸고 달려드니 도적놈들의 기세도 서서히 꺾였다.

농민과 부녀자들은 비록 하찮은 신분이라 하더라도 치욕을 씻고 복수함으로써 임금에게 충성하는 것을 알고 있었다. 한국인들이 모두 이처럼 떨쳐나선다면 그들의 강산이 남에게 넘어가지 않을 것이다. 유운포 농민들이 임금에 대한 충성이 무엇인지 알고 있다. 그리고 회현촌 부녀자들은 애국심에 불타 있었다. 이 또한 한국 독특한 특색이라 할 수 있다. 보아라! 농민과 부녀자들이 얼마나 만만치 않은지를 말이다.

이 모두가 후필의 신문사가 지방에 많은 영향을 끼쳤기 때문이었다. 신문사를 만드는 것은 큰 효과가 없을 지라도 한국에 몇 개의 신문사라도 있으면 많은 백성들의 지혜를 열 수 있을 것이다. 농민들조차 이렇게 대의를 잘 알고 있는데 왜 걸핏하면 신문사를 막으려고 하였을까? 신문사를 금하는 것은 화를 입지 않기 위해서라고 하지만 이런 말은 저능아에게나 통하는 거짓말이다.

중국에도 4억의 백성들이 있다. 다들 '일본'이라는 두 글자를 가슴 속에 바로 새겨 두어야 한다. 복경이 목숨을 걸고 싸운 것과 이랑이 목숨을 아끼지 않은 것을 따라 배워야 한다. 만일 '생사' 두 글자를 초개같이 여긴다면 일본인들이 어찌 감히 제멋대로 행동할 수 있겠는가? 만일 일본인들이 범죄를 저지를 때 목숨 걸고 싸운다면 그들을 물리칠 수 있을 것이다.

동북삼성 사람들은 이 일에 깊이 주의해야지 결코 아무 생각 없이 지내서는 안 된다. 우리 땅이 나뉘어 타인 손에 넘어 간 다음에 목숨을 건다고 해도 아무 소용이 없는 것이다. 여러분들은 제때 생각을 바꾸어야 한다. 칼이 목에 들이닥칠 때에라야 싸우려고 해서는 안 된다. 여러분! 내말을 잘 생각해 보시라. 내가 이유 없이 여러분들에게 목숨을 가벼이 여기라고 부추기는 것이 아니라 언젠가는 우리도 크게 당할 날이 있어 미리 귀띔해 주는 것이다.

만일 우리 모두가 목숨 걸고 싸워 동북삼성을 지켜낸다면 우리 후손들이 태평세월을 누릴 수 있다. 만일 우선 살기위해 눈앞만 보다가는 나중에 받을 큰 고통은 이루다 말할 수 없을 것이다. 노예가 된 다음에는 자자손손이 다시 주인이 될 수 없는 법이다. 여러분은 고통을 보고서도 고통인지도 모를 것이다. 내가 입이 닳도록 권하는 걸 귓전으로 흘려 듣지 마시길 바란다.

다음 회를 이어서 보시라.

지금 세계 각국의 빈부와 강약이 같지 않다. 약소국의 백성은 지식이 거의 없는데 어찌 독립을 할 수 있는가?

약함을 강함으로 바꾸려고 한다면 반드시 민지(民智)를 열어야 한다. 강연을 개설하는 것이 사람들에게 자치를 권하여 변화시키는 것이 도움이 될 것이다.

시구가 끝나니 이야기는 이어진다.

위에서 본, 한국의 부여자들이 복수한 이야기는 여기서는 하지 않겠다. 다만 미국에 유학 간 한국학생들에 대해 다시 말하겠다.

세월은 흐르는 물과 같아 한국 유학생들이 미국에 간 지 3년이 지났다. 이 해 악공·김굉주·이범윤·진성사·진성가·조존·강술백·이준 여덟 사람은 육군사관학교를 졸업했다. 구본량·조적중·손자기·고운·주재학 다섯 사람은 이공과를 졸업하였다. 이들은 국가의 대계를 위해 모두 열심히 공부하였다. 그리하여 모두 최우등 성적으로 졸업하였다.

육군사관학교 학생들은 뛰어난 무예를 닦았다. 구본량은 의술을, 조적중·손자기는 기계 제조학을, 고운은 박물학을, 주재학은 물리화학을 전공하였다. 이들은 모두 열심히 공부하여 졸업시험을 보고난 뒤 학력증서를 땄다. 이들 13명은 귀국할 일을 상의하였다.

구본량(寇本良)이

"모레는 일요일인데 그날에 출발합시다.

라고 하자 악공 등이 말하였다.

"좋소. 김유성도 모레 쉬는 날인데 그들이 우리를 보내느라 시간을 낭비하지 않게 되겠소이다."

말을 마치고 다들 짐을 챙기고 법정대학교로 가서 김유성 등 몇 사람에게 귀국하는 것을 알려주었다. 이범윤이

"자네들 집에 편지를 보내려면 빨리 써 놓도록 하시오. 우리가 전해 주겠소이다."

라고 하자 김유성이 말하였다.

"알았습니다. 모레 우리 함께 일찍이 자네들에게 가서 짐을 들어주고 전송하려고 합니다."

여러 사람들은 얘기를 더 나누고 나서 구본량 등은 돌아갔다.

일요일이 되자 다들 모여서 짐들을 기차역으로 날랐고 표를 사서 차에 탔다. 김유성이 술과 안주를 사다가 기차 안에 차려 놓았고 영웅들이 빙 둘러 앉았다. 유성이 본량 등에게 말하였다.

"자네 몇 사람들이 오늘 귀국하면 언제쯤 다시 만날지 모르겠구만. 우리 오늘 통쾌하게 마셔보세."

그리하여 각자가 술을 따라 양껏 마셨다. 이때 안중근이 옆에서 말하였다.

"여러 형님께서 오늘 귀국하는데 제가 몇 마디 말을 하려고 하는데 해도 되겠습니까?"

구본량 등도

"아우! 어찌 듣고 싶지 않겠나.

라고 하였다.

안중근이 웃음을 지으면서 말하였다.

"이왕에 이렇게 되었으니 제 말을 잘 들어주시기 바랍니다. 우리 모두가 한국 유학생으로서 어느 누가 집을 떠나 머나면 타향에 와 있기를 바라겠습니까. 그저 나라가 약하고 백성들이 무지해서 미국으로 유학 온 겁니다. 학문을 하고 나서 큰일을 할 수 있는 법입니다. 그래서 이역 땅에서 3·4년간 어렵게 지내는 것은 그다지 두렵지 않았습니다. 형님들께서 오늘 졸업하고 고향으로 가지만 우리가 출발할 때의 초심을 잃어버리시면 안 됩니다.

가난하게 살더라도 절대 부귀영화를 탐내 나라와 민생을 등한시해서는 안 됩니다. 절대로 일본 놈들에게 무릎 꿇고 알랑거리면서 나라의 수모를 잊어버리시면 안 됩니다. 만일 양심에 가책을 느끼는 일을 한다면 어찌 고향의 일가친척을 뵐 면목이 있겠습니까? 나라를 지키지 못 할망정 나라에 해를 끼치는 일을 하게 된다면 천추에 오명을 남기게 될 것입니다. 내 생각에도 형님들께서 이런 일을 하지 않을 것으로 믿고 있지만 이런 말씀을 꼭 드리고 싶었습니다.

우리나라는 왕과 신하들이 정신을 못 차리고 있고 정치는 무너졌습니다. 나라를 강하게 하려면 무엇보다도 백성들을 일깨워야 합니다. 만약 우리나라 백성들이 모두 개화된다면 조그마한 섬나라의 일본인들을 어찌 겁내겠습니까? 우리나라 백성들을 개화시켜 세상의 도리를 알도록 하려면 강연으로 그 무지함을 깨우쳐야 합니다. 사람들을 개화시켜 자치(自治)하도록 해서 세월을 헛되게 보내지 말도록 해야 합니다.

무슨 일을 하든지 나라의 이익을 염두에 두어야지, 절대로 부귀영화를 탐내어 친일을 해서는 안 됩니다. 형님들께서 귀국한 후 강좌를 열어 자치의 중요성을 잘 알려 백성들의 눈을 뜨게 하고 귀를 열어 주도록 해야 합니다. 우리나라 백성들이 전부 개화된 다음 단체를 조직하고 무장해야 합니다.

만일 단체를 조직하여 무장한다면 이 나라를 영구히 지킬 수 있습니다. 형님들께서 귀국한 후 무엇보다 꼭 이런 일을 하셔야 합니다. 내년에 우리도 귀국할 것입니다. 그때 우리 힘을 합쳐 나라가 잘 되도록 힘쓴다면 다른 나라가 우리나라를 나누어 갖지 못하도록 지킬 수 있을 것입니다."

영웅들이 술을 마시면서 이야기를 나누고 있었는데 돌연 기차 기적소리가 울렸다.

안중근이 말을 이었다.

"기적소리가 나니 이제 떠날 시간이 다 된 것 같습니다. 우리 형제들은 곧 헤어져야 하겠습니다."

말을 마치고 안중근을 비롯하여 남아 있는 사람들이 자신의 편지를 꺼내어 귀국하는 사람들에게 건네주었다.

기적소리가 세 번 울리니 다들 어쩔 수 없이 작별인사를 하며 헤어졌다.

"길 조심들 하시고 무사히 가시오."

중근 등이 기차에서 내리자 기차는 서서히 움직이기 시작하였다. 다들 우울한 기분에 휩싸여 학교로 돌아가 침대에 눕자 눈물이 흘러내려 옷섶을 흠뻑 적시었다. 김유성은 물론이고 여러 사람들의 두 볼에 눈물이 흘러내렸다.

다시 귀국하는 영웅들의 이야기를 들어보자.


이처럼, 구본량 등 13명이 김유성 등과 헤어지자 기차는 출발하였다. 바람 부는 소리가 으스스하게 들려왔다. 창문가에 엎드려 밖을 내다보니 마을에 있는 나무들이 바람 따라 흔들리고 잠깐 사이 기차는 달려 십 몇 리 길을 갔다. 기차를 타고 10리를 달려가니 미국대륙이 나왔고 태평양에 이르렀다. 다시 배를 타고 기차를 타고 샌프란시스코를 거쳐 호놀룰루에 이르렀다. 다시 호놀룰루에서 일본으로 갔다. 두 달여를 달려 남해에 이르니 대마도가 눈앞에 보였다.

구본량이 말하였다.

"여러분, 앞에 보이는 섬이 바로 대마도입니다. 이제 고향까지 얼마 남지 않습니다." 다들 함께 창 너머를 바라보며 말하였다. "형 말씀 맞구나."

다들 너무 기뻐해서 어찌 할 바를 몰랐다.

이 영웅 모두 함께 앞쪽으로 펼쳐져 있는 대마도를 바라보며 마음으로 너무나 즐거워하며 얼굴에는 기쁜 표정을 지으며 말하였다.

"타향살이에 고생 많았는데 이제 곧 고국 땅을 밟게 되었습니다. 집에 가서 부모처자, 친척과 이웃을 만나 이야기를 누눌 수 있게 되었습니다. 그런데 지금 우리나라는 상황이 어떤지 알 수 없습니다. 더욱이 새로운 정책들이 실시되고 있는지 궁금합니다. 또한 일본인들의 포악한 짓이 좀 줄었는지도, 모든 백성들이 잘 살고 있는지도 궁금합니다.

우리 함께 힘을 합쳐 노력하여 완비되지 못한 나라의 땅과 사직을 지키고 일본 도적들을 쫓아내어 새로운 법을 공포합시다. 그리고 공화주의를 주창하고 독재와 독정(毒政)을 개혁합시다. 하늘이 우리의 소원을 이루게 해 주신다면 이는 우리나라 백성들의 크나큰 복이 될 것입니다."

영웅들이 웃음꽃을 피우면서 고국을 향해 갔다. 이 날 드디어 인천에 이르렀다. 기적소리를 길게 세 번 울리며 배는 부두에 도착하였다. 모두들 짐을 챙겨 들고 배에서 내렸다. 육지에 올라 마차 다섯 대를 빌려 짐들을 실었다. 몇 사람은 그곳에서 헤어졌다. 구본량이 저쪽에서 하는 말소리가 들여왔다.

이와 같이, 구본량 등 13명이 인천에 도착하여 마차 다섯 대를 빌렸다. 구본량·악공·진성사·진성가·조적중·손자기 등 여섯 사람은 마차 두 대를 타고 평영으로, 김홍주·고운·한술백[1] 세 사람은 마차 한대를 타고 평안북도로, 이범윤·조존·주장 세 사람은 마차를 같이 타고 함경도 중잠진(中岑鎭)으로, 이준은 혼자서 서울로 가기로 하였다. 이들은 짐을 자기들이 타고 갈 마차에 실어 고향으로 갈 모든 준비를 마쳤다.

--------------------------------

1  강술백.

이때 구본량이

"다들 집에 돌아가서 꼭 자치(自治)에 힘 써 곳곳에 강습회를 설치하여 백성들의 지식을 개발해야 합니다."

라고 하자, 이범윤이 말하였다.

"꼭 그렇게 하겠네. 우리가 귀국하여 만약 가장 먼저 민지(民知)를 개화시키지 않으면 어떻게 능히 나라를 지킬 수 있겠는가? 집에 가서 자치에 관한 일을 하고 나서 단체의 필요성을 부르짖어야 한다네. 단체가 반드시 곳곳에서 만들어져야 하네. 이것이 나라를 지킬 수 있는 가장 좋은 방법일 테니."

구본령이 말하였다.

"이렇게 된 바에, 더 이상 말하지 않겠습니다."

이리하여 다들 서로 인사를 나누고 마차에 오르자 각자의 고향으로 마차가 움직이기 시작하였다.

한편, 구본량 등 몇 사람이 마차를 타고 인천을 떠나 며칠 동안 밤에는 쉬면서 낮에는 길을 갔다. 이날 검수역에 도착하자, 진씨 형제가 마차에서 먼저 내렸다. 본량 등 네 사람은 며칠 더 달려 평양에 도착하였다. 악·손·조 세 사람은 각자의 집으로 돌아가고 구본량은 운재소의 집으로 갔다. 서재로 들어갔다. 이때 서재는 이미 신문사로 변해 있었다. 본량이 방으로 들어가 후필에게 인사를 올렸다.

후필은 본량이 돌아온 것을 보고서 그 기쁨을 곁으로 드러내면서 앉으라고 하였다. 이 때 본량이 온 사실이 뒤채에도 알려졌다. 안부인과 늙은 운대감 부부도 이 소식을 듣고 서재로 왔다. 본량은 여러 사람들에게 일일이 인사드리고 다들 자리에 앉았다.

후필이 말하였다.

"네가 미국에서의 몇 년간 어떻게 지냈는지 우리에게 들려 주거라. 그리고 오늘 귀국하였는데 하고 싶은 일이 있다면 말해 보거라. 오늘 이 기회에 우리도 견식을 넓히게 말이다."

구본량이 만면에 웃음 지우면서 말하였다.

"그때 우리가 미국으로 유학 가는 길에서 친구 세 사람을 만났습니다. 한 사람은 이범윤이고, 다른 사람은 주장·조존입니다. 세 사람은 함경도 중잠진 사람으로 우리와 함께 미국 수도로 유학 갔습니다. 그리고 인천에서 김유성이 친구 아홉 명을 사귀었는데 그들도 미국으로 유학 가는 학생들이었습니다.

한성에 이씨 형제가 세 사람이 있는데 그들은 이상설·이준·위종입니다. 이수소는 본래 친왕 이응번의 아들이었습니다. 그리고 기타 평안북도 사람 다섯 있었습니다. 김홍주·오좌차 외 한술견과 한숙백 형제가 있습니다. 그리고 고운이라는 학생이 저희들과 동행하여 배를 타고서 미국에 유학 갔습니다. 다들 배에 타니 모두 스물여덟 명이었습니다.

육지와 바다로 모두 70일이 걸려 미국 수도에 도착했습니다. 다들 같이 외무부로 가서 미국대신 화청(華聽)을 만났습니다. 화청은 선생님의 서한을 보고 우리 모두를 학교에 잘 소개하였습니다. 여덟 명이 육군사관학교에 입학하여 행군·무예·병술을 배웠습니다.

다섯 명이 이공과 대학에 입학하여 화학과 물리학 그리고 농업을 전공했습니다. 나머지 열다섯 명은 법정대학에 입학하여 법률과 헌법 및 정치 등을 공부했습니다. 저는 의학을 3년 간 전공하였고 졸업증서를 받았습니다. 육군사관학교 학생들도 3년만에 졸업했습니다. 법정대학 학제는 5년제로 우리보다 아직 2년을 더 학습해야 합니다.

이번에 귀국한 13명 학생들은 모두 우수한 성적으로 졸업했습니다. 우리 모두 두 달 넘는 시간을 함께 하며 귀국했습니다. 귀국한 후 우리는 강습회를 열고 자치문제를 가르치고 사람들에게 착한 마음으로 살라고 계몽할 것입니다. 나라를 지키는 데는 다른 방법이 없고 반드시 모든 백성의 애국심을 불러일으키는 것뿐입니다. 이것이 향후 우리가 하려고 하는 일들입니다. 자치를 주장하는 것이 우리가 해야 할 급선무입니다."

구본량의 말을 다 듣고서 후필이
"자치를 주장하는 것은 아주 탁월한 식견이다. 일을 잘 처리해 나가기를 바란다. 일이 잘 되면 우리 신문사가 도와서 백성들 몇 사람이라도 더 개화시켜야 하네."
라고 하였다. 본량이
"김옥균 선생님은 어디에 계십니까?"
라고 물으니 후필이 대답하였다.
"참, 옥균 선생은 자네들이 떠난 후 나와 같이 신문사를 차려 열심히 일을 했지. 그런데 작년 4월에 등에 악창이 생겨 치료를 했지만 효과가 없어 그만 며칠 후 돌아가셨다. 벌써 1년이 넘었구만."
본량이 가슴 아파하며 크게 탄식하였다.
그 다음 운대감이 미국의 풍토와 경치에 관련한 질문을 했고 한국이 여러 가지 권력을 잃은 사실을 알려 주었다. 본량이 안중근 등의 편지를 꺼내어 모두 나눠 주었다. 날 어두워지자, 안부인과 운대감은 댁으로 돌아갔다.

그 뒤로 부터 본량은 평양성에 머물면서 몇몇 곳에 강습소를 설립하고 손자기 등과 함께 강연하러 다니면서 백성들에게 개화를 권하였다. 이에 대해서는 구체적으로 말하지 않겠다.

한편, 이날 악공이 집에 도착하여 부모님을 뵈었다. 악부인이 말하였다.

"얘야, 언제 미국에서 출발했느냐? 어디에서 살고 무슨 학교에 다녔느냐? 어떤 것들을 배웠느냐? 어떻게 돌아왔느냐"

그래서 악공은 다닌 학교와 전공, 언제 졸업장을 따고 언제 출발하였지를 모두 알려주었다. 그리고는 어머니에게 물었다.

"향령이는 왜 안 보입니까? 어디 갔습니까? 친척 집에라도 갔습니까?"

악부인이 눈물이 그렁그렁해 지면서 말하였다.

"네가 향령이에 대해 묻는데 어떻게 말해야할지 모르겠구나. 얘야, 잘 들어라 향령이는 정말로 불쌍하기 그지없다. 그해 네 장모가 병환라고 해서 네 처와 동행이 회현촌으로 병문안을 갔었단다. 그런데 길에서 일본인 세 사람을 만났어. 낙안산까지 갔을 때 저 일본놈들이 네 처와 동생에게 못 된 짓을 하려고 했지. 다행히도 장양·장달 두 형제가 일본 도적을 붙잡아 재판소에 넘겼다.

나중에 향령이는 크게 놀란 나머지 병을 얻고 하루사이에 죽고 말았다. 네 처는 수치스러워 목을 매고 자살하였다. 넌 미국에서 공부를 하느라고 집에서 이런 끔찍한 일이 생기리라고는 생각하지 못했을 거야?"

악공은 안부인의 말씀을 듣고 자신도 모르게 분이 치밀어 오르는 것을 참지 못하고 서울 쪽을 향해 욕하기 시작하였다.

"이토! 이 일본놈이 악독한 침략 정책을 펼쳐 한국 강산을 강탈하려고 한다. 우리의 권력을 빼앗아 간 것만 해도 분해 죽겠는데, 네 나라 인간들이 마음대로 여기에서 온갖 포악한 짓을 다 하고 있다. 모두 네놈이 꾸민 짓이리라. 네 놈들이 내 처와 동생을 모욕한 일은 용서할 수 없다. 내가 이 원수를 갚지 않으면 어찌 이 세상에 얼굴을 들고 살아가겠느냐!"

이처럼, 그가 이를 부득 갈면서 이토 욕을 하였다.

이를 다 듣고 있던 악회승이 말하였다.

"얘야, 이러지 말아라. 네 처와 동생이 죽었지만 저 일본 세 놈도 벌을 받아 사형 당하였다. 지금 일본 도적들의 폭행은 전에 비해 더 심해졌다."

악회승이 계속 말하였다.

"네가 잘 모를 터이니 네 말을 잘 들어보아라. 네가 집을 떠난 후 3·4년간 우리나라의 권력은 다른 사람들 손에 넘어 갔다. 우리나라가 일본에게 빚을 졌기 때문에 이토가 이리와 같이 악독하게 나온 것이다. 우리나라 재정권을 제 멋대로 탈취하여 무슨 일을 하려고 해도 우리에게 돈을 주지 않고 있다.

그들은 이유 없이 우리 백성들을 죽였고 경찰권과 재판권마저 빼앗아 갔는데도 우리나라 군신 누구도 항거하지 못하고 있다. 이토가 모든 권력을 장악하고 있어 나라를 지키려고 해도 그렇지 못 할까 걱정이구나. 이 모든 게 이토 한 사람에서 나온 것이다. 우리나라 백성들이 박해를 받으니 너무나 불쌍하기만 하다. 얘야, 네가 집으로 돌아와 보았으니 알테지만 일본놈들이 있는 이상 살 수가 없단다."

악회송이 말을 하는 동안 악공의 눈은 분에 차서 벌겋게 달아올랐다.

이와 같이 악공은 나라의 모든 권력을 잃었다는 아버지의 말을 다 듣고서 가슴이 두근거리고 눈앞이 캄캄해지면서 말하였다.

"이토 이 도적놈아! 너를 언제간 반드시 죽여야 내 원한을 풀 수 있겠다. 그렇지 않으면 이 원한을 언제 풀겠느냐!"

마음을 다잡은 악공은 집에서 이틀 묵은 후 운재소의 집에 가서 후필을 만나 인사드리고 담소를 나눈 뒤 구본량 방으로 건너가서

"형, 내가 오늘 중요한 일이 있어 서로 의론하러 왔습니다."

라고 하자, 본량이

"아우, 무슨 일인가? 툭 터놓고 말해보게."

라고 하였다. 다시

"나에게 폭탄 좀 구해 주십시오."

라고 악공이 말하자,

"뭘 하려고?"

라고 본량이 물었다.

드디어 악공은 이토를 죽이려는 생각을 본량에게 털어 놓았다.

그러자 본량이

"그건 쉬운 일이 아니야."

하고 하자, 악공이 말하였다.

"폭탄이 성공적으로 만들어지고 기회만 있다면 이토를 죽일 것이고, 그렇지 않으면 그만두겠습니다."

이에 본량이

"자네! 며칠 기다리게. 내가 폭탄 세 개를 만들어 주겠네."

라고 하였다.

그리하여 악공이 돌아갔다. 그 후 사흘이 지나자, 본량이 폭탄 세 개를 만들었다. 본량이 어떻게 폭탄을 만들었을까? 그것은 그가 미국에서 의학공부를 하면서 이 방면의 지식을 얻었기 때문이다. 악공은 본량에게서 폭탄을 받고 서울로 가서 이토를 죽일 작정이었다.

> 구름과 같이 잘 날아가는 활을 준비하여 맹호를 쏘고, 좋은 미끼를 준비하여 자라를 낚도다.

다음의 일이 어떻게 되었는지 아마 여러분은 모르실 것입니다. 그러니 다음 회를 보시라.

제4권

위에서 보았듯이, 본량이 악공에게 폭탄을 건네주고 악공이 받아 보니 두 개 폭탄
은 크기가 각각 술잔만하고 도화선 한 줄로 연결되어 있다. 각 폭탄의 바깥 면은 황
동으로 만든 잎으로 싸여 있으며, 안쪽 면에는 강철과 작약이 들어 있었다. 도화선
은 안쪽까지 연결되어 있었다.

악공이 다 살펴본 다음 본량에게

"형님이 만든 폭탄이 왜 내가 미국에서 본 거와 다릅니까?"

라고 하니 본량이

"어째서 다르다는 것이냐?"

라고 물으나 악공이

"미국 건 도화선이 없던데요."

라고 대답하였다.

다시 본량이 말하였다.

> "이건 새로 만든 것이냐. 자네는 잘 모를 테니 내가 알려주지. 이 폭탄의 이야기를 꺼
> 내면 정말 놀라워할 수밖에 없네. 자네! 잘 들어 보게. 전에 일본과 러시아가 개전하여 수
> 산(首山)을 놓고 전투를 벌이었는데 일본인들이 번번이 성공하지 못했단 말이야. 그 후 일
> 본인들이 이런 폭탄을 만들어 결사대원 3천 명이 몸에 하나씩 감추고 도화선을 입에 꼭
> 물었단다.
>
> 그들은 빈손으로 수산에서 러시아에 투항하는 척하였지. 러시아인들은 그들을 믿고
> 군영으로 들여보내자 동시에 일본인들이 입으로 도화선을 당겼단 말이야. 일제히 쾅하고
> 폭탄 터지는 소리가 나더니 몇 개 군영의 러시아 병사들이 죽고 말았단다. 물론 3천여 일
> 본 병사들도 목숨을 잃었지. 이렇게 하여 일본이 수산을 점령할 수 있었단다. 이 폭탄이
> 바로 그때 일본인들이 사용하던 폭탄과 똑같이 만들었던 거야.
>
> 이 폭탄을 사용하려면 목숨을 걸고서 도화선을 입에 물고 폭탄을 몸에 감추었다가 적
> 을 만났을 때 입으로 당기면 터지게 된단다. 적을 겨누어 폭발시키면 모두 죽일 수 있고
> 제대로 겨누지 못하면 자신만 죽지. 아우, 우선 다시 한 번 잘 생각해 보게. 자기 목숨을

가벼이 여기지 말고 말이야."

악공은 본량의 말을 다 듣고 다시

"형님, 우리나라가 당한 수모를 난 참고 있을 수만 없습니다. 이토 그놈을 죽여야만 속이 편할 것 같습니다. 이 한 목숨을 바쳐 황하가 언제 깨끗해질 수 있을지 살펴보려 합니다.[1] 만일 이토를 죽인다면 이는 우리나라 백성들의 복이 될 것입니다. 설사 실패하여 죽는다고 해도 내 이름은 청사에 길이 남을 것입니다."

라고 말하였다.

본량이

"아우가 이미 마음을 굳혔다니 내 몇 마디만 더 함세. 거사할 때 늘 조심해야 해. 사소한 소홀함이 실패를 부르게 되지. 그렇게 되면 거사는 실패로 돌아가고 집안사람 모두가 화를 입게 된단 말이야. 아우! 이번 일은 큰일이니 내말을 그냥 귓전으로 흘려듣지 말고 잘 생각해야 하네."

라고 하자, 악공이

"알았습니다. 명심하겠습니다."

라고 하였고 본량도

"꼭 내 말을 명심하게나."

라고 하였다.

어느덧 날이 어두워지고 악공은 폭탄을 갖고 집으로 돌아갔다. 이에 대해서는 그만 말하고 이토 통감에 대해 말해보겠다.


앞서 보았듯이, 이토가 한국 재판권을 손에 넣은 후 일부 한국인을 고용하여 한국 민심을 살피라고 하였다.

이날 밀정이 평양에서 돌아와서 고하였다.

"평양 백성들의 기세가 드셉니다. 농민들과 부녀자들 모두가 단체를 세워 일본인들과 맞서 싸우고 있습니다. 그리고 신문을 만들어 외적으로 백성들 대일투쟁 의지를 고취하고 있고, 강습소를 만들어 개화를 권유하고 있습니다."

이토는 이 소식을 듣고 속으로 생각하였다.

--------------------------------------

1  '황하가 언제 깨끗해질 수 있을지'라는 구절은 '거사가 언제 성공할 수 있을지'를 비유하는 것임.

"평양의 민심이 이처럼 드세고 또한 신문이 백성들을 고취하고 있고 강습소를 통해 백성들에게 자치의 중요성을 알리고 있다. 민지가 발달하지 않은 그들이 모두 평양사람들처럼 개화된다면 한국을 우리의 손에 넣을 수 없게 된다. 내가 평양에 한번 직접 다녀와 민심을 살펴봐야겠다.

그리고 어느 놈이 백성들을 부추기고 있는지 알아봐 없애야 해. 그들의 민심이 거세지 않으면 걱정할 게 없지."

생각이 여기까지 미치자 그는 먼저 평양주재 일본 영사에게 전보를 쳐 준비를 하고 마중 나오라고 하였다. 영사관에서는 전보를 받고 신토 사부로(振東三郎)이라는 영사가 공관에서 이토를 영접할 준비를 하였다.

이토가 평양으로 온다는 소문은 악공의 귀에까지 전해 졌다.

이 소식을 듣고 악공은 속으로 생각하였다.

"내가 네놈을 죽일 기회가 없어서 고심하고 있던 참이었는데, 오늘 네놈이 이리로 온다니 나는 남문에서 네 놈을 기다리리. 네놈이 지나갈 때 내가 죽여 내 원한을 갚지 않을 수 있겠느냐."

그리고 악공이 이 소식을 구본량에게 알려 줬더니 본량이

"이번이 아주 좋은 기회야. 하지만 각별히 조심해야 해."

라고 하자, 악공이 말하였다.

"당연하지요."

나중에 후필도 이 사실을 알게 되었지만 속으로는 썩 내키지 않았다. 그는 악공이 실패하게 되면 더 큰 화를 부르게 될까봐 걱정하였다. 그러나 악공의 뜻은 이미 확고하였다. 그래서 후필도 할 수 없이 그가 하자는 대로 하고 말았다. 이로부터 악공은 매일 남문 밖에서 기다렸다. 이에 대해서는 여기까지만 말하겠다.

한편, 이토가 전보를 치고 나서 이틀이나 출발 준비를 하여 천명이나 되는 호위병을 거느리고 빠른 마차를 타고 한양을 떠나 평양으로 서둘러 향하였다.

저 이토는 마차를 타고 서울을 떠나는데 앞뒤와 양옆에서 호위병들이 위풍당당하게 에워싸고 있었다. 천 명이나 되는 호위대는 기병과 보병 두 개 부대로 나뉘어 있었다. 앞에서는 3백 명 기병이 길을 이끌고, 뒤에서는 5백 명 보병이 호위하고 있었다. 선두 기병대 나팔수는 나팔을 불었다. 그 소리는 가히 들을 만하였다.

마차 안은 유리로 되어 있어 반짝거리며 사람들의 눈에 반사되고 있었다. 말이 움직이

는 소리가 나더니 보병대가 전후좌우에서 호위하며 출발하였다. 그 모습은 높이 걸려 있는 북두칠성이 많은 별을 거느리고 있는 것과 같았다. 서울을 나와 위풍당당하게 앞으로 나갔다. 사람과 말이 배가 고프면 먹고 목이 마르면 물을 마시며 잠깐이라도 쉬지 않고 가더라도 반달은 걸릴 터이다.

어느덧 시간은 흘러 이토가 평양 근처에 도착하자 신토 사부로가 20리 밖까지 마중 나오자, 일제히 남문을 거쳐 입성하려고 하였다. 이때 악공은 이미 일찍부터 문 옆에서 이토를 기다리고 있었다. 기병대가 그의 앞을 지나가고 이토가 탄 차가 가까이에 오자 그는 입에 물었던 도화선을 물어 당겼다. 하지만 폭발하는 소리가 났으나 실패하고 말았다. 폭탄 세 개가 동시에 터졌는데 먼저 터진 폭탄에 악공이 죽고 말았다. 하지만 폭탄은 이토에게 이르지 못하여 이토를 죽이지 못하였다.

단지 호위병 아홉 명과 마차부 한 명이 즉사하였다. 다들 놀라서 떠들어 댔다.

"자객이다!"

호위대가 마차를 물샐틈없이 에워 쌌다. 순경들이 황급하게 달려 와 보니 악공은 이미 죽었다. 악공의 시체는 영사관으로 옮겨졌다. 이토는 공관 안으로 들어갔다. 신토 사부로는 크게 놀라 이토를 보고서 말하였다.

이와 같이, 악공은 이토의 마차가 지나가는 것을 보고서 이토를 죽이려고 황급히 폭탄을 터트렸다. 하지만 호위병이 너무 많았고, 이토도 죽이지 못하였다. 오히려 자신이 먼저 죽고 말았다. 그의 죽음을 너무나 가엽기만한 일이었다.

이토가 공관에 이르러 검시관을 불러 자객이 도대체 어떻게 암살을 거행했는지 악공의 시체를 검시하라고 명령하였다.

검시관이 와서 한참 검시하고 난 뒤 돌아와서 말하였다.

"이 사람은 폭탄으로 죽이려고 하였습니다. 입에 도화선을 물고 있었습니다. 물론 그도 즉사하였습니다."

이토가 말을 듣고 속으로 생각하였다.

"이 자의 이름이 뭐지? 한국인들이 이런 폭탄을 만들어 낼 수는 없는데. 거기에는 반드시 까닭이 있을 테야. 그리고 이 자가 나를 죽이려고 하였다면 이 놈 혼자서는 불가능해. 이 평양성 내에 대일투쟁 의지를 고취하는 놈들과 나를 죽이려 한 놈들을 어떻게 찾아 낼 수 있을까?"

잠시 생각하더니 별안간 계책이 떠올랐다.

"평양 사람을 고용해서 알아보는 게 좋겠어. 만일 증거를 가져 오면 5백 냥을 준다고 하면 이 나라 놈들이 재물을 보고 나 대신 찾아주겠지."

이렇게 결정하고는 바로 신토 사부로에게 이런 계책을 알려주었다. 신토 사부로는 한국 사람들을 고용하여 탐지하지 하라고 명하였다.

이 날 스무 살 되는 젊은이가 신토 사부로를 찾았다. 신토 사부로가 젊은이를 데리고 이토에게 갔다.

이토가 통역을 통해 그를 보고 물었다.

"이름이 뭐요? 이번 사건의 원인과 자객의 동기와 그 일당에 대해 모두 말해 보시오."

그 사람은 통역관에게 입을 열었다.

"알겠습니다. 통감께 아룁니다. 저는 성은 관(關)이고 이름은 관부(關富)라고 하며 별명이 일포농(一包膿)입니다. 남문 밖 동쪽 거리에서 살고 있습니다. 제가 이번 사건에 대해서 잘 알고 있습니다. 그 범인은 소인의 집 근처에 살고 있고, 이름은 악공이라 합니다. 그 사람의 사부는 후필이고 운재소의 집에서 아이들에게 글을 가르치고 있습니다.

악공에게 동창생들이 열 여 명 있는데 몇 년 전에 같이 모두 미국 수도로 유학 갔습니다. 후필은 집에서 신문사를 운영하며 오로지 백성들을 개화시키는 데 노력하면서 백성을 구하고 있습니다. 올해 악공은 구본량 등 몇 사람과 함께 유학을 마치고 집으로 돌아왔습니다. 구본량은 성내에서 자치를 선전하는 강습회를 대단히 열심히 하고 있습니다.

악공은 오로지 통감을 죽이려고 하였는데 구본량이 그에게 폭탄을 주었습니다. 이 일을 알고 있는 사람은 후필·본량·악공 세 사람 뿐입니다. 제가 이 사실을 알게 된 데는 그럴만한 사연이 있습니다. 후필에게 이구(李九)라는 심부름꾼이 있습니다. 이구와 저 우리 두 사람은 친한 사이입니다. 이 일은 이구가 저에게 알려 주어서 알고 있습니다. 제 말은 전부 사실입니다. 추호의 거짓이 없습니다. 저에게 5백 냥을 빨리 주십시오. 저는 이구와 나누고 술을 마시려고 합니다."

이처럼, 통역원이 관부의 말을 이토에게 통역하였다. 이토가 통역원을 통해 관부에게

"후필과 구본량은 지금 어디에 있는지"

물었다.

통역원이 통역하자 관부가 말하였다.

"운재소 집 앞 신문사에서 살고 있습니다."

이토는 통역원의 통역을 다 듣고 나서 돈 5백 냥을 관부에게 주었다. 관부에게 순경 10여 명을 데리고 운재소의 집으로 가서 그 두 사람을 붙잡으라고 하였다. 이외에 관부에게 사례금으로 10냥을 더 주었다. 관부는 그 돈을 받고서 순경과 운재소의 집으로 그 두 사람을 잡으러 갔다. 이에 대해서는 자세히 말하지 않겠다. 다만 영사관에 차 심부름을 하는 임중수(林中秀)에 대해 말하겠다.

임중수는 한국사람이고 원래 후필의 신문사에서 차 심부름을 하였다. 이 아이의 집은 아주 가난하여 후필이 자주 도와주었다. 후에 무슨 이유인지 몰라도 일본영사관으로 가서 신토 사부로의 차 심부름을 하였다. 이날 관부가 후필과 악공이 같은 편이라고 하자 이토가 절대 가만있지 않을 것이라고 여기고 남모르게 후필의 신문사로 달려갔다.

이때 후필은 본량과 같이 이토가 이번 길에 무엇 하러 왔는지 몰라서 서로 의론하고 있었다.

임중수가 벌떡이면서 달려와 말하였다.

"두 분! 얼른 도망 치세요."

후필이 물었다.

"왜?"

"이토가 악공께서 이토를 죽이려고 한 일이 있고 나서 악공의 동지들을 모조리 조사하고 있습니다. 오늘 관부가 5백 냥 돈이 탐나서 두 분이 악공과 동지이라는 것과 폭탄을 제작한 일 등을 모두 이토에게 고자질했습니다.

제 생각에 일본인들이 곧 사람을 보내어 두 분을 붙잡으러 올 것입니다. 빨리 도망 가시지 않으면 죽을지도 모릅니다."

라고 임중수가 대답하자, 본량이 말하였다.

"상황이 이렇게 된 바에는 피하는 게 상책입니다."

후필이

"그렇게 하는 게 좋겠네."

라며 바로 서둘러 말 한 필을 준비하였다. 준비도 제대로 못 한 채 후필은 말을 타고 본량은 걸어서 도망쳤다. 임중수도 영사관으로 돌아가지 않고 어디론가 사라졌다.

한편, 관부가 순경들을 데리고 거리 어구에 당도하자, 이구와 마주쳤다.

관부가

"두 사람 지금 집에 있는가?"

리고 묻자, 이구가 말하였다.

"난 아침 일찍 왔는데 조금 전에 두 사람이 황망히 동북방향으로 가는 것을 보았다네. 얼른 쫓아가봐. 멀리 안 갔을 거야."

관부는 이 말을 듣고 순경을 데리고 동북방향으로 쫓아갔다.

저 관부는 원래 골동상(骨董商)인데 5백 냥 때문에 나쁜 짓을 하였던 것이다. 저 신토 사부로에게 후필과 본량이 혁명을 할 것이라고 거짓말을 하였다. 사악한 관부는 순경을 데리고 신문사로 가서 후필과 본량 두 사람을 잡으려고 하였다. 임중수가 알려주지 않더라면 이 두 사람의 목숨은 보장할 수 없었다. 사악한 이구도 중간에서 나쁜 짓을 하였다.

관부는 순사를 데리고 동북쪽으로 갔다. 그들 두 사람은 성 북문으로 나왔는데 뒤에서 사람들의 고함소리와 말발굽소리가 들려왔다. 두 사람은 형세가 좋지 않은 것을 보고 빨리 달렸다. 후필의 운명이 다 되었는지 갑자기 후필이 탄 말이 땅에 쓰러졌다. 순경들이 뒤에서 추격하면서 총을 쏘았다. 가련하게도 후필은 저 세상 사람이 되었던 것이다.

구본량이 앞에서 빨리 달려 어디론가 사라졌지만 후필의 시체는 길 한 가운데 그대로 방치되었다. 가련하여라! 후필의 호기는 여기에서 다 하였구나. 가련하여라! 그의 크나큰 경윤도 오늘로 기울고 말았도다. 다시는 학생들에게 유학을 다녀오라고 북돋을 수도 없고 다시는 신문을 내어 백성들을 교화시킬 수도 없도다. 한국에서 오늘 후필이 죽었다. 그는 나라를 지킬 대영웅이었다.

아! 그는 어려서 불쌍하게 자랐지만 심지가 굳어 미국 유학을 했다. 농비대를 훈련시켜 기봉산에서 일본 도적놈들을 죽여 안중근 모자의 목숨을 살렸다. 몇 년 간 외지에서 떠돌아다니면서 뜻을 굽히고 몸을 욕되게 하였으나 조상을 먹칠하지 않았다. 김유성 등 영웅들을 감동적인 말과 사리로 설득하였다.

나라를 걱정하고 백성과 고통을 함께하는 마음으로 노력하다가 끝내는 일본놈들의 총에 쓰러지고 말았다. 몇 십 년간 쌓은 아름다운 이름이 하루 새에 흘러가고 하늘을

찌르는 기개는 허공에 머물렀다. 탐욕스러운 좀도둑놈 관부는 뇌물을 탐하여 후필 의
사를 죽였으니 참말로 가슴 아프도다. 5백 냥이 탐나기로 원수를 은인으로 모시는구
나.

　중국에도 이런 사람이 적지 않다. 그런 사람들[2]은 사람을 생고기로 먹어도 거리낌이
없는 자들이다. 개보다도 못한 이런 놈들을 누구나 미워하지 않으리오. 기회가 있으면 이
런 자들을 없애 버려야 한다.


위에서 보았듯이, 관부가 순경을 데리고 가 후필을 죽였다. 또한 구본량을 쫓았지
만 재빨리 도망쳤다. 관부는 후필의 시체를 가져다 신토 사부로에게 바치고 돌아갔
다.

한편, 이토가 후필이 죽었다는 보고를 듣고 아주 기뻐하였다. 그리고는 악공과 후
필의 시체를 관에 넣고 묻었다. 이토는

"두 사람이 비록 자신을 죽이려던 자들이기는 하지만 한국의 의사로 여겨 두 사
람의 절개를 묵살해 버릴 수는 없다"

고 말하였다. 이것이 바로 이토가 인심을 매수하는 방법이었다. 후필이 죽고 구본
량이 도망 치고 나서 평양성에 강습소와 신문사가 전부 사라졌다. 이토는 더욱 안심
하게 되었다. 한 달 가량 머물다가 서울로 돌아갔다. 이에 대해서는 자세히 말하지
않겠다.

한편, 운재소와 악씨의 집안사람들이 두 사람 시체를 다시 가져다 모셨다. 운재소
는 후필의 관을 댁에 모시고 제사를 지냈다. 후필의 친구들과 제자들이 모셔 와서
고인을 송별하고 길지를 택해 장례를 지냈다.

후필을 찬송한 시를 어떤 이가 지었다.


"가난한 집과 나라에서 태어나 절개를 굽히지 않았도다. 한국인 가운데 후필만한 사
람은 없도다. 비록 큰일을 이루지 못하고 떠났지만 그대의 충의는 영원히 서울을 비추리
라."

--------------------------------------

**2**　관부와 같은 사람들.

　이처럼, 운재소의 집안사람들이서 후필의 장례를 지내고 집으로 돌아왔다. 시간은 빠르게 흘러 어느덧 새해가 찾아왔다. 이날 운대감이 서재에서 책을 보고 있는데 하인이 편지를 올렸다. 이 편지를 누가 보냈는지를 알려면 다음 회를 보시라.

위와 같이, 운대감이 이날 서재에서 책을 보고 있는데 하인이 편지를 가져 왔다. 봉투를 보니 미국에서 온 편지였다.

    편지에는 이렇게 쓰여 있었다.

    "멀리서나마 머리를 조아리며 부모님 인사 올립니다. 옥체를 보존하시기를 엎드려 비옵니다. 제가 집을 떠난 지도 어언간 5·6년이 지났습니다. 타향에서 그리운 부모님을 생각하니 눈물이 앞을 가립니다. 2년 전 본량이 집에 갈 때 편지를 보낸 후로 소식을 전하지 못하여 대단히 죄송합니다.

    지금 우리는 모두 졸업했습니다. 안중근의 졸업성적이 제일 우수합니다. 다른 사람들도 훌륭한 성적으로 졸업하였습니다. 어제 졸업증서를 받았습니다. 곧 짐을 싸서 집으로 돌아갈 겁니다. 3개월이면 집에 도착할 겁니다. 부모님께서는 이 자식을 너무 걱정하지 마시기 바랍니다. 이제 곧 만날 테니까요."

    편지 오른쪽에

    "집에 계신 모든 분들의 평온을 비옵니다"

    라고 쓰여 있었고, 왼쪽에는

    "아들 낙봉 등잔 아래서"

    라고 쓰여 있다."

이와 같이, 운대감은 편지를 다 본 후 뒤채로 가서 자기 처와 안부인에게 전하였다.

"유학 간 학생들이 머지않아 귀국한대요."

안부인이 조급해 하며 물었다.

"편지가 왔나요?"

재소가 낙봉의 편지내용을 죽 얘기해 주었더니 안부인이 말하였다.

"감사합니다. 아들소식을 전해 주시어 고맙습니다."

그리고는 아들이 졸업시험에서 1등을 하였다는 것을 알고 기뻐서 어찌할 바를 몰라 하였다. 운재소의 처가 옆에서 말하였다.

"아가씨! 이제 중근! 중근! 그만 중얼거려요."

라고 하자, 안부인도

"저뿐만 아니고 올케도 낙봉! 낙봉! 그만 좀 해요."

라고 하여 다들 즐거워하면서 만날 날을 학수고대하였다. 이에 대해서는 더 이상 말하지 않겠다.

한편, 미국에서 김유성·이상설 등 여러 사람들이 졸업하고 증서를 받았다. 며칠 후 돌아갈 준비를 하고서 함께 기차를 타고 귀국길에 올랐다. 해안에 이르러 부두에서 배로 바꿔 탔다. 여러 날 온갖 고행을 하면서 모두 이날 인천에 도착하여 배에서 내려 마차를 빌려 짐들을 실었다.

이상설이 그들에게 말하였다.

"다들 귀가한 후 부귀를 탐내지 말고 나라를 위해 일해야 하네. 결코 유학 갈 때 가졌던 초심을 잃어버려서는 안 된다네."

다들 함께

"형님, 안심하십시오. 우리는 결코 부귀를 탐하지 않고 나라를 잊지 않을 겁니다."

라고 대답하자, 이상설이 말하였다. "그럼 여기에서 헤어지자."

그리하여 말을 마치고 각자 마차에 타고서 갔다.

한편, 안중근·운낙봉 등 몇 사람은 마차를 타고 낮에는 길을 재촉하고 밤에는 쉬면서 며칠을 달려 평양성에 도착하여 각자가 자기 집으로 돌아갔다. 안중근 등 몇몇이 운재소의 집에 도착하여 친인들을 만나고 기뻐하면서 미국 정치와 다니면서 본 것을 이야기 하였다.

이때 조적중·손자기가 그들이 돌아왔다는 소식을 듣고 운재소의 집으로 찾아 왔다. 다들 만나서 한참동안 얘기를 나눴다.

후진이

"제 숙부와 구본량 형님은 어디 가셨어요?"

라고, 운낙봉·안중근도

"맞아요. 그분들이 왜 안보이지요?"

라고 물었다.

손자기가 슬픔에 잠겨서 말하였다.

"너무 서두르지 마세요. 천천히 말할 테니. 한국이 일본의 보호를 받은 후로 이토가 통감으로 부임하였습니다. 그 자는 나라의 원로들을 듣기 좋은 말로 속이고 모든 권력을 장악했습니다. 너무나 한탄스럽게도 그 뒤로 우리나라 백성들은 고생이 말이 아닙니다. 그 자들이 저지른 악행은 그럭저럭 참을 수 있다고 하지만 시퍼런 대낮에 부녀자들을 강간한 일은 참으로 생각만 해도 치가 떨립니다.

그해 악공의 처와 여동생이 친척집으로 가는 길에서 일본 도적놈들과 마주쳐 그 자들에게 붙잡혀 모두 죽었습니다. 나중에 사실을 알고 난 악공은 눈에서 불이 날 정도로 치솟는 분을 삭이지 못했습니다. 게다가 나라 권력을 전부 일본놈들에게 빼앗겨 분노로 가득 차 있었습니다.

악공은 본량이 만든 폭탄 세 개를 갖고 오로지 이토 통감을 죽이기로 작심하였습니다. 나중에 이토가 평양에 오자, 악공은 남문 밖에서 숨어서 기다리고 있었습니다. 이토는 죽을 운명이 아니었는지 폭탄은 이토 근처에도 이르지 못했습니다. 오히려 악공이 그 자리에서 원수도 못 갚고 죽고 말았습니다."

세 사람은 이 이야기를 다 듣고
"너무나 애석하게도 악공을 다시는 볼 수 없게 되었습니다. 그런데 폭탄이 왜 이토에 맞지 않았습니까? 유학 다녀온 20명이 대사를 이루기 전에 한 사람을 잃게 되니 가슴 아픕니다."
라고 하자, 운낙봉이 말하였다.
"악공이 그리되었군요. 본량 형과 선생님은 어디로 가신 겁니까?"

손자기도 말하였다.
"서두르지 말고 내 이야기 잘 들으세요. 우리 선생님은 평양에서 신문사를 차려 여러 곳에서 백성들을 많이 개화시켰습니다. 누가 이토에게 이야기 했는지 모르지만 이토 그놈이 선생님이 악공과 같은 동지관계이고 구본량이 폭탄을 만들었다는 것을 알고 순경 10여 명을 파견하여 운대감의 집으로 붙잡으러 왔습니다.

이 때 어떤 사람이 이 사실을 미리 알려주어 두 분은 북문에서 빠져나갔습니다. 많은 순경들이 그들을 추격하다가 총을 쏘아 선생님을 죽였습니다. 구본량은 빠져나가 지금 어디에 있는지를 모릅니다."

세 사람은 후필이 돌아갔다는 말을 듣고 가슴을 치면서 울기 시작하였다. 숙부와 의부를 다시 볼 수 없음과 그들의 형제가 어디 있는지도 모른다는 사실을 한탄하였다. 가장 한탄스러운 일은 선생님을 잃었다는 사실이었다. 그들은 모두 서울 쪽을 가리키며 욕을 하였다.

"이토야! 네놈 때문에 우리나라 백성들이 고통 속에 살고 있어 불쌍하기 그지없다. 왜 우리나라 권력을 네 놈이 앗아갔느냐? 왜 네 놈 나라 사람들이 우리나라에 와서 온갖 포악한 짓거리를 하는 거냐? 왜 우리 부녀자들을 강간하는 거냐? 왜 재정권과 경찰권을 앗아갔느냐? 네놈들이 저지른 악행들은 너무나 한스럽다. 우리 한국 사람들이 네놈의 손에 죽었단 말이다."

안중근이

"제 부모님도 일본놈들에 화를 입었어요."

라고 하자, 후진이 말하였다.

"그렇지 않으면 우리가 왜 미국으로 유학 가겠습니까? 이 원수를 언제나 갚을 수 있겠습니까? 이토를 찾아내어 목숨 걸고 죽여 버려야 합니다."

이처럼, 세 사람은 울다가 욕하다가 지쳤다. 흐른 눈물이 앞섶을 적셨다.

이때 운대감이 그들이 너무나 비통해 있는 것을 보고서는 다가와 말하였다.

"자네들 세 사람! 이젠 그만 울거라. 후필 선생님은 이미 돌아가셨단 말이다. 울어 봤자 아무 도움이 안 된다. 다들 정신을 차리고 일어나 나라와 후필선생님의 원수를 갚을 방법을 서로 의론해야지."

운대감이 이처럼 권하자 세 사람은 울음을 그쳤다. 후진이 다시 자기(子奇)에게 물었다.

"제 숙부가 순경에게 살해된 다음에는 어찌 되었습니까?"

자기는 이토가 어떻게 인심을 매수하고 운대감이 어떻게 시신을 가져다 어디서 장례를 지냈는지 그들에게 알려주었다.

안중근이

"선생님께서 이미 돌아가셨으니 은혜를 보답할 길이 없습니다. 내일 묘소를 찾아 뵙고 제사라도 올려야 하겠습니다."

라고 하자, 낙봉 등이 말하였다.

"그러시지요."

다들 나라를 걱정하면서 이야기를 하다고 헤어졌다.

다음날 안중근·운낙봉·후진·운씨 숙질 다섯 사람이 제사지낼 음식을 갖고 사환한 명과 함께 후필의 묘를 찾아 갔다. 넓은 들판에 후필의 묘가 외롭게 있었고 주위에 잡초가 무성하게 자라 처량하기 그지없었다.

안중근은 사환에게 제사 준비를 하라고 하였다. 다섯 사람이 일제히 향을 피우고 제사를 지냈다. 땅에 엎드려 두 눈에서 눈물을 흘리며 통곡하였다.

영웅들이 향을 피워 묘에 꿇어 앉아 눈물을 흘리며 통곡하였다.

"선생님이 돌아가시니 고통스럽기 그지없습니다. 선생님! 저희들 이렇게 선생님을 뵈러 왔습니다. 우리는 선생님께서 저희를 가르쳐 준 은혜를 마음속 깊이 간직하겠습니다. 몇 년 전까지만 해도 평양에서 신문사를 여시었는데 지금은 한줌의 황토로 돌아가시었습니다. 선생님은 나라를 지키시려는 그 웅대한 포부를 다 펼쳐보지 못하시고 쓸쓸히 돌아가셨습니다. 우리가 나라를 위해 큰일을 다 하지 못했는데 먼저 떠나셨습니까? 선생님! 우린 이제 누구에게 의지해야 합니까?"

후진이 말하였다.

"제가 숙부님께 받은 은정을 잊을 수 없습니다. 어려서부터 저는 숙부님의 보살핌을 받고 자랐습니다. 이번에 귀국하여 숙부님과 만날 수 있다고 여겼는데 어찌 숙부께서 돌아가실지 알았겠습니까? 숙부의 운명이 너무나 기구하여 제 마음 이루 다 말을 다할 수 없을 정도로 아픕니다."

안중근이 말하였다.

"저에게 베푸신 선생님의 깊은 은혜를 갚지도 못했습니다. 기봉산에서 저희 모자의 목숨을 구하시고 각별히 정성을 담아 저를 가르쳐 주셨습니다. 미국에서 5,6년 밖에 안 있었는데 선생님! 어찌하여 제가 은혜를 갚도록 기다려 주시지 않으셨습니까? 선생님께서 돌아가신 것은 다름 아니라 그 모두가 도적 이토 히로부미 통감 때문입니다. 이토는 저에게 바다와 같이 깊은 원한을 남겼습니다. 반드시 저 늙은 도적을 없애 원한을 갚겠습니다."

옆에서 재수와 낙봉도 땅을 치면서 울고 있었다. 운낙봉은 너무나 울어 앞섶이 다 젖었다. 이때 멀리서 후필의 죽음을 원통해 하며 울고 있는 다섯 사람 쪽으로 네 사람이 다가오고 있었다.

이와 같이, 안중근 등 다섯 사람이 후필을 위해 통곡하고 있었는데 네 사람이 이들 앞으로 저 멀리서 다가왔다. 그들은 다름 아닌 김유성·황백웅·요재천·전중포이었다.

네 사람이 말하였다.

"자네들은 여기 오면서도 왜 우리에게는 알려주지 않았는가?"

말을 마치고 그들도 묘 앞에 엎드려 크게 울고 또 울었다. 다 울고 나서 잠깐 휴식하고 집으로 돌아갔다.

이틀 후 손자기·조적중·소감 세 사람이 찾아 왔다. 운재수가 친구들을 방으로 안내하여 앉아서

"지금 자네들을 부르러 가려던 참이었다네."

라고 하자, 손자기가

"무슨 일이라도 있는가?"

라고 하니 재수가 말하였다.

"우리가 귀국한지도 벌써 며칠이 지났는데 뭔가 할 일을 서로 의론해야 하지 않겠는가?"

손자기도

"형님에게 좋은 생각이라도 있으면 이야기해 보시십오. 우리는 형님을 따를 테니까요."

라고 하였다.

재수가 빙그레 웃으면서 말하였다.

"그렇다면 내말을 잘 들어보시게나. 우리는 5·6년간 미국에서 유학생활을 마치고 올해 고향에 돌아와 벌써 열흘이 지났네. 나라를 지킬 방도를 강구해야 하지 않겠는가. 우리 모두가 힘을 쓰지 않는다면 이 나라는 얼마 지나지 않아서 망하게 될 테니까. 그렇게 되기 전에 우리가 민지(民智)를 열고자 했는데 오늘 이 일부터 해나가는 게 좋겠네.

우리나라 백성이 몇 백만이나 되니 이 일은 결코 간단한 일이 아냐. 우리 동창생들을 다 불러서 난 평양에서 단체를 조직하려고 한다네. 여러 사람들이 마음과 힘을 합쳐 평양에서 '애국회'를 설립하려고 한다네. 애국회 회원마다 각자 책임을 다하여 여러 지방의 백성들을 개화시켜 나라를 지켜야 한단 말이지. 전 국민이 모두 애국심을 갖게 된다면 우리나라는 다른 나라에 망하지 않을 수 있어. 여러분이 내 생각이 어떠한지 잘 생각해 보시오. 할 수 있다고 생각한다면 우리 동창생 친구들을 다 불러와 각 지방에 알려 입회

하는 사람들 각자가 그 책임을 다하여 우민을 교화합시다."

모두 일제히

"찬성합니다. 우리 각 지방에 알려 좋은 분들을 모읍시다."

라고 하였다.


재수가

"이런 방법은 잘 될 겁니다만 애국회 장소를 어디에다 설치합니까?"

라고 하였고 김유성도

"그러게 말이오. 조용하고 구석진 곳에 모임 장소를 설치해야 합니다."

손자기도

"서두르지 마시고, 다른 사람들이 다 모인 다음 같이 의론하시지요."

재수도

"그렇게 하지요."

라고 하였다.


그리하여 운재소 등의 영웅들이 통지문을 만들어 각 지방에다 무수히 보내었고 함께 유학한 친구들에게도 요청하였다. 검목역에 사는 진씨 형제가 왔고, 서울에서 이수·소와 이위종·이상설·이준이 왔다. 그 외 이범윤·주장·조존 세 사람도 왔다. 함경도와 서울의 영웅들이 다 모이자 평안북도의 영웅 김홍주·고운이 앞에서 걷고 술견·술백 형제가 따라서 들어섰다. 오좌차는 빠른 말을 타고 평양으로 왔다. 다들 평양 운대감의 집에 모였다. 운재수는 서둘러 응접실로 손님들을 모셨다.

이들이 자리에 앉자 심부름 하는 아이가 와서 차를 따랐다. 운제수가 차를 마시며

"오래간만입니다. 뵙고 싶었습니다."

라고 하자, 이상설이

"구본량 아우가 왜 안 보이지?"

라고 물었고, 범윤도

"악공아우는 어디 갔소?"

라고 물었다.

운재수가 그 두 사람에게 그동안에 일어난 일들을 설명해 주었다. 그러자 여러 영웅인물들은 악공이 죽었다는 것을 듣고서 서울 쪽을 가리키면서 이토를 욕하였다.

"우리나라를 파괴 한 것도 네 놈이다. 언젠가는 이 늙은 도적을 죽여서 백성들과 죽은 친구의 원수를 갚아야 합니다. 우리 빨리 애국회를 만들어 저 늙은 도적을 없앱시다."

유성도

"여러분 조급히 할 필요가 없습니다. 지금 우리에게 가장 중요한 일은 애국회를 만드는 것입니다.

라고 하였다.

이처럼, 이상설 등 여러 사람들이 이토를 저주하였고, 김유성이

"여러분 조급해 하지 마시오. 애국회 설립문제를 서로 의논하는 게 좋겠소."

라고 하였다.

운재수도

"지금 이 자리에 우리 26명이 모였습니다. 먼저 애국회 장소를 조용하고 구석진 곳에 마련해 놓고 서로 의론을 하시지요."

유성도

"사람을 보내 조용하고 구석진 장소를 물색하시지요."

라고 하자, 재수가

"그렇게 합시다."

라고 하였다.

그리고는 손자기와 운낙봉을 보내 장소를 알아보게 하였다.

두 사람이 떠나고 이틀이 지나서 돌아와 말하였다.

"우리 둘이 여러 곳을 둘러보았습니다. 이곳에서 30여리 떨어진 곳을 보았습니다. 그곳에 유운포라는 곳이 있는데 서쪽에 낙안산이 있습니다. 산 옆에 집 한 채가 있습니다. 이 집은 조용하고 구석진 곳입니다. 이 집이 유운포에 사는 유경복의 집이라고 합니다. 우리가 유경복 어른께 말을 드리자 그냥 사용하도록 허락해 주셨습니다. 이거 어찌 다행스러운 일이 아니겠습니까?"

재수가

"이렇게 장소도 마련되었으니 얼른 그리로 옮겨갑시다." 다들 "좋습니다."

라고 하였다.

그리하여 그곳으로 옮겨 가서 애국회를 창설하고 이상설을 정회장에, 김홍주와 이범윤을 부회장으로 뽑혔고, 다른 사람들은 회원이 되어 애국회가 성립되었다. 회

원각자가 책임역할을 분담하였다.

안중근·후진·운낙봉은 이토 처단 임무를 자진해 맡았다. 요재천·운재수·소감·오 좌차 네 사람이 정탐 임무를, 한씨 형제·진씨 형제·조존·이준 여섯 사람은 지부 창설 임무를, 전중포·황백웅·이위종·이수소 네 사람이 각 지방의 '자치' 강연 임무를, 김 유성·요재천은 회장 세 사람과 신문사를 여는 임무를, 조적중·고운·손자기·주장 네 사람이 물품 제조와 백성들을 개화하는 일 등의 실업 임무를 맡았다.

이날 여러 영웅들은 각자 책임을 분담 받고 조사원을 파견하여 복수회와 설욕회 와 연합하였다. 이로부터 평양 백성들은 여러 영웅들의 지휘 하에 개화교육을 잘 받 았다. 이제 오로지 죽어 마땅한 이토의 출행소식을 알아내고 그 놈을 죽이는 일에 모든 신경을 썼다. 이에 대해서는 자세히 말하지 않겠다.

한편, 한국 이희 황제는 이때 태자 융희에게 왕위를 양도하고 이완용을 내각총리 에 임명하였다. 이토가 한국의 황제가 바뀌고 이완용이 조정 일을 맡자 한국 일은 끝이라고 여기고 중국을 분할하려는 일에 힘썼다. 그리하여 통감요직을 사직했고 소 네 아라스케(曾禰荒助)를 통감에 임명하고 지신은 배를 타고 귀국하여 재상(宰相)을 맡았다. 이날 일황이 내전에 나오자 이토가 이렇게 아뢰었다.

한국을 경영하는 일은 이미 마무리되었습니다. 이제 중국에 가서 풍랑을 일으키 겠습니다.

여러분은 이토가 무슨 말을 했을지 잘 모르실 것이다. 알고 싶으시다면 다음 회를 보시라.

위와 같이, 이토가 내전에 나오자 일황은 금으로 된 의자에 앉으라 하였다. 이토가 감사를 표하고 자리에 앉자 일황이 말하였다.

"그대가 귀국한 뒤로 어떤 계책을 내놓지 않았는데 오늘 내전에 왔으니 계책을 좀 말해 보구려."

이토가 웃으면서 말하였다.

"신은 하루를 살다가 죽는다 해도 감히 하루라도 나라를 잊을 수 있겠나이까? 오늘 나라의 대사에 대해 아뢰려고 합니다. 폐하! 잘 들으시기 바랍니다. 신은 서경의 일개 서생으로 아무 경세제민 할 재간이 없습니다. 폐하의 사랑을 한 몸에 받아 서울에 가서 재상으로 일했습니다. 배운 학문이 옅어서 폐하를 보좌하기 어려웠습니다.

그래서 유럽과 미주로 가서 십 몇 년 동안 많은 것을 배워 왔습니다. 귀국한 후 입헌과 유신 준비를 마치고 실행에 옮기니 전국의 모든 것이 새롭게 변하였습니다. 이 모든 게 폐하의 신에 대한 사랑 덕택입니다. 신은 폐하의 성은에 보답하고자 충성을 다하였습니다. 그리고 한국을 먹기 위해 온갖 방법을 다 동원하여 드디어 한국의 권력과 그들의 마음을 손에 넣었습니다.

10년이면 한국정부를 완전히 장악하고 한국 땅이 곧 우리에게 넘어 오게 될 것입니다. 그러므로 지금부터 한국 일은 잠시 접어두고 중국을 분할하는데 정력을 쏟아야 합니다. 중국 사람은 한국보다 백배나 강합니다. 좀 생각해보니 중국은 쉽게 분할할 수 있는 나라가 아닙니다. 신은 남북만주로 가서 중국 백성들의 민심, 제반 정치, 관리들, 산하의 지세, 인구, 농촌 등의 현황을 살펴보려고 합니다.

중국의 여러 가지 정세를 모두 알아야 향후의 예산과 인력동원 기획을 세울 수 있습니다. 그런 다음 중국 권력을 천천히 우리 손에 넣는다면 우리가 동북삼성을 러시아와 나눌 수 있습니다. 폐하께서 저의 이러한 계책을 허락하신다면 내일 배로 출발하도록 하겠습니다. 신은 나라의 은혜를 갚기 위해 죽어도 쉴 수가 없습니다. 만약 그렇게 하지 않으면 안심할 수 없나이다."

일황이

"그대가 나라를 위해 노심초사하는데 그대의 말을 어찌 따르지 않을 수 있겠소. 모든 비용은 그대가 편한 대로 처리하고 일이 생기면 전보로 알리시오. 그리고 그대는 중국의 기관들과 사람들이 위험하고 간사하므로 강도와 자객 그리고 도적을 주의하시오."

라고 하자, 이토가

"폐하께서는 걱정하지 마십시오. 신이 응당 늘 조심하고 조심하겠습니다."

라고 하였다.

말을 마치고 작별 인사를 올리고 이토는 자택으로 돌아갔다. 밤 시간이 빨리 흐르고 어느덧 이튿날 아침이 되었다. 수종을 데리고 차에 앉아 도쿄를 떠나는데 관원들이 요코하마까지 환송을 하였다. 요코하마에서 배를 타고 봉천으로 출발하였다. 이날 여순에 도착했는데 이토는 사람에게 배를 대라고 명령하였다. 여순 땅을 밟으니 그해 참혹했던 일본과 러시아가 싸운 일이 생각났다.

이처럼, 이토는 여순에 도착하여 배에서 내려 그해 일본이 러시아와 전쟁을 치른 곳을 보았다. 다행스럽게 이겼지만 많은 병사들이 목숨을 잃었다. 이토는 자신도 모르게 비감에 젖었다. 마음속으로 그 비참함을 느끼어 시를 지었다.

"발해만 새로운 전쟁터에서 양군의 충신들이 연기처럼 사라졌도다.
은인과 원수에 사심이 보이지 않고 그날을 추모하니 가슴이 찢어지도다."

이곳은 이미 일본 손에 넘어온 터라 더 머물지 않았고 떠날 때 또 시 한 수를 읊었다.

"초가을에 고향 떠나 멀리 가노니 벌레소리 울리는데 기러기떼가 남으로 날아가네.
내일 아침이면 발해에 천길 파도가 일어 날 터니 쓸쓸함과 적막함이 내 눈에 가득 하리라."

이토는 시를 읊고 나서 봉천으로 들어가 며칠 묵은 후 또 대련에서 기차를 타고 장춘으로 향하였다. 가는 곳마다 중국과 외국 관원들이 나와서 정성스럽게 이토 응대하였다. 장춘에서 며칠 유람한 후 하얼빈으로 가보려고 하였다. 이에 대해서는 자세히 말하지 않겠다.

　한편, 한국의 애국회 조사원 소견 등 몇 사람은 매일 밖으로 뛰어 다니면서 이토의 출행소식을 염탐하였다. 이날 그가 만주를 돌아보기 위해 도쿄를 떠났다는 소식을 듣고 급히 본부로 돌아왔다.

　그리고는 이상설에게 알려주었다. 그러자 이상설이

"이것은 이토를 죽일 수 있는 아주 좋은 기회입니다."

라고 하자, 안중근이

"헛소문은 아니겠지요?"

라고 하였고, 소견도

"틀림없어요. 헛소문은 아닙니다."

라고 하였다.

　안중근이

"그렇다면, 이는 하늘이 우리의 성공을 도우시는 겁니다. 내가 내일 원산에서 배를 타고 블라디보스토크로 가서 타국 침략을 주도한 우두머리를 베겠습니다."

라고 하였다.

　이상설이

"절대 간단한 일이 아닙니다. 성공하던 실패하던 간에 목숨을 잃게 될 것입니다. 자신 있습니까?"

라고 하자, 안중근이

"이 세상에 남아로 태어나 나라를 위해 원수를 갚을 수 있다면 내 이 목숨 어찌되어도 좋습니다. 도적 이토는 우리의 철천지원수입니다. 이 원수를 갚지 않는다면 내가 무슨 면목으로 이 세상에 살겠습니까. 형님, 염려하지 마십시오. 제가 가야만 합니다. 이 도적을 죽이지 못한다면 결코 조국에 돌아오지 않겠습니다."

라고 하였다. 다시 이상설이

"자네의 결심이 굳건하군. 헌데 한 가지 어려운 문제가 있어."

라고 하자, 안중근이

"무슨 문제인가요?"

라고 묻자, 이상설이 대답하였다.

"아우가 국가를 위해 헌신하려고 이번 일을 할 텐데. 모친께서 허락하실지 모르겠네?"

　안중근이

"우리가 단체를 만들 때 저는 척살임무를 맡은 걸 어머님께 아뢰었습니다. 그러자 어머님께서 이렇게 말씀하셨소. "애야, 네가 우리나라의 원수를 없앨 수 있다면 내가 너를 어떻게 생각하겠냐? 기회가 있을 때 알아서 잘 하거라." 그러니 어머님께서는 이 일을 이미 동의하셨습니다."

이라고 하자, 이상설이

"그럼, 이 일을 늦추어서는 안 되네. 내일 출발하게나."

라고 하였고, 안중근이 대답하였다.

"알겠소."

그리고 안중근은 운낙봉·후진과 서로 의논하였다.

"내가 혼자서 간다면 불편한 점이 많을 테니 두 형님께서 같이 가주시는 게 좋겠습니다."

두 사람은 함께

"아우가 말을 하지 않아도 같이 가려고 했단다."

라고 하자, 안중근이 말하였다.

"좋습니다. 그럼 같이 가시지요."

드디어 세 사람은 7연발 총 한 자루와 얼마간의 탄알을 준비하였다. 그리고 세 사람 모두 일본인처럼 차려 입었다. 떠날 준비를 다하고 셋은 밤늦게 까지 이야기를 나눴다. 다음날 세 사람은 아침식사를 사먹고 각자가 권총 한 자루씩 지니고 여비를 챙겨 고별인사를 하고서 출발하려고 하였다.

사람들이 눈물을 머금고 송별하였다. 생사이별의 시각이 다가오니 다들 슬픔에 잠겨 있었다.

여러 영웅들은 처량한 모습으로 전송하러 나왔다.

"우리 모두 아우 가는 길에 행운이 있기를 바라고 이번 거사에 성공하기를 기원하네. 아우! 만일 거사를 성공한다면 우리나라를 위해 원수를 갚는 것이 되네. 일이 성사되면 아우는 목숨을 잃게 될 거네. 우리 형제는 오늘 헤어지지만 우리 아우의 기개가 하늘을 찌르니 한국의 첫째가는 대영웅임에 틀림없네. 이렇게 떠나게 되니 의리 깊은 아우! 우리 절을 세 번 받게나."

여러 사람들이 말을 마치고 그대로 땅에 무릎을 꿇었다.

안중근이 말하였다.

"형님들! 이러지 마십시오. 아우가 이토 도적을 죽일 수만 있다면 구천을 떠돌더라도 좋습니다. 여러 형님들께서 우리나라를 위해 많은 일을 해 주시고 우리 한국을 지켜 망하지 않게 해주십시오."

여러 사람들이 절을 마치고 너도나도 구슬 같은 눈물을 흘리어 앞가슴을 적시었다. 안중근이 여러 사람들에게 말하였다.

"여러분 부디 몸 건강하십시오. 이 아우의 충성스런 마음은 변하지 않습니다."

고개를 숙여 인사를 한 후 후진과 운낙봉과 함께 길을 떠났다. 이상설 등이 그들이 시야에서 사라질 때까지 전송하고 나서 돌아갔다. 세 사람은 얘기를 나누면서 길을 재촉하였다.

드디어 원산 부두에 도착하여 세 사람은 배를 타고 동쪽으로 향하였다. 블라디보스토크에 도착해서 기차를 갈아타고 서북 방향으로 달렸다.

간단히 말하건대, 이날 드디어 기차는 하얼빈에 도착하고 세 사람은 기차에서 내려 조용한 여관을 들어갔다. 오로지 죽어야 할 이토 히로부미가 오기를 기다렸다.


이와 같이 안중근을 비롯한 세 사람은 하얼빈에 이르러 기차에서 내렸다. 여관에 들어가 방 하나를 잡았다. 그리고는 몰래 사람들의 말을 들어보니 이토가 장춘까지 왔다는 것이다.

그리하여 세 사람은 여관에서 이토가 하얼빈에 도착하기만을 기다렸다. 낮에 세 사람은 거리를 걷다가 길 남쪽에 있는 약방 안에 한국인이 서있는 것을 보았다. 구본량과 비슷하여 가까이 가보니 바로 그 사람이었다.

본량도 세 사람을 알아보고 황급히 서두르면서 세 사람을 방으로 안내하여 자리에 앉으며 물었다.

"자네들은 언제 귀국했고 무슨 일로 여기로 왔는가?"

안중근은 주변에 사람이 없는 것을 확인하고 언제 귀국했으며 여기로 거사하러 왔다고 모두 알려 주었다.

"참 잘된 일군. 나도 이 도둑놈을 죽이려고 여기와 있는데."

"형님! 어떻게 여기까지 왔습니까?"

본량이

"일본놈들이 우리 선생님을 쏘아 죽인 후 나는 사태가 위급한 것을 알고 선생님을 그대로 두고서 한참이나 정신없이 달렸다오. 나중에 뒤에서 쫓아오는 사람들이 없자 천천히 걸었다네. 이틀을 걸어 봉천에 도착하였지. 봉천에서 며칠 탐색을 하다가 우리나라에서 온 상인 몇 사람을 만났어. 그 사람들이 여기로 장사하러 간다고 하여 같이 온 것이라네. 그들은 여기에서 빗가게를 차렸고 나는 그들을 도와 물품을 파는 일을 하고 있고. 지난 2년 동안 나는 4백 여원을 모았고 상해로 가서 약을 사다가 지금 여기에다 약방을 차렸다네. 약방을 차린 지 1년이 넘어."

라고 하자, 안중근이 말하였다.

"우리가 형님을 계속 찾았었는데 아무도 어디 계신지 알지 못했습니다. 오늘 이곳에서 만난 것이 어찌 하늘이 내려 주신 인연이자 천행이 아니겠습니까?"

본량이

"자네들은 약방에서 묵게나. 아주 편리할 걸세. 얼른 짐을 가져오시게나."

라고 하자 안중근이 말하였다.

"고맙습니다. 그리 하겠습니다."

약방에서 같이 있자는 본량의 말에 세 사람은 짐들을 약방으로 옮겨와 뒤채에 놓았다. 밤에는 또 폭탄과 탄환을 만들었다. 안중근이 이를 몸에 지니고 매일 기차역에서 이토를 기다렸다.

이날은 일본 명치 42년 10월 24일으로 중국 선통 원년 9월 13일이다. 이토가 특별객차를 타고 하얼빈에 도착하였다. 중국·일본·러시아 관원들이 영접하러 나왔다. 러시아 순경들이 열차 앞에 늘어서 있었고 중국 군악대가 환영곡을 연주하고 있었다.

안중근은 일본인 환영인파 속에 숨어 있었다. 상인과 농민을 막론하고 사람들이 모두 떠들썩하고 열렬하게 이토를 환영하였다.

> 모사꾼 이토가 이 날 하얼빈에 도착하자 각국 관리들이 기차역에서 열렬히 환영하였고, 중국 군악대가 환영곡을 연주하고 있었다. 러시아 결찰과 헌병도 나와 있었다.
> 교섭국의 유(劉) 총리, 일본의 가와카미(川上)·코이케(小池) 두 영사, 러시아의 까깝쵸프 재무부장관이 영접을 나왔다. 그리고 수많은 일본교민들이 역에서 이토를 환영하고 있었다. 안중근은 일본인들 속에 섞여 있었다. 이때는 바로 오전 9시였다.
> 이토가 탄 기차가 역으로 들어왔다. 중외의 여러 나라 관헌과 병사들이 바쁘게 움직였다. 순경관이 '차려'라고 외치자 모두 차려 자세를 취하였다. 군악대의 연주소리가 울렸다. 중외의 관헌들이 앞으로 다가가 접견을 하였다.

이토는 기차에서 급히 내려 관원들에게 다가가 인사를 하며 말하였다.

"제 환영을 위해 나와 주시어 노고가 많습니다."

이토는 그곳에서 관헌들과 이야기를 나누고 있었다.

이토가 관원들과 얘기를 하고 있었는데 아무도 사람들 속에서 한 사람이 뛰어 나오리라고는 생각하지 못하였다. 그가 손에 총을 잡고 이토 히로부미를 향해 총을

"탕!탕!탕!"

7발 쏘았다.

이토가 총탄에 맞고 땅에 쓰러지는 것이 보였다. 가와카미는 오른팔에 총을 맞았고 코이케 왼쪽 다리에서도 피가 솟아 나왔다. 러시아 병사들이 불상사가 일어난 것을 보고 달려가 자객 안중근을 붙잡아 더 이상 쏠 수가 없었다.

안중근은 큰 소리로 "한국만세!"를 세 번 외치고 나서 병사들에게 붙잡혀 관청으로 이송되었다. 이토가 쓰러지는 것을 보고서 황급히 달려가 부축한 일본인들은 이토는 가슴에 총알 두 발을 맞았고 피를 흘리고 있는 것을 보고 크게 놀랐다.

그래서 급히 사람들이 영사관으로 호송해 갔고 일본과 러시아 의사들을 불러왔다. 그 의사들이 영사관에 도착하였지만 이토는 이미 죽은 상태였다. 이토는 69세를 일기로 일생을 마친 아시아의 지혜로운 대영웅이라고 하겠다. 다만 이토는 마음 씀씀이가 너무 악독하여 충의지사들이 가만히 있지 않았기 때문에 죽을 수밖에 없었다. 이토는 다시는 통감으로 남의 나라를 유린하고 태평스럽게 지내지 못하는 한국 백성에게 포악한 짓을 할 수 없게 되었다. 이번 방문길에 죽었으니 일본과 그 나라 국민을 위해 죽었다고 하겠다.

일본영사관 인원들은 어쩔 수 없는 비통한 심정으로 검시를 하고 나서 도쿄에 전보를 쳐 소식을 알렸다. 그리고 자객을 수인(囚人)마차에 실어 이토의 영구(靈柩)와 함께 봉천으로 이송하였다. 이토의 영구는 본국으로 호송되었고 자객은 여순재판소로 옮겨졌다.

재판관이 위에 앉아 안중근에게 큰 소리로 물었다.

"자객은 잘 들으라. 자네는 무엇 때문에 죽였는가?"

안중근이 대답하였다.

"나라의 복수를 위해서였다. 오늘 거사가 이미 이루어졌도다. 단지 빨리 죽기를 기다리고 있을 뿐이다."

법관이 이어서 여러 가지 질문을 했지만 별다른 소득이 없어 자객을 사형에 처한다고 선포하였다. 영웅은 웃음을 지으면서 형장으로 나갔다. 죽었지만 얼굴색이 그대로여서 마치 살아 있는 것과 같았다. 이 사람이 바로 한국의 첫 번째 영웅으로 그의 이름은 청사

에 길이 빛나리라. 안중근에 대해서는 여기에서 더 이상 말하지 않겠다. 다만 본량과 나머지 두 사람에 대해 말하겠다.

이와 같이 세 사람은 안중근이 그 때 이토를 죽이는 것을 보고서 너무나 기뻐하였다. 그리고는 안중근이 여순으로 이송된 것을 듣고서 약방문을 닫고서 여순으로 갔다. 안중근이 죽자 야음을 타서 시신을 빼내어 평양으로 모셔갔다.

애국회 상하 전체 회원들은 기쁨과 슬픔이 교차하였다. 이토를 죽인 것은 기쁜 일 이었으나 안중근을 잃은 일은 너무나 슬픈 일이었기 때문이었다. 다들 통곡을 하고 나서 길지를 택하여 안중근의 장례를 지냈고, 안중근 집안사람들을 부양하기로 하였다.

이토로 말하자면 모략가로서 충신이라 할 수 없고 오로지 타국을 침략하는데 힘을 썼을 뿐 불의한 짓만 일삼았다. 자국에 대한 보호와 민생을 뒷전으로 하고 다른 나라의 땅을 빼앗고 산 사람을 죽일 생각만 하였다. 다음의 시에서 이토를 한탄하였다.

> 약한 나라를 강탈하는 일은 가여운 일이니
> 내가 왜 굳이 다투겠는가
> 욕심 부리고 악행을 저질렀으니
> 공은 이루지 못하고 죽는구나.
> 자고로 폭행은 오래가지 못하니
> 진나라가 육국을 병탄하였으나 한나라에 망하였도다.
> 정의가 불의를 징벌하고
> 선과 악을 분별 못하니 재앙이 몸에 닥치리라[1]

그리고 안중근을 칭송하는 시도 있다.

---

1 『大學』에 "好人之所惡, 惡人之所好, 是謂拂人之性, 災必逮夫身"라는 구절에서 나옴. 사람이 혐오하는 것을 좋아하고, 좋아하는 것을 혐오하는 것은 사람의 본성에 어긋난 일이니 화가 필히 몸에 닥칠 것이라는 뜻이다.

애국심이 우주에 넘쳐 나고
충의와 정기는 서울을 메웠도다.
밝은 달빛이 영웅의 무덤을 비추고
그 이름은 천추에 빛나리다.

이처럼, 이상설 등이 안중근의 장례를 마치고서 애국회로 돌아왔다.

한편, 이토의 영구도 도쿄에 도착하였다. 일황이 문무백관을 거느리고 10리 밖까지 마중 나왔다. 자택에 이르러 제사를 마치고 장례를 치룬 다음 이토의 아들 분키치(文吉)에게 남작을 세습하게 하였다.

세월이 물과 같이 흐르더니 어느덧 새해인 선통 2년이 밝았다. 이해 봄에 일본은 소네 아라스케는 한국통감을 그만두고 데라우치 마사타케(寺內正毅)를 새 통감에 임명하였다. 이날 한국에서 갑자기 대폭동이 일어났다.

어떤 폭동이 일어났는지 알고 싶으면 다음 회를 보시라.

위에서 한국에서 대폭동이 일어났다고 하였다. 이 폭동은 왜 발생하였을까? 독자 여러분들은 잘 모르실 것이다. 데라우치 통감이 한국에 도착한 후 날마다 한국을 멸망시킬 방도를 생각하고 있었다.

이날 갑자기 한 가지 계책이 떠올라 혼자말로 중얼거렸다. "한국의 왕과 신하들이 무능하고 백성들 또한 마음이 하나가 안 되어 정부를 반대하는 사람이 적지 않다. 오늘 내가 그들 정부에 가서 그들을 보호해 준다는 미명하에 일본과 한국을 하나의 나라로 만들자고 해야겠다. 그러면 그들 국왕과 신하들이 내 의견을 따르지 않을 수 없을 것이다."

이렇게 생각하고 그는 차를 타고 한국정부 대문 앞까지 갔다. 차에서 내리니 벌써 보고를 받은 이완용 등이 일찍 나와서 기다리고 있었다. 이완용이 데라우치를 거실로 안내하고 두 사람이 자리를 잡으니 차가 나왔다.

차를 마신 후 완용이 데라우치에게 물었다. "통감께서는 일 없이 여기에 오시지는 안으실 텐데 오늘 여기에 오신 것은 무슨 나라의 큰 일라도 상의하기 위해서입니까?"

데라우치가 말하였다. "내가 오늘 여기에 온 것은 중요한 일이 있어서입니다. 귀국에 아주 유익한 일입니다. 여러분은 잘 모르실 테니 제 말을 들어보시기 바랍니다.

당신네 나라의 정치는 완비되지 않았고 백성들이 나약하고 당신네 나라를 위해 우리는 계책을 내놓았습니다. 당신네 나라를 대신하여 우리가 한국정치를 모두 관할하고 있습니다. 우리나라 사람들의 많은 정력을 소모하고 있습니다.

그리고 당신네 나라를 위해 우리나라는 많은 돈을 썼습니다. 당시네 나라를 대신하여 정치를 개선하고 나라를 보호하고 있습니다. 당신네 나라는 지금 여전히 독립국이라 할 수 없고 타국인이 한국인을 대하는 태도가 대단히 불량합니다. 우리 두 나라를 한 곳으로 합하는 것이 좋겠습니다. 모든 정치를 우리나라 황제에게 받치고 우리나라 황제가 귀국인을 대신하여 일을 한다면 당신네 황제는 편안하고 태평스럽게 복을 누리실 겁니다.

지금부터 우리나라 백성들도 높이 평가할 겁니다. 또한 지금부터 당신네 나라 황제와 신하들은 편안히 궁전에서 복을 마음껏 누리면 되고 일체 대사에 신경을 쓸 필요가 없습니다. 이번 기회를 놓치면 다시는 기회가 없는 줄 아시기 바랍니다. 이것이 바로 당신네나라를 보존할 수 있는 제일 좋은 방법입니다. 여러분은 어떻게 생각합니까? 조약체결이 가능하다면 다시 논의해봅시다."

데라우치의 합병문제에 대한 말이 끝나자, 옆에서 이를 듣고 있던 완용이 그 문제에 대한 장단점을 제기하며 말하였다. "대단히 좋은 말씀입니다. 저도 오래전부터 이 일을 생각해 봤습니다. 우리나라 백성들은 우리가 일처리를 잘못하여 화를 입는다고 늘 대단히 원망하였습니다. 표면적으로 잘하고 있는 것 같지만 실제로 전혀 그렇지 못합니다. 멀지 않아 우리가 봉변을 당할 것입니다. 다들 간신이라고 말하는데 그럴 바에는 차라리 귀국과 합하는 게 좋습니다."

데라우치가 말하였다. "이 일이 잘 처리되면 보장컨대, 여러분을 정부에 계속 계시도록 하고 봉급도 많이 드리겠습니다. 난 결코 거짓말을 하지 않습니다."

완용이 말하였다. "이 일을 저에게 맡겨주십시오. 염려하지 않아도 됩니다."

완용의 말을 듣고 데라우치는 관청으로 돌아갔고 이완용은 급히 서둘러 한국 왕에게로 갔다. 왕을 뵙고 만세를 외치고 자리에 앉자 이완용은 이 사실을 한국 황제에게 상세히 아뢰었다. 한국 왕은 합병에 대한 이야기 듣고는 자신도 모르게 놀라 대단히 당황하여 어쩔 줄 몰라 했다.

이와 같이, 완용은 내전에 가서 합방에 대한 일을 한국 황제에게 아뢰면서 합병의 이점이 많다고 떠벌렸다. 그리고 한국이 약하여 강성해지기는 어려우니 이 기회에 일본과 한 나라가 되는 것이 가장 좋은 방책이라고 덧붙였다.

한국 황제는 말하였다. "이 일은 너무 급작스러워 나도 어찌하면 좋을지 모르겠소이다. 며칠 두고서 백성들이 어떻게 생각할지 봅시다."

이완용은 왕의 말을 듣고 집으로 돌아가는 수밖에 없었다. 이에 대해서는 더 이상 말하지 않겠다.

한편, 이용구라는 사람이 서울에서 살고 있었다. 그는 서울에서 일진회를 창설하였고 가입자가 30여만 명에 달하였다. 그가 왜 일진회를 창설하였을까? 거기에는 이런 사연이 있었다. 한국은 일본의 보호를 받고 있고 만국회의 석상에서 4등 국 취급을 받았으므로 한국 백성들도 4등 국민 취급을 받았다. 이용구가 일진회를 창설한 목적은 바로 한국 백성들을 1등 국민으로 만들려는데 있었다.

이날 한일합병에 대한 소식을 접하고 그는 속으로 이렇게 생각하였다. "일본은 1등 국이다. 우리나라가 일본과 하나로 합치면 우리도 어찌 1등 국민이 되지 않겠는가?"

그는 합병안에 대해 극력 찬성하였다. 드디어 30여 만 명 회원을 데리고서 정부에 의견서를 제출하였다. 그는 그 의견서에서 일한합병은 많은 이점이 있다고 주장하였다. 또한 도처에 돌아다니면서 백성들을 적극적으로 권유했다. "우리나라가 일본과 하나가 된다면 우리나라 백성들도 1등 국민이 되어 다른 나라 사람들이 우리를 우대할 것이다."라고 말했다.

한국 백성들이 그의 말을 믿고 그렇게 여기자, 그는 일한합방을 찬성하는 의견서를 정부에 제출하였다.

이완용은 몇 십만 명 백성들이 그 의견서를 정부에 제출하는 것을 보고서 드디어 한국 황제에게 아뢰었다. 한국 황제는 받아들이려고 하지 않았지만 이렇게 많은 백성들이 원하고 대신들도 원하고 있고 게다가 일본인들이 무시무시하게 압력을 가하므로 어쩔 수 없이 받아들이고 말았다.

일본 명치 43년 8월 22일 일본의 한국통감 데라우치 마사타케와 한국 총리대신 이완용이 총독부에서 조약을 체결하였다. 드디어 한국의 모든 정사가 일본에 넘어갔고 한국 국호는 사라졌다. 한국 황제는 창덕공(昌德公)으로 봉해져 영원히 한국정사를 간섭하지 못하게 되었다. 조약을 체결하고 29일 반포하니 한국은 이 날 망하였다.

개 같은 이완용 간신이 한국 강산을 팔아먹었다. 일본 관리가 합병 의견을 제출하니 이완용은 좋은 일이라고 여기고 응하였다. 이로부터 모든 정치는 일본이 관리하게 되었다. 자고로 이와 같은 일은 있은 적이 없었다. 겉으로는 합병이 좋다고 하지만 뒤에서는 일본에게 응할 수밖에 없었다고 변명하였다.

이로부터 모든 권력이 일본에게 넘어가고 국토도 모두 그들이 장악하였다. 그들 손에 쥐어졌다. 한국이라는 국호 두 자를 버리니 한국 왕은 그야말로 평민이 된 것이나 다름이 없었다. 일한이 합병하여 평화를 추구한다고 하면서 왜 일본은 융희 황제를 창덕공으로 삼았을까? 이는 정말로 짐작도 할 수 없었던 일이었다. 한국의 왕과 신하들은 모두 어찌 바보들이 아니겠는가!

더구나 정말로 우매하고 어리석은 이용구는 일진회를 창설한 망국의 첫번째 죄수가 되었다. 그는 다른 사람의 세력을 등에 업고 자신의 힘을 키우려고 하였는데 이는 실로 그림 떡으로 배를 채우려는 것과 같은 어처구니 없는 일이다.

두 나라가 합병한다는 조약을 발표하자 애국회의 영웅들은 너무나 놀랐다. 조사원이 이 사실을 듣고 애국회 본부에 알리니 이상설은 한바탕 연설을 하였고, 영웅들은 분노를 금치 못하였다. 너도나도 서울 쪽을 향해 손가락질하면서 비난하였다.

"개새끼 같은 이완용아, 너도 한국인이고 너도 부모처자와 형제가 있다. 나라를 망하게 하고 네가 무사할 줄 아느냐? 일본이 어찌 이렇게 하도록 몰래 도와줄 수 있느냐? 이 도적놈아! 이 간신놈아! 언젠가는 네놈을 잡아 산 채로 씹어 먹을 테다."

여러 영웅들은 말을 하면 할수록 화가 머리끝까지 치밀어 올라 일본과 한바탕 싸우려는 의지를 다지면 모두 말하였다.

"나라는 이미 망하였다. 우리 모두 목숨을 걸고 싸우자!"

이와 같이, 애국회를 설립한 영웅들은 일한 병합 소식을 듣고는 일본과 싸워야 한다고 하고 하자, 김홍주가 말하였다.

"여러분! 잠시 좀 진정하시기 바랍니다. 여러분! 너무 조급하게 생각하지 마시기 바랍니다. 우리들은 이것에 반대합니다. 우리 스물아홉 명으로는 어찌할 수 없습니다. 우리 반드시 각 지방의 단체와 협력하여 백성들이 들고 일어나도록 해야 합니다. 일본놈 하나를 보면 하나를 죽이고 나서 다시 서울에 쳐들어가 데라우치란 통감을 죽이고 간신 이완용도 죽여야 합니다.

이 두 사람을 먼저 없앤 다음 계속 사력을 다하여 일본과 싸운다면 이 나라를 구할 수 있을 것입니다. 운대감께서 돌아가신 후로 지금은 조정에 간신만 득실거립니다. 이 일을 하려면 반드시 백성들과 연합하지 않고서는 불가능합니다."

이범윤이

"지당한 말씀입니다. 이 일은 한 시도 늦출 수 없습니다. 여러분! 이와 같이 합시다."

라고 하자, 김유성도

"좋습니다."

라고 하였다.

드디어 여러 사람들이 각 지방으로 가서 백성들을 모았다.

이 소식을 들은 모든 백성들이

"목숨을 걸고 일본놈들과 싸우겠다."

라고 하였다. 며칠이 안 되어 4·50만 명이 모였다. 그들에게는 총도 거의 없고 대오도 정연하지 않았지만 애국심에 불타고 있었으며 기상은 용맹하였다. 며칠 후 대오를 정비한 후 김홍주를 원수로 세웠다. 김홍주는 거절하지 않고 부대를 점검한 후 이상설 등 두령들에게 2만 명씩 거느리게 하여 기세등등하게 출발하였다.

갑자기 일한합방소식을 듣고는 애국회의 영웅들은 대단히 분노하였다. 이들은 45만의 백성을 모아 김홍주를 원수로 추대하였다. 영웅들에게 2만 명의 남녀노약자 등 다양한 사람들로 이루어진 부대를 거느리게 하였다.

설욕회 두령 유경복이 하층의 농민부대를 거느리고 선두에 섰다. 복수회 주이랑과 이삼저가 의부녀(義婦女)를 거느리고 뒤를 따랐다. 총탄을 갖추지는 못하였지만 모두가 구국하여 충성하려는 기상으로 불타고 있었다. 길에서 일본인을 만나면 남녀노소와 군인을 가리지 않고 모두 죽여 버렸다.

김홍주도 부대를 이끌고 일본인들을 인정사정 볼 것 없이 죽이면서 서울로 진격하였다. 살해당한 일본관원들은 이루 다 헤아릴 수가 없었다. 이에 지다성(智多星)[1] 데라우치 통감은 크게 놀랐다. 데라우치는 황급히 자국으로 전보를 쳐서 즉각 육군 3개 부대를 파병하라고 요청하였다. 일본군대가 일제히 한국에 도착하고 한일 두 나라의 군대가 바로 대치상태에 들어갔다.

선전포고를 하고서 이튿날 아침 전쟁이 시작되어 대포소리가 쾅쾅 울렸다. 한국부대는 대부분 농민들로서 군사에 능하지 못하였다. 일본 군대가 포격을 해오자 의병들이 어찌 쾅쾅 날아오는 포탄을 감당할 수 있었겠는가? 산을 사이에 두고 두 나라 부대가 하루 밤낮 격전을 벌였다.

이로 한국 부대에서 주장과 본량(本良)이 전사하였다. 구본봉·이준·고운은 잇따라 전사하였다. 손자기와 운낙봉은 부상을 입었다. 성사·성가·수소·소견·이위종도 부상당하였다. 운재수·요재천도 총에 맞았고, 김유성·전중포도 포격을 당하였다. 이범윤·조순 두 사람이 목숨을 잃었다. 또한 황백웅·한씨 형제도 죽었다. 오좌군·후진도 앞서 싸우다 죽었고, 주이랑·이삼저도 나라를 위해 목숨을 바쳤다. 설욕회 유경복은 목숨을 잃었고 병

---

**1** 수호전(水滸傳)에 나오는 오용(吳用)의 별명으로 지모(智謀)가 뛰어난 사람을 일컫는 말이다.

사들은 산산이 흩어졌다.

이기고 지는 것은 병가지상사라 하겠지만 가장 슬픈 일은 수많은 한국 백성이 부상하고 목숨을 잃은 것이다. 나라를 위하여 목숨을 바치는 일이 나라를 팔아먹어서 목숨을 부지하는 것보다 낫다. 한국 백성들이 용맹하지만 무기가 부족하기 때문에 결국 전패된 것이었다. 애국회 병사들이 모두 죽었고 이상설·김홍수 두 사람만 살아남았다. 이 두사람은 아무런 도움도 받지 못한 채 남양군도까지 도주하였다. 나라와 목숨 바친 애국 전우와 백성들을 생각하고 하염없이 울면서 달려갔다.

이로써 한국은 멸망했고 하늘을 날고뛰는 외에는 어찌할 방법이 없었다. 애국심에 불타서 자국 땅에서 적들을 쫓아내려다가 실패의 쓴맛을 삼킬 수밖에 없었다. 목숨 바친 수많은 애국의 영웅들과 평범한 백성들이 불쌍하다. 다시는 단체조직을 결성할 수 없고 다시는 공개적으로 강연활동을 할 수 없었다.

두 사람이 나라와 백성, 영웅들을 추모하니 흐르는 눈물이 앞섶을 흥건히 적셨다. 흐르는 눈물은 멈출 줄을 모르고 정처 없이 걷다가 태양이 서산으로 넘어가자 여관에 들러서 휴식을 취하고 날이 밝으면 다시 길을 재촉하였다.

여기에서 이야기를 줄이고 감동된 분들은 다음 회를 이어보라.

이야기를 계속 하겠다. 김홍주와 이상설 두 사람이 여관에 들어가 밤새도록 깊은 사색에 잠겼다. 다음날 날이 밝자 급히 서둘러 길을 떠났다. 밤에 머물고 새벽에 길 떠나면서도 하루도 쉬지 않고 갔다. 이날 두 사람은 드디어 남양군도에 도착하였다. 그곳에서 배를 타고 미국에 건너가 군대를 빌려와 복수하기로 하였다. 페낭(檳榔嶼)이라는 섬에 갔는데 한국인이 꽤나 있었다.

마침 이날 동향회(同鄕會)가 열리고 있었는데 그 두 사람은 회의장에 들어가 그 회장 하평강(賀平康)을 만났다. 평강은 그들 두 사람을 안채로 모시고 서로 통성명하였다.

평강이

"두 분은 무슨 일로 여기까지 오셨습니까?"

라고 물었다.

홍주가 한국의 형세와 일본에 어떻게 합병되고 어떻게 일본과 싸웠으며 싸움에 패배한 것 등을 일일이 이야기를 하였다.

이에 평강은

"저도 들었지만 이렇게 되리라고는 생각지 못했습니다. 우린 같은 망국인이군요."

라고 말하니 슬픈 마음과 고국에 대한 그리움에 이들은 다 함께 울고 말았다.

하평강은 합병에 대한 이야기를 듣고는 한국의 신세를 한탄하고 하늘을 원망하기 시작하였다.

"몇 천년 역사를 지닌 내 나라 한국이 일본에게 망하리라고 누가 알았으랴. 일본놈들아! 네놈들은 이웃을 포악하게 대하니 이곳에 있는 사람들이 가엽기 그지없구나.

우리나라를 보호하고 독립시켜 준다고 하더니 속으로는 우리 주권과 정치를 탈취하려는데 혈안이 되었구나. 우리 한민족을 행복하게 해준다고 하면서 왜 우리나라의 주권을 불허한단 말이냐? 이토 그놈은 간계가 많은 놈으로서 요행을 바라지 않고 교섭이 이루지지 않으면 결코 물러서지 않을 테지.

몇년 전 한국을 도와준다고 거짓말을 하면서 터무니없이 많은 고문관을 배치했지. 우리 서울에 통감부를 두고 모든 일을 장악하였다. 그때 이토가 입에 발린 말로 우리에게 정치를 개혁한 후 돌려준다고 거짓말을 하였다. 이 정치개혁을 실시한 지 4·5년이 지난 오늘 우리를 분노케 하고 큰 사단이 일으켰다.

고문관들이 돌아가기는커녕 오히려 늘어만 나서 우리나라 정치와 경찰권마저 강탈해 갔다. 여러 가지 권력을 빼앗아가도 만족하지 못해 우리 재정과 식량 그리고 국토를 약탈해 갔다. 합병은 분명 우리나라를 망하게 하는 것임을 나는 일찍이 들은 바 있다. 일본인은 말은 번지르르하게 하고 돌아서면 기관들을 교묘하게 만들어 냈다. 합방은 정해진 침략 계획으로 진행된 것이다. 이 지경에 이른 것을 듣고 나니 가슴 아프기 그지없도다.

매국 도적 이완용이 한국의 금수강산을 팔아먹은 것이 가장 한스럽구나. 네놈도 우리나라에서 태어났는데 어찌하여 쓸개 빠진 짓을 했느냐? 관직으로 말하면 네놈은 우리 조정의 일인자인데 천근 짐도 네놈이 메야 하지 않겠느냐. 밤낮 없이 치국양책을 고민하여 나라를 보전하여 망하지 않게 하여야 현인이 아니겠느냐. 보국안민할 수 없다면 물러날 것이지 오히려 타국과 사통하여 주권을 팔아먹다니!

일시적 탐욕도 부족하여 나라의 명예와 이익을 지키지 못한 네 놈은 영원하도록 너의 오명이 전해지리라. 지금 이 생애에 네놈이 한 짓은 다음 생에 갚을 것이다. 이 생에서 너를 죽이지 못하면 어찌 살아갈 수 있겠느냐?

비난은 계속 이어졌다.

"정신 나간 이용구야, 너 어찌하여 합방에 찬성했느냐? 네 자손들이 한국에서 계속 태어나서 자랄 텐데 나라가 망하고 네놈 가족들이 멀쩡하겠느냐? 돼지와 개보다 못한 네놈이 나라를 이끌다니. 네 놈의 가죽을 벗기고 눈알을 뽑아도 시원치 않겠다. 우리나라는 본디 기자 후손의 문명국인데 오늘날 남에게 빼앗기고 한 푼도 안 남았구나.

지금부터 가업과 재산이 다른 사람에 넘어가고, 부모처자가 산산이 흩어지게 될 것이다. 자손들도 노예로 전락하고 자제들이 공부를 할 수 없게 될 것이다. 우리를 아무 것도 모르는 멍청이로 만들어 무엇이든 부려먹고, 또 우리의 근본을 회복하지 못하도록 부려먹겠지. 게다가 우리 부모의 진짜 이름과 한국이라는 나라 이름 두 글자도 마저 잃어버리도록 부려먹을 테지.

우리의 글을 영원히 쓰지 못하게 하고 그놈들 글을 억지로 배우도록 할 거야. 몇 년이 지나가고 나면 우리나라 제도는 산산이 날아가 버리게 될 테니, 제 아무리 날고 뛰는 재간이 있다 해도 소용이 없으리라. 이는 절벽에 이르러 말고삐를 늦게 당긴 거와 다름이 없고 배를 강 복판에 타고 가 물새는 구멍을 고치는 것과 다를 바 없는 것이다."

하평강의 나라 잃은 슬픔과 고향에 대한 안타까움을 한바탕 호소하고 나니 너무나 슬퍼 줄줄이 흐르는 눈물 옷깃을 적셨다. 양 옆에 있던 회의 참가자들 모두 비통에 잠겨 구슬 같은 눈물이 흘러 앞가슴을 적셨다. 이것은 바로 영웅만이 망국의 눈물을 흘리는 것이다. 이를 본다면 아무 것도 모르고 있는 사람이라도 가슴이 찡해질 것이다.

이때 홍주의 마음은 미국에 가 있으니, 하평강은 손을 잡고 문 앞까지 배웅하였다. 하평강이 모든 일에 조심하라는 부탁을 잊지 않았다. 홍주는 미국 건너가서 아무도 모르게 꼭 군대를 모집해 오리라고 약속하였다.

일의 승패는 가늠하기 너무나 어렵다. 이야기를 여기에서 멈추겠다.

현명한 여러분들이 잘 생각만 해보면 망국의 비애가 얼마나 큰지 알고도 남을 것이다. 한국이 침략당하여 망한 것을 누가 모르겠는가? 이 모두 충신과 영웅호걸이 권력을 잡지 못한 탓이다. 병이 몸에 퍼지고 나면 영약도 소용없고 대세가 기운 다음 총명한 인사가 있은들 무슨 소용이 있는가!

곰곰이 생각해 보면 그 우매한 자들이 나라를 망쳤고 애국 영웅들을 황천길로 보낸 것이다. 살아있는 자들은 옛날을 추억하고 지금을 한탄하며 눈물만 쏟을 뿐인데 무슨 수로 우리나라가 망하지 않게 할 수 있겠는가? 영웅들이 눈물을 아무리 흘려도 소용이 없고, 군자에게 권하여 미리 환란을 막을 수 있음을 알게 해야 할 것이다.

여러분들은 한국의 상황을 깊이 생각해 보시고 우리 자신의 처지도 생각해라! 우리 중국도 지금 나라를 보존하기 어려운 지경이다. 아마 망하게 되면 동북삼성부터 망할 것이다. 현재 길림과 봉천이 그들 손에 넘어가 있지 않는가.

일본인의 이런 욕심은 하루아침에 생긴 것이 아니다. 한국은 봉천·길림과 인접해 있고 원래 동북삼성의 병풍지로서 담장 밖의 울타리에 비유할 수 있다. 담장이 있으면 이리떼가 마당에 감히 들어오지 못하는 법이다. 담장이 없다면 어찌 마당으로 들어오는 것이 어렵겠는가? 현재 이리떼가 이미 마당을 넘보고 있다. 바라건대. 여러분은 빨리 묘수를 내어 침입을 막아야 한다.

지금이 바로 늦기 전에 기구를 설치할 시기다. 잘못하여 늦으면 이리떼에 날개가 돋는 격이 된다. 때가 되어 날개가 돋으면 만사가 허사가 된다. 그렇게 되면 우리나라도 한국과 다름이 없게 될 것이다.

국가라고 할 때 국(國)이라는 글자와 가(家)라는 글자 이 두 글자를 다른 뜻으로 보지 말라. 우리나라가 망하면 곧 집도 뿔뿔이 흩어지고 마는 것이다. 여러분은 깊이 생각해보시라! 애국이 곧 애가(愛家)임을 말이다. 나라를 지키지 못하면 반드시 가정도 지킬 수 없는 것이다. 우리 중화 사람들은 자기나라를 대국이라 하지만 위에 있는 사람과 아래에 있는 사람 할 것 없이 모두 반드시 치안을 확보해야 한다. 조정의 신하를 믿어서는 안 되고 천 근 짐도 우리 다함께 짊어져야 한다. 조정에서 만반의 일을 모두 백성에게 맡기는데 일이 잘 못되면 고통을 당하는 건 백성들이다.

현명한 사람은 우선 자신 몸을 닦은 다음 백성을 편안하게 할 줄 안다. 바보와 같은 사람들은 매관매직만 일삼는다. 그들이 머지않아 우리에게 해를 입히게 됨을 왜 아직도 모르고 관리들에게 희망을 걸고 있는가? 나라가 망하여도 그들은 새로운 복을 누리려고 생각하고 고통과 죄는 우리 백성들이 먼저 겪는다. 한번 돌이켜보라. 지금 얼마나 위험한 상황인지를. 그런데도 관리들은 아무 일 없는 듯이 지내고 있구나.

그들은 국사와 민생을 뒷전으로 하고 날마다 기생집 출입을 일삼고 있다. 수많은 재산을 가득 안고 세상이 혼란해지면 해외로 도망갈 생각만 하고 있다. 툭하면 자금이 부족하다면서 많은 돈이 어디서 나서 관공사에 낭비하느냐? 신정(新政)에 고층건물이 꼭 필요한 것인가? 낭비행위는 일일이 헤아릴 수 없을 정도이다.

많은 가난한 사람들이 추위와 굶주림에 허덕여도 돌보지 않고 차에 몸을 싣고 다니며 먹고 마시고 노는데 정신이 없다. 아울러 좋은 안주와 술이 백성들의 피이며, 매일 헛되이 쓰는 돈은 백성들의 돈인데도 전혀 그렇게 생각하지 않고 있다.

집만 나서면 수많은 사람이 앞뒤를 에워싸는데 이런 모습을 사람들이 좋아할 리가 없는 것이다. 호위병을 거느리고 다님은 혁명당을 막기 위해서이리라. 이말 또한 무미건조하기만 하다. 혁명당은 탐관오리만을 죽이는데 왜 청렴한 충신이 되려고 하지 않는가? 이는 청렴한 관리가 오래가지 못하기 때문이다. 나쁜 관리와 한 짝이 되어 비위를 맞추기에 급급하다.

여러분! 지금부터 관청은 맡을 필요가 없습니다. 늘 백성이 앞에 나서게 되어 있다. 여러분이 방법을 찾아 동북삼성을 구하지 않는다면 발등에 불이 떨어진 다음 후회해도 소용이 없다. 동북삼성은 마치 입안의 이빨과 같고 한국은 입술과 같은 것이다. 입술이 다른 사람에게 잘리게 되면 이빨이 드러나서 시린 법이다.

이빨이 시리게 하지 않으려면 방법을 강구하여 굳건하게 지키는 길밖에 없다. 오늘 나에게는 별다른 구급방법이 없다. 다만 각 지방에서 온 힘을 다하여 단체를 조직하는 길밖에 없다. 돈이랑 아까워 말고 총과 탄약 그리고 대포를 준비하여 적이 침범해 오면 다 함께 떨쳐 일어나야 한다. 모두 죽어도 물러서지 말고 싸워야만 동북삼성을 싸워 지킬 수 있는 것이다.

자치와 자강, 그리고 단체의 결성을 명심하라. 그냥 흘려듣지 말기 바란다. 고민 끝에 오후 꿈속에서 깨어나 창문 앞에서 붓을 들어 한국의 멸망에 관하여 하고 싶은 몇 마디를 이렇게 적는 바이다.

이 책은 여기에서 끝내려고 한다. 책을 읽어 보고나 들어 본 분들은 한국의 멸망과 우리 동북삼성의 관계를 늘 마음에 새겨 두시라. 아주 간계한 이토는 한국의 병탄과 중국의 분할이라는 두 가지 일을 만들어냈다. 한국을 병탄하는 일은 이미 이루어졌다. 중국 분할은 우리 중국인에게 달려 있다. 어째서 우리 중국 사람들에게 달렸을까?

여기에는 몇 가지 이유가 있다. 첫째, 중국은 인구가 많고 국토도 넓다. 둘째, 한국보다 더 개화되어 있다. 셋째, 권력을 빼앗아가기에는 권력이 많지 않다. 우리는 자강하려는 마음만 있다면 외국이 비록 중국을 분할하려고 해도 그들이 함부로 덤벼들지 못할 것이다.

만일 우리 모두가 진짜로 자강할 수 있다면 나라도 강성해지기 마련이다. 이렇게 된다면 그들이 감히 분할하려고 하지 못할 것이다. 여러분! 우리는 외국인들이 우리를 분할하도록 둘 것인지 모두 자강을 도모하는 것이 좋을지를 생각해 보시라!

하지만 나도 감히 단언할 수 없다. 외국이 중국을 분할하면 그 나라에 양곡을 바치고 납세해도 뭐 크게 나쁠 것 있겠느냐고 할 사람도 있을 것이다. 이는 참으로 웃기는 말이다. 여러분은 지금 현재가 과거와 다름을 알지 못하고 있다. 과거에는 나라를 멸망시키지만 지금은 종족을 멸종시킨다. 멸종이 무엇인가? 그것은 우리 종족의 풍토, 인정, 언어문자, 관등(官等), 복제(服制), 윤리, 예의를 모두 없애 버리고 여러분들을 그들 나라 사람으로 만드는 것이다. 그리고 또 여러분들을 우대하지 않고 소와 말처럼 노예로 부려먹을 것이다. 또한 어려운 일은 모두 여러분에게 시킬 것이다. 일가 사람들이 사방으로 흩어지게 되며 부모와 자식들이 만날 수 없고 형제와 처자가 헤어지게 된다. 대만이 바로 좋은 본보기이다.

여러분들이 『국사비(國事悲)』를 보면 러시아인이 폴란드인을 어떻게 대했는지가 상세히 알 수 있다. 다른 나라도 모두 그와 같다. 그럼 우리 국민이 이런 일에 관심 가져야 하는가? 그렇지 말아야 하는가?

여기에서 말을 줄이고 책을 끝맺으려고 한다. 우리나라를 지킬 수 있는가 하는 문제는 상하가 하나가 되어 지키느냐에 달려 있다. 아!이제 나는 하고 싶은 말을 다했다. 나는 더 이상 할 말할 필요가 없다. 더 이상 말하지 않겠다. 아니 더 이상 말할 수가 없다. 그러니 어떻게 되든 개의치 않겠다.

시에 이르기를

자고로 중원에서 영웅이 태어나
꿈속을 헤매는 조정을 꾸짖도다.
나라와 백성들이 비통 속에 잠겨 있는데
간신들은 꿈만 꾸고 있구나.

나라의 흥망이 비록 백성들에 달렸을지라도
현신의 책임이 더 크도다.
여전히 아첨만 일삼으니
피바람 위기가 몸에 닥치리라.

충절은 만고에 흘러가니
어찌 사사로이 기강을 흩트리오.
역사를 보면 간신이 높은 자리에 오르는 것 같으나
영화는 오래가지 못하고 오명만 길이 전해진다.

주(紂) 나라 때는 사람마다 다른 생각을 하였고
주(周)나라 때는 3천 명이 한마음으로 뭉쳤도다.
위에서 강풍이 불면 나약한 풀들이 허덕이니
자강은 어이하여 백성에게만 책임을 지으랴?

대세가 기울어가니
충의와 지혜로 구국할 때가 되었도다.
상하가 서로 통하여 막힘이 없으니
민심은 유수를 타고 정처 없이 흘러가누나.

## 中國人 執筆 安重根 小說 II

－英雄淚

中國語本

第三卷

話說候元首將學生們, 喚到跟前說道:「日本現在將中國打敗了, 中國又認承咱國為獨立國, 看着這個形象, 日本是想着要吞併咱們的國家。我看這個時候, 是狠[1]艱難的。要想着保護咱的國家。除非是咱們全國的人民, 都是一個心嗎? 但是這個事情, 也非容易。我想這樣你們去上美國遊學, 住了他們的學堂, 學些個見識, 有學問回國辦事, 才能容易。我說這個, 你們願意不願意呢? 你們要願意的時候, 我就跟雲大人說, 讓他預備欵項, 就讓你們前往。然後我再合[2]金玉均先生, 在這個地方, 開上一個報館, 慢慢的開化這民的知識, 等你們回來的時候, 咱大家用心用力, 以顧全咱這國家, 豈不是好嗎?」那學生們聽元首這些話, 都一齊說道:「我等情願意上美國遊學, 先生你就張羅[3]着辦吧。」元首說:「你們既然願意, 我心中是狠[4]快樂了。」遂命書童說道:「你去把雲老大人請來。」

書童去了不多一時, 雲大人來至書房坐下, 說道:「先生有何話講?」元首答道:「無事不敢勞大人到此, 請大人在上, 洗耳聽我侯弼慢慢的道來。」

這侯弼未從開口帶憂容, 尊一聲:「大人洗耳在上聽: 我從小喪亡親生父合[5]母, 倚着那哥哥嫂嫂度秋冬。七歲時南學一裏把書念, 通達了史鑑四書並五經。常看那西洋各國人傑史, 最愛慕華盛頓的好名聲, 因此我這纔想下出遊意, 別兄嫂遠涉重洋到美京。在美國陸軍學堂畢了業, 回家來不願居官在衙中。仁里村選練農備兵一隊, 教成了數百青年子弟。私心裏常把一抱恢天志總想要整頓家邦使國兵, 最傷心時氣不及[6]命運苦, 兄嫂又相繼而亡歸陰城。無奈何家中教侄把書念, 連教那青年有力衆壯丁。想只要使喚全國皆成勇, 好治那日本強徒來欺淩。那知道心志未隨禍爭起, 為打賊得罪日本衆賊丁。黃海

---

1　很.
2　和.
3　準備.
4　很.
5　和.
6　濟.

道交涉衙門把我告，一心要害我侯弼活性命。多虧了黃氏伯雄把信送，我爺兒
倆個逃難離家庭。我叔侄飄零在外三四載，纔能勾[7]來到這座平壤城。多虧了
大人收在尊府下，遂命我官府以裹誨兒童。僕不才自愧不稱為師職，學生們與
我實在有感情。現如今已經交了十餘載，諸生們五經四書都全通。我侯弼今生
沒有別的願，但願這學生全成大英雄。與國家作下一點大事業，保護着咱這國
不至凋零。咱國裏日本屢次擋勢力，看光景是要把咱高麗坑。前幾年看着還有
不怕樣，到而今十死只能有一生。只想要保國圖存無他策，就得使人民全有愛
國誠。這事情也恐不是容易事，還得有幾個英雄意氣橫。要想使英雄出於咱的
國，除非是上那美國求治功。那美國本是一個民族國，無論那君民臣等一般
同。我想讓學生們去遊美國，到那裏住在他國學校中。學些了治國安邦大學
問，回來時鼓吹民氣壯韓京。學生們全都願意出美國，但缺少學費饍費那一
宗。因此我纔把大人請到此，望大人預備欵項送他們行。雲在霄聽罷元首這些
話，你看讓喜氣洋洋開了聲。

話說雲在霄聽元首說了一片言語，答道：「先生見識甚是高遠。」我也睄[8]着咱這國
家，甚是軟弱，恐怕為那日本所滅，就是靡有什麼方法。今天先生想出這個道來，
我是狠[9]願意的，但不知他們都是誰去？ 可是全去呢？」元首說道：「有金有聲、寇
本良、黃伯雄、錢中飽、堯在天、侯珍、寇本峰、岳公、孫子奇、王順之、蕭鑑、趙
適中、陳聖思、陳聖暇、雲在岫、雲落峰、安童[10]根這些人，趕到他們走後，我在家
中無事想，只要與金玉均先生，開上一個報館，慢慢的開化那百姓們的知識，大人
你看如何？」雲大人說道：「先生的意思極好，那欵項之事，全在我了，一年有千萬
吊錢，夠他們十七個人化[11]了。」元首說道：「既然如此，今日是大淸國光緒二十二年
三月二十日，讓他們有家的，回家探探家，趕到下月初一日回來，初五日就送他們起
程，豈不是好嗎？」雲大人說道：「這還狠[12]好。」

---

**7** 夠.
**8** 瞧.
**9** 很.
**10** 重.
**11** 花.
**12** 很.

於是那陳氏兄弟回到劍水驛去了。至於岳公、孫子奇、王愼之、蕭鑑、趙適中五人，全是平壤城裏的人，也各自回家去了。惟有金有聲、錢中飽、堯在天，因為逃罪在外，寇氏兄弟與侯珍、安童[13]根四人，全都靡家，所以都在雲府住着，單等着他們探家回來好，望美國去。這且不表。

單說安童[14]根這年十七歲生，生得像[15]貌魁偉，聰明過人。那些個同學的，誰也趕不上他所學問的，所以侯元首格外的愛惜他。他當日聽先生說要讓他們上美國住學堂去，樂得他無所措手足，就到了安太太的屋中，參見已畢，將上美國遊學的事情，對安人說了一遍。安人一聽，感動了無限情由，說道：「重根，你知道咱母子侄[16]，這是誰家呀？」重根說道：「這不是我舅家嗎？」安人說道：「你既知道是你舅家，可知道咱母子怎麼到此呢？」重根說道：「母親，孩兒不是常問嗎？」母親說：「是孩兒父親早亡，家中無人，纔來到舅舅家住着。」安人說道：「那全是假話。原先我因為你是念書的時候，要告訴你，恐怕你荒廢了學業，所以我拿那假話囫圇你。你那舅父舅母，我也告訴他，不然誰對我說？別人靡有知道的，所以你就拿那話，信以為眞啦。現今你要遠行，我把咱母子到此的情由，對你說上一說，你可不要激烈呀，你要激烈，我可不告訴你了。」重根說道：「母親儘管講來，孩兒不激烈。」安人說道：「既然如此，聽為娘道來。」

老安人未從開口淚盈盈，叫了聲：重根孩兒子細聽，怎[17]娘們本是京城一仕宦，你父親受過皇榜進士封。只因為京城日本常作亂，全家子纔想逃難平壤城。帶着那家財細物離故里，這一日到了黃海地界中。想只要平壤以裏來避難，那知道中途路上遇災星。奇峯山日本賊為強寇，打劫那來往客商賣路銅。偏趕上咱家車子從那過，你父親騎馬就在後邊行。日本賊出山就使鎗來打，最可歎你父一命歸陰城。

重根說道：「母親怎的，我父親還是被日本人打死的嗎？」安人說道：「正是。」只聽

---

13 重.
14 重.
15 相.
16 侄.
17 咱.

重根哎喲一聲, 跌倒在地, 可就不好了。安重根一聽父親為日人坑, 你看他咕咚跌倒地流平, 眼睛一閉[18]絕了氣。

三魂渺渺歸陰城, 老安人見了公子跌在地, 嚇的他滿面焦黃膽戰驚。走上前將公子懷抱起, 重根兒不住的叫連聲。我原先不讓你激烈, 你怎麼還將這樣大氣生。叫了聲我兒快蘇醒, 少歸陰司多歸陽城。陽世三間惹熱如火, 陰朝地府冷如冰。你今要有個好合[19]夕, 為娘我一定不能生。這安人連哭帶叫多一會, 忽聽的那邊公子哼一聲。

話說安人叫了多時, 公子哼了一聲, 睜開眼睛罵道:「日本哪! 日本哪! 爾與我有殺父之仇, 我非報上不可。」安人一見公子活了, 說道:「我兒不要生氣了, 為娘還有許多的話呢。」重根說道:「母親再望下講吧, 孩兒我不生氣了。」安人說道:「你要不生氣, 再聽為娘道來。」

老安人復又在上開了聲。我的兒本是一個苦命丁, 三歲裏就喪了生身的父, 咱母子也是幾乎把命坑。多虧了侯氏元首來搭救, 咱母子纔得逃了生。

重根說道:「侯元首不是我的先生嗎?」安人說道:「正是。」

侯先生帶領農備兵一隊, 打死了日本無數衆賊兵, 因此纔將咱母子命救下, 這恩情猶如泰山一般同, 到後來將咱母子接到他家裏, 施銀錢埋葬你父死尸靈。咱母子感恩不盡無的報, 贈與他傳家如意物一宗。

重根說:「就是我們先生, 現在帶着那如意吧。」安人說道:「正是。」

你先生又派兵丁人二個, 護送咱母子來到平壤城。為咱們先生得罪賊日本, 無奈何他也避禍出門庭。他叔侄飄零在外三四載, 纔來到雲老大人這府中。侯元

--------------------------------------

18 閉.
19 和.

首與咱母子恩德大，現如今又為孩兒你的先生。我的兒有着[20]一日得了地，千萬莫忘了元首好恩情。從今後先生你要當父事，可別拿娘話當作耳邊風。這是我母子所以來到此，我的兒今日纔知已往情。這公子聽罷安人一些話，你看他眉緊縐怒怒沖沖。手指着日本東京高麗罵，罵一聲虎狼賊子名伊藤。你為何施下一種蠶食策，屢次要破壞我國錦江洪。立逼我皇上把商約來定，使你國無數強徒來行凶。看起來欺侮我國全是你，又害生身之父的活性命。今生裏要是不把他來報，我就算妄到陽間走一程。這公子越說越惱越有氣，忽聽的安人這邊喚一聲。

話說安重根指天畫地，直是罵那伊藤。安人說道：「我兒不要生氣了，上學房與你先生謝恩去吧。」畫根聽母親告訴，只得來到學房，見了元首，雙膝跪下說道：「先生與[21]學生有救命之恩，置之度外，真是聖賢。學生父親已亡，今就認恩師為義父吧。」說完就跪下叩頭。元首慌忙扶起，說道：「我早有此意，但恐你母子不允。今日之事，實在投我的心。望後那恩情之事，你母子不要提了。現下你們別要逃[22]走，可好好在家住兩天吧。」重根於是辭了元首，就回到他母那處，把上項之事，以訴母親，也是狼[23]樂意。

光陰迅速，不知不覺的，到了四月初一日，那些探家的學生，全都回來了。這個時候，雲大人將欵項已經預備妥了。又預備下六輛車子，到了初五日，早晨起來，大家用飯已畢，雲大人、雲老夫人、安母與岳父諸人的家人，全來與他們送行。雲大人拿過十萬吊錢，交金有聲、寇本良二人說道：「你二人年長些，可將此項錢帶着，好留着到那作學膳費用。自此後，我每年與你們匯去這些錢。你們好生學習，無[24]負敝人之望。」正說着，只見元首過來說道：「那這樣拿着不行，請我告訴你們，由咱這上美國，路經仁川，趕到你們到仁川的時候，有個會東錢店，是美人開的，到那打成匯票，匯到他國，拿着匯票再領錢，方能行呢。」金有聲說道：「記住了。」元首又從懷中取出一封信，交於金有聲說道：「美國有一個外務尚書，名叫華聽，此人我在美

---

**20** 朝.
**21** 於.
**22** 遠.
**23** 很.
**24** 勿.

國時與我同過學。上月他與我來信，說他新升為外務部尚書，到時將信交與他，讓他與你找學堂，才能行呢。致[25]於這一路的事情，你與寇本良擔任着吧。你二人總要拘束他們，這才是。」有聲、本良一齊說：「是，遵命。」當下囑咐完畢，那六輛車子全都套好了，東西也全都綁好了，出府正要起程，侯元首說道：「慢着，你們今日遊學美國，我有幾句要緊的話告訴你們，可要好好記着。諸生不知，聽愚師道來。」

侯元首未從開口笑吟吟，叫了聲諸位學生細聽真：「為師我因為學淺遊美國，在他邦陸軍學堂安過身。因此我知道他國學堂好，才想讓你們諸人那邊存，現在時咱們國家甚軟弱，終久的恐怕為那日本吞。保國家在你諸人這一舉，在學堂可要千萬苦用心。那煙花柳巷不要去，戲館茶樓少留身。在學堂與同學總要和氣，別與人家把氣沖，咱是為國求學問，拋家捨業是難云。在那裏你們要是不學好，怎對為師我這片心。雲大人為你們把欵借，每年間須費三萬兩銀。你諸人心中常要懷此意，這事情關係咱過得生存。」眾學生一起說：「是，謹遵命，不必先生苦勞神。」侯元首囑咐完了那邊去，又聽的安母走來喚重根。「我的兒今日別母行遠路，怎教為娘我掛在心？只一去就是五六載，但不知何日能夠轉家門？為娘我有幾句話，我的兒須要牢牢記在心。在道上不要各處胡遊耍，到店裏不要狂言得罪人。上船時好好看守自己物，免被無賴之人來相尋。在學堂不要妄把功夫廢[26]，省着讓為娘在家把心分。總要把國恥父仇常在意，斷不可忘了咱國那仇人。」安太太囑咐完了親生子，又叫聲諸位學生聽我云：「我那兒身青幼小不定性，望諸位可要規誡他的心。有不好儘管與我把他教，別使他任着性兒去浮沉。望諸位須要專心求學問，別辜負咱國花的這些金。」眾學生一齊說是遵命了。那安人轉過身來淚紛紛，元首說：「天道不早你們走吧。」那學生這才一齊跪在塵。施禮已畢皆站起，看他們一個一個淚沾襟。雲大人催着他們把車上，那車夫鞭子就在手內掄。轉眼間就離了故土之地，那安母猶且依稀倚着門。等着那車子遠看不見，安人才一步一步轉回身。押下了安人回房且不表，再把那李樹蕭來云一云。

----

**25** 至.
**26** 費.

話說那李樹蕭, 自從將寇本良送走以後, 看着他國家, 一天比一天軟弱, 日本人一天比一天強盛, 他心中就着實焦燥[27]。趕上這年中日戰後, 他猶其看出他國不好了, 但是沒有甚麼法子。這日忽然想基一個道來, 說道:「我有三個知己的朋友, 他們素常日子, 也跟我常議論這保國的方法, 今日我何妨再與他們商量商量, 萬一他們能有道呢? 豈不是好嗎?」說着就望那裏去。

單說他這三個朋友, 一個叫李相窩[28], 一個叫李緯錘, 一個叫李俊, 本是一姓兄弟三人, 俱是漢城的人氏。當日李樹蕭未[29]到李相窩[30]的家中, 也不用門軍通報, 自己就進了屋中。看他三人全在屋中, 不知在那裏寫甚麼的。又看那邊坐着五人不認識。

他三人一見樹蕭, 急忙下得地來, 說道:「賢弟來了, 有失遠迎, 赦罪赦罪。」樹蕭說道:「咱們兄弟, 本是知己之交, 那裏用着這些個話呢?」遂問道:「這五位客是那裏來的?」李相窩[31]說道:「你看, 我也忘與你引見了, 此人姓金名洪疇, 此人姓高名雲, 此人姓吳名佐車, 全是安平北道人氏, 此二人, 一位名姜述堅, 一位名姜述白, 是我表弟, 與他三位同鄉。」說完, 遂一一與樹蕭引見了。大家敘几已畢, 坐下。

相窩[32]說道:「我方才想打咐家人請你去, 偏趕上你來了。」樹蕭說:「找我作甚麼?」相窩[33]說道:「只因為我外邊堅表弟與金仁兄, 想只[34]上美國遊學, 遂前來連[35]合我們兄弟三人。我尋思要保護國家, 除非有學問不可, 他們來連[36]合我去遊美國求學。我是狠[37]願意的。所以我要請賢弟來商議, 一同去游洋, 求點學問, 以保護咱國家, 豈不是好嗎?」樹蕭說道:「我來也是為國家軟弱, 沒有方法的[38]原故, 想只[39]來與兄長們商量商量。今日這個道, 實在是好, 小弟那有不願意的道理呢?」相窩[40]又在

---

**27** 躁.
**28** 寓.
**29** 來.
**30** 寓.
**31** 寓.
**32** 寓.
**33** 寓.
**34** 着.
**35** 聯.
**36** 聯.
**37** 很.
**38** 緣.
**39** 着.
**40** 寓.

棹<sup>41</sup>上拿一張稟帖來, 說道:「這不是我們方才寫的稟, 想只<sup>42</sup>上學部去遞, 賢弟可以把名添上吧?」說着, 遂將李樹蕭的名字添上。樹蕭說:「不去遞嗎?」相窩<sup>43</sup>說:「為甚麼不遞的呢?」樹蕭說:「即想着要遞, 咱就上學部去吧。」說罷, 他們又一齊起身, 出了李相窩<sup>44</sup>之家, 徑奔學部而來。正是: 平壤學士方離里, 漢城書子又出京。要知後事如何, 且聽下回分解。

41  桌.
42  着.
43  窩.
44  窩.

話說李相窩[1]九人, 拿着稟帖, 到了學部遞上。單說外國學部大臣, 這時候是李完用坐着。當日接了這個稟一看, 有樹蕭的名字, 他暗自忖道:「親王的兒子, 也想只[2]去遊洋, 我要不准, 似乎不好, 我不知[3]應許了他們, 一年也費不了多少欸項, 讓他們念誦我的恩德, 也是好的。」遂將稟帖批出, 准他們官費, 上美國留學, 又在外務部, 與美國領事衙門, 辦了一分文書, 讓他們四月初十日起身, 這也算是李完用作了一點好事。且說李相窩[4]九人, 這日看稟帖批准, 許他們官費留學, 一個一個喜出分外, 各自回到家中, 收拾收拾。

到了初七日, 李樹蕭辭別了家人, 與李相窩[5]八人會在一處, 到學部將文書領來, 欸項由學部望美國匯去, 他們不管一概事情。全都完備, 遂僱了四輛車子, 也由水路走, 所以出了漢城, 勾奔仁川走了來了。

　　眾英雄因為學淺離門庭, 一個個滿面淒慘少笑容, 齊說道:「不幸生在軟弱國, 着天裡得交日人大欺凌, 那君王朝中以裡竟[6]作夢, 大臣們一個一個裝啞聲。象[7]這樣君臣那有不亡國? 尋思起真是讓人痛傷情。社會上百姓昏昏如睡覺, 是何人相呼他們在夢朧? 眼看着刀子到了脖[8]子後, 還以為安然無事享太平! 現如今虎狼已經進了院, 誰能勾[9]安排劍戟把他攻? 咱國中數萬人民盡癡睡, 無一人知道防備傷人蟲。最可歎數千餘年高麗國, 將久要落於日本人手中。到那時山河粉裂社稷墜, 咱們這條命十死無一生, 空積下數萬銀錢不中用, 一家裏父母妻子各西東。」眾英雄一齊說到傷心處, 不由的兩眼滴滴淚流

----------------------------------------

1　高.
2　着.
3　如.
4　高.
5　高.
6　淨.
7　像.
8　脖.
9　夠.

橫。說:「今日咱們美國求學問，也不知能夠求成求不成？如果是求來眞實大學問，也不枉遠涉重樣走一程，有學問回國好來做大事，喚一喚數萬人民在夢中。便與這全國人民如一體，不怕那日本人們怎樣雄。」英雄們一邊走着胡談論，看了看眼前來到仁川城。大家夥一齊入了大客棧，豫備着催上輪船赴美京。衆明公聽書不要熱[10]熱鬧，想一想咱們中國煞樣形？別拿着高麗城亡不經意，大淸國也與高麗一般同。高麗國不過是日本一個虎，咱國中所在盡是傷人蟲。衆明公別拿自己不要緊，有一人就是他們一個對頭兵。東省人要是全都存此意，怕什麼日俄逞雄不逞雄！押下此事咱們且不表，再把那有聲諸人明一明。

話說，金有聲諸人出了雲府，拜別了在霄、元首、安母，這才一齊上了車子，勾奔仁川，可就走下來了。

來的是十六英雄離家鄉，一一要上那美國去出洋。都只爲國家軟弱思保護，才抛了家中老少與爹娘。看他們本是一些靑年子，全知道求點學問固家邦。如果是高麗全能這個樣，他國家一定不能被人亡，看他們不顧家鄉離故土。一個個坐在車中話短長，這個說從小未走這遠路，那個說不知美國在那方？聽人說美國是個民族國，到[11]不如[12]他那政治是那莊？要那裏先將這個事情訪一訪。回國時也把民族主義倡一倡，這個說不知咱得何日到，路途上這些辛苦甚難當。那個說不要着急咱們慢慢走，這個說着急也是白白費心腸，大家夥這才不講究。又看那天色將要到午傍，走多少曲曲灣灣[13]不平路，見多少草舍茅菴小山莊。聽了些各處農夫唱鏺草，觀了些往來仕宦路途忙，各處裏百鳥林中聲細細。滿道上靑楡綠柳色蒼蒼，觀不盡遊魚河裏穿花戲，看不了燕子啣泥影成雙。遠山上奇峯夏雲纏出岫，近處裏楡錢落地色發黃，眞果是夏日淸和人氣爽。身體兒覺着平常分外暢，正是英雄們觀看路途景，看了看西方墜落太陽光. 大家夥一齊入了招商店，到明日復又登程走慌忙，飢食渴飮

---

10 聽.
11 倒.
12 知.
13 彎彎.

路途奔。這一日來到朝日大嶺傍，衆人一齊過了朝日嶺，又聽黃伯雄那邊開了腔。

話說金有聲諸人正望前走，忽聽黃伯雄那邊說道：「前邊就是瑞興縣了，咱們今日晚上，就宿在這吧。」金有聲說道：「天道尚早，何不多趕幾里？」伯雄說道：「再望前走，五十里才能勾[14]有店呢。」金有聲說道：「既然如此，就宿在這裏吧。」說着就奔街裏，在街東頭有一大店，他們就將車子趕至院中。店小過來，將他們的行李一齊搬到屋中，安排妥當。店小打幾盆熱水，大家拭了面。店小又說道：「客官就用飯不好嗎？用完飯諸位好歇着。」有聲說道：「怎麼不好呢？」於是店小放上棹[15]子，將飯菜一齊端上來。大家用飯已畢，付了店錢。店小將棹[16]於搬去，說道：「客官歇着吧。」遂去了。

單說安重根喫完了飯，跟孫子奇說道：「天道還得一會黑，咱二人出去遊玩遊玩去不好嗎？」孫子奇說：「怎麼不好呢？」於是他二人出了店房，望南走了二里餘路，到在一個河邊，他二人就在那四下觀望。忽見那邊來了一輛車子，不多一時，來至近前，從車上跳下三個人來，拱手說道：「這位賢弟，在下得問一聲，前去多遠，能有店家？」安重根已看這人非凡，答道：「前邊二里餘就有店。你們是望那裏去的呢？貴姓高名？」那人答道：「在下姓李名範允，此人姓周名莊，此人姓曹名存，全是咸境[17]道中本鎮人氏。我們因為國家軟弱，思要上美國留學。」重根以[18]聽，說道：「事情眞湊巧了，我二人也上美國留學的。」遂通了自己與孫子奇的姓名，又說道：「咱們今日遇在一處，眞是三生有幸，我們還有十幾人在店中呢。你們隨我到店中，明日與我們一同上美國去，不好嗎？」李範允三人一齊說道：「我們正愁人少孤單，安賢弟願意與我們同走，我們那有不願意的道理。」於是他三人說說笑笑來至店中。

單說寇本良見安重根二人出去多時不回來，正在着急的時候，只見重根領了三個人來。本良說道：「賢弟你那裡去了？此三人是何人？」重根遂將方纔之事說了一

--------------------------------------

**14** 夠.
**15** 桌.
**16** 桌.
**17** 鏡.
**18** 一.

遍, 又與他三人, 按只<sup>19</sup>個引見了, 一齊坐下, 說了一會, 各自安歇。第二日清晨, 他三人與有聲等會在一處, 坐上車子, 又撲奔仁川大路走下來了。

　　好一個安氏重根小後生, 在路上結交三位大英雄。重根說：「不着咱們國家弱。咱諸人那能相交一路行？看起來這事眞果是湊巧, 總算是有緣千里來相逢。若不然咱們相離數千里, 那能勾<sup>20</sup>同去留學赴美京？」李範允三人一齊開言道：「說道是這事實在係非輕, 我三人從小同學好幾載, 常愁着學問淺薄心內空。每想要西洋各國求學問, 因年幼家中屢次不讓行, 這幾年國家軟弱不堪講。無奈何辭別家院奔前程, 我三人恐怕自己不中用, 每想要結交幾個好賓朋。偏偏與重根賢弟遇一處, 一見面幾句話來就投情, 因重根又與諸位相了善。我三人實在是樂非輕, 咱大家一齊住在美學校, 回來同心同力好把國興。」眾英雄說說笑笑望前走, 一個個滿心得意志氣增, 曉行夜宿非一日。這日到了仁川城, 眾英雄一齊入了大客棧, 又聽得有聲前來把話明。

話說金有聲諸人, 這日來到仁川, 進了客棧。金有聲說道：「你們在這店中等着, 我去上會東錢店, 起了匯票, 連起火船票。」說罷出了店門, 來到會東錢店, 起了火船票, 匯了錢, 才想要走, 只見外邊忽來九個人, 也起火船票上美國。有聲一見他們形象, 覺着有因, 遂問道：「諸位上美國作甚麼去？」
單說這九人, 不是別人, 就是那李相窩<sup>21</sup>九人, 當日到了仁川, 來在會東錢店起票, 一見金有聲相問, 遂各道了姓名, 說：「我們上美國留學去, 閣下也是上美國留學吧？」金有聲說道：「正是。」遂通了姓名, 又說：「我們店中還有十幾位人, 列位要不嫌棄, 可以與我們一統前去。」李相窩<sup>22</sup>說道：「那敢自到<sup>23</sup>好了。」遂起票, 領着有聲到了他們所住之店, 將東西全都拾通<sup>24</sup>起來, 到了有聲所住的店中, 方將東西放下。李樹蕭看見寇本良說道：「賢弟你怎麼到此？」寇本良一聽有人招呼他, 回頭一

------

19 着.
20 夠.
21 高.
22 高.
23 倒.
24 道.

看，乃是李樹蕭，遂上前施禮。正是：

　　飄零數載未會面，今日店中又相逢。

要知本良說出什麼話來，且聽下回分解。

話說寇本良見了李樹蕭，施禮已畢，說道：「兄長，你怎也到了這裏呢？」樹蕭遂將上美國去留學的意思，說了一遍，本良也將他們意思說了一遍。此時本峰也過來，見過了樹蕭，各道些離別的情腸。有聲、本良又與他們互相引見了，大家團圓坐下。此時他們一共二十八個人了，又重敘了一回年庚，李相窩[1]居長，次在李範允、金洪疇、金有聲、李瑋鍾、高雲、周莊、姜樹[2]堅、吳佐車、曾[3]存、李俊、寇本良、黃伯雄、堯在天、錢中飽、姜述白、李樹蕭、岳公、蕭鑑、趙適中、雲在岫、陳聖思、陳聖暇、侯珍、寇本峰、孫子奇、雲落峰、安重根。當日他們大家名次排定，談論一會，各自安歇。第二日上午八點鐘，他們將來送的車，打咐回去，遂後上了輪船，由太平洋，撲奔美國走下來了。

衆英雄上了輪船離仁川，那火船好似箭打一樣般。廣[4]聽那輪子各支各支[5]的响但見那海水波濤上下翻。轉眼間就走出去千幾[6]里，猛回頭看不見了大仁川。但見那海水洋洋無邊岸，瞧[7]不着江村茅舍與人煙。但聽那鯨魚吐氣噴噴响，那辨出南北與東西。鳥雀兒空中飛着氣力盡，吧嗒嗒落在船頭那一邊。看這個茫茫大海何日盡，尋思起真是沒人好心酸。也不知美國到此有多遠，都說是走到也得七十天。歎煞人波浪濤天無陸地，往來的僅有幾隻火輪船。要不幸遭了颶風船刮沉，這夥人全得死在海中間。身體兒一定辱在鯨魚腹，有甚麼回天志向也算完。到那時家中老幼難見面，有多大國恥全得拋一邊。滿船中除了同人物親故，只聽那隔號之人笑言宣。英雄們正在船上胡叨念，忽聽那船長招呼用晚飧。大家夥用飯以畢艙中臥，忽忽悠悠就安眠。論走也得兩個月，說書的何用那些天。簡斷捷說來的快，這日到了美國檀香山。檀香山離美國還有八千里

---

1 高.
2 述.
3 曹.
4 管.
5 咯吱咯吱.
6 幾千.
7 瞧.

里　不幾日可也就到了一邊。下了輪船把把火車上，這日到了美國京城府。下
火車一齊入了店，又聽有聲那邊把話言。

話說李相窩[8]諸人，這日早晨到了美國京城華盛頓，下了火車，找了一個店，將所帶物
件安排妥了。金有聲說道：「咱們上他那外務部遞文書呀。」大家說：「是，走吧。」
那位說：「得啦，你不用說了，高麗與美國話也不通，字也不一個樣，他們去辦事，
人家那能懂的呢？ 並且那文書的字，人家也不認的呀。」列明公有所不知，這裡有
個原因，那侯元首在那國保[9]過，會他國的話，並他國的文字。皆因他會美文，他那
些學生，他也全教會了。至於金有聲，人入耶穌教，學過英文，英文與美文是一樣，
所以他們能夠與美國人說話。至於那文書，眞是翻的美文的一封信，侯元首也是用
美文寫的。在上幾回書中，靡將此事敘出，所以你們發疑。閒話少敘。
再說金有聲等，一齊出了店中，來到街上一看，好不熱鬧唯。

衆英雄一齊邁步出店中，要上那外務部把文書呈。到街上舉目留神仔細看，好
一個繁華熱鬧美京城。大街上馬路修平如鏡，快車洋車花花來往沖。買賣家一
天澆上水三遍，走那上靡有一點塵土星。兩邊廂洋樓洋行修的好，俱都是玻璃
窗牖好幾層。屋子裏排着些古董器，冷眼看全都不知甚麼名。屋頂上安着避
雷針一個，防備那陰天雷把屋轟。街兩傍安着杆子整兩[10]溜，紅銅絃杆子以上
放的精。一邊是預備來往打電報，一邊是安着玻璃電氣燈。電氣燈本是一種古
怪物，不用油自己就能放光明。齊說道外洋人兒學問大，發明的物件實則令人
驚，在這國不用說是靡見過，長這大都走[11]聽說這一宗。今日裏咱們算是開了
眼 也不枉千辛萬苦走這程。衆英雄一邊說着望前走，忽又見一座洋樓修的精。
四周圍斜山轉角好幾面，玻璃瓦又在上耀眼光明。這介說這是美國上議院，那
個說皇宮不知怎樣工。這個說他國以裏無皇上 全國人公舉一個大統領。有事情
送在議院大夥議，議妥了統領頒布就實行。這個說美國原先也軟弱，全仗着華

8　髙.
9　呆.
10　兩.
11　未.

盛頓來把美興，衆人民與美國血戰九年整，才能勾[12]叛英獨立世界中，都說是美國以裏政治好，今一見話不虛傳是真情。衆人們走過這座上議院，忽看見那邊來了一幫兵。只聽的洋鼓洋號吱吼响 一個個年青有力帶威風。說道是無怪人家國強盛，看這些兵丁全都有多凶。他衆人說說笑笑望前走，眼前裏來到外務部的大門庭。衆英雄走至門前就站住，又聽那門軍過來問一聲。

話說李相窩[13]二十六人，來到美國外務部衙門，一點站住。門軍過來問道：「你們是作甚麼的？」李相窩[14]等答道：「我們是韓國的學生，到你國前來留學，有文書在此，乞閣下與我們進去通稟一聲。」門軍說：「你們在此等候一回。」遂進去，不多時，出來說道：「你們跟我進去吧。」他們一聽，遂跟着門軍進了裏邊，見了華聽。使[15]禮已畢，李相窩[16]、李範允各將文書呈上，金有聲將侯元首那封信呈上。華聽看完了文書，又看那封信，是侯元首與他來的，可就拆開看起來了。

上寫着「謹具燕函」字數行，拜上了華聽仁兄貴座傍。咱兄弟於今離別十餘載，常思想不能見面掛心腸。前幾年兄長與我捎過信，言說是位坐外部尚書郎。都只為山高路遠難見面，也未能賀喜增榮到那鄉，看起來侯弼實則是無禮，望兄長腹內寬宏把弟量。今日裏魚書寄到貴府內 也就算盡了為弟這心腸。這本是咱們二人在下事，還要求長長[17]替辦事一椿，只因為我國軟弱無賢相 君臣們每日昏昏在朝堂。日本在我國屢次增勢力，可憐我數萬人民遭他殃。我高麗本是中國他的屬國，那日本硬認我國為獨立邦。看這樣是要坑害我的國，我國人猶且昏昏睡黃粱。百姓們全都不知把國保，高麗國恐怕將來被人亡。弟以為要想保國求安泰，除非是全都[18]人民學問強，我國裏學校無多辦法壞，百姓們皆以學堂為不良。說學堂人人掩着耳垛跑，無一人送他兒郎到書房。說我國這樣人民看一看，誰敢保國家不被日人亡？幸虧我教了幾個好弟

--------------------------------

12 夠.
13 高.
14 高.
15 施.
16 高.
17 兄.
18 部.

子，他們一心要留學到外洋，因此我才讓他們貴國往，望兄長千萬收留在那鄉。哪因為你國政治學問好，所以我才望他們留學上貴邦。學饍費我國年年望那滙，管保不能讓兄長你搭上。」右寫着「侯弼平壤三頓首」，下墜着「四月四日燈下撢。」華大人看罷侯弼這封信 在那邊縐縐眉頭開了腔。

話說華聽看完了侯弼那封書信，暗暗的想道：「高麗軟弱，他們學生前來求學，是為他們國家的大計。我想日本要是把高麗滅了，與我國也是靡甚麼好處，而且大有害於我。何不把他們留下，給他們挑個學問堂住着。萬一能出來一位英雄，把高麗國保護住，他國人也念誦我真好處。」主意已定，遂向金有聲等說道：「你們前來住學堂，但不知願意入那樣的。我看你們也是不知道那樣好，我告訴你們吧。要想着保護國家，當住陸軍法政。法政是講治術的，陸軍是講武備的；還有理科專研究物理化學。陸軍學堂與理學專科，全是三年畢業，法政是五年畢業，可不知你眾人願意入那樣學堂？」李相窩[19]說：「咱們大家商量商量。」於是岳公、金宏[20]疇、李範允、陳聖田[21]、陳聖暇、常[22]存、韓述白、李俊，八人願意入陸軍學堂，寇本良、趙適中、孫子奇、高雲、周莊五人願意入理科，剩下他們十三人，全願意入法政學堂。商量妥當，向華聽一說，華聽說：「既然如此，我就送你們入學吧。」遂命他們把東西從店中拿來，一齊搬到學堂裏去。寇本良人了理科中之醫科。由是他們大家全都入了學堂，慢慢望前來學。這且不表。

單說侯元首，自從金有聲送走，回到家中，呆了幾天，跟金玉均說道：「學生們都走了，咱們二人還得張羅着開報館哪。」玉均說：「想要開報館，咱這欵項怎麼籌呢？」元首說：「兄長勿愁，我自有方法。」遂寫了幾個帖子，把岳公之父岳懷嵩，孫子奇之父孫善長，趙適中的哥哥趙適宜，蕭鑑的父親蕭樹聲請來；又請了三位紳士：一個叫田承恩，一個叫張建忠，一個叫花錦。當日諸人接了請帖，全都來到元首的學堂。元首接至屋中坐下。眾人一齊說道：「先生請我到來，有何話講？」元首說：「無事不敢勞諸位到此，眾位仁兄洗耳，聽我侯弼道來。」

-------------------------------

**19** 高.
**20** 洪.
**21** 思.
**22** 曹.

侯元首未從開口面帶春，尊了聲：「諸位仁兄聽我云；將諸公請來不為別的事，想要讓衆位仁兄幫我銀。幫我銀錢不為別的事，想着要開個報館把民新。只因為咱們受那日本氣，才打咐那些學生離家門。讓他們美國以寒求學問，回來時開化民智固邦根。現今裹他們已經離故土，我在家沒有營生占着身，我常想要使咱國不亡滅，除非是數萬人民同一心。要想使他們全都同心意，必得用報紙鼓吹衆黎民。使他們全知日本的利害，因利害了[23]能知道保家門。保家門就是保護咱這國，家與國本來沒有什麼分。人人要全都知道把家保，這社稷江山一定不能湮。因此我要使人人把家保，有一條拙見敢在面前陳。在這城開上一個白話報，天天各處發賣化愚民。請諸公幫我銀錢就為此，望諸公不要拒絕我這片心。諸公們一家集上幾個股　報館成來就在你們諸君　那時節人民知識盡開化　豈不是咱們大家福分深？諸公們思一思來想一想，侯弼的話是眞不是眞

話說元首說罷，一片集股開報館的話，岳懷嵩諸人一齊說道：「先生的意思極好，我們沒有個不贊成者，用多少錢，我們都能幫着你們。」元首說：「也用不了多少，有三四千吊錢，也就夠了。」岳懷嵩等說道：「這點錢不要緊，先生儘管辦吧。我們八人，一家集上四個股，一股拿上五百吊，不夠再望上添。」元首說：「有四千吊錢，也就夠用了。」於是他八人，各自回到家中，將錢湊足，與元首送來。元首一見有了幾[24]，遂買了幾件印書的機器，聘了幾位訪員，自己為主筆，開了報館，各處去賣。起初人們都不愛看，到後來看看有趣味，全部爭只[25]買，那報館可就興旺了。這且不表。
單說日本皇帝，那日早朝，伊藤出班呼道：「吾皇萬歲，臣有本奏。」正是：

英雄方且吹民氣，日本又來虎狼人。

畢竟不知伊藤說出甚麼話來，且聽下回分解。

------------------------------------

**23** 才.
**24** 錢.
**25** 着.

話說伊藤上至金殿, 參見已畢, 日皇設下金交椅, 命伊藤坐下。伊藤謝了恩, 坐下。日皇道：「愛卿那日說, 吞併高麗, 得先使他歸咱們國保護, 現在你這道, 安頓怎樣了？」伊藤奏：「我主不知, 為臣來的正為此事道兒, 已經籌算妥了。」日皇說：「既然妥了, 愛卿與寡人言講言講, 然後咱們就頒布着實行, 豈不是好麼？」伊藤說：「我主願聞, 聽臣下道來。」

這伊藤金殿以上把話發, 夐一聲：「我主在上聽根芽；為臣我自從出世到今日, 惟有那兩個目的未能達：第一是高麗未能屬咱管, 第二是滿洲未能歸咱轄, 這兩樣還是着重第一樣, 因為那滿洲高麗緊喚吼, 要能勾[1]將高麗得在手取東三省也就省了法 為高麗為臣費了滿腔血, 現如今僅僅在那把手插, 高麗事已經不歸中國管, 這時候何不急力已圖他, 前幾日為臣也曾畫過策, 言說是保護高麗他國家。在他國修下一個統監府, 派一位能言大臣去駐扎。給與[2]他一顆統監韓國印, 無論辦甚事全得由着他。在他國暗在以裏把計定, 用花言巧語把他君臣們誇。就說是高麗本來是好國, 惟獨那內治外交有點差。因此你們才受他國的氣, 我今日與貴國想上一方法。我的國把你們來保護, 你的國的種種敗政改改吧。諸般的政治我們替你辦, 也省着受那他國來欺壓。外交事我國也替你們管, 讓你那駐外領事皆回家。那時節不怕他們不應允, 為臣我自有方法處治他。明着以保護他國為名目, 暗地裏慢慢把他權力刮。那韓國君臣昏弱盡無謀, 見將時眉開眼笑樂了他。他國的權力要是都到咱的手, 咱們就一點一點把他轄。不怕他能出多少大豪傑, 靡權力咱們怕他作甚麼？ 得高麗然後再分東三省, 咱的國庶乎可以見發達。要可行我主就把統監派, 讓他速速望高麗國發, 事不宜遲就要辦, 再等幾天恐有差。」伊藤侯說罷息[3]話 又聽那日皇把話答

---

1　够.
2　予.
3　但.

話說伊藤說罷一片併吞高麗, 跟東三省的話, 日皇說道:「愛卿見識極高, 寡人看這統監, 別人也不能勝任, 就得愛卿你去吧。怎麼說呢? 因為事事都是你作的, 別人去辦, 也摸不着頭緒。所以寡人願意讓愛卿, 你去坐那統監。」伊藤說:「我主既派了為臣, 為臣也不敢推辭。後日為臣我就要起身。」日皇說:「是, 越快越好, 恐怕事情遲延, 省再出差。」於是伊藤辭別了日皇, 下殿回府去了。日皇命工部造一顆統監印。說話之間, 就是三天。到了那日, 伊藤將統監印懸在殿上, 拜九拜, 然後受下。日皇先望高麗打封電報, 讓他國領事, 在那邊迎接, 這邊又安排下酒宴, 與滿朝文武, 在十里長亭, 與伊藤餞行。伊藤早就收拾妥當, 帶了無數官員, 預備上高麗辦政治用。於是坐上快車, 出了京城, 那滿城的百姓, 聽說伊藤要上韓國作統監去, 遂前來賣果, 好不熱鬧的很哪。

> 這伊藤坐上快車出東京, 你看他前呼後擁好威風。在前頭跑開三十六匹護衛隊, 馬上的人兒甚青年[4]。洋號兒咀裏吹的吱扎响 好比似鶴唳龍吟一般同; 在後邊也有護衛隊, 盡都是青年有力小步兵。每人抗[5]着鎗一桿, 刺刀兒安在上邊躍眼明。看人數也有五六百, 把快車團團圍住不透風。威威烈烈往前走, 又聽那庶民人等亂哄哄, 這個說:「大人今日出了府。」那個說:「不知要往何處行。」這個說:「韓國去把統監坐, 你們因甚不知情。」那個說:「統監要到高麗國, 他的國一定被你坑。那時節咱國必然得土地, 那時節高麗必定把國扔。」不言這百姓滿街閑談話, 再說那伊藤到了十裏亭。日君臣早在那裏來等候, 伊藤他慌忙下了快車中。伊藤說:「為臣今日有了罪。」日皇說:「愛卿不要來謙恭, 寡人我今日敬你三杯酒, 畧報報愛卿你的忠。」說罷將酒遞過來。伊藤侯使[6]禮謝罪接手中。三杯酒方纔飲到胸膛內。又過來文武百官衆公卿。每人敬了三杯酒, 那伊藤飲的滿面紅。對着百官們施下禮, 說道是:「有勞諸公好心誠。」使[7]禮已畢把車上, 威威烈烈起了程。前行來到海沿上, 坐上輪船奔韓行。書要簡

------------------------------------

4 年青.
5 扛.
6 施.
7 施.

捷方為妙，离⁸留⁹囉嗦困明公，這日來到韓城內，那領事接在使館中。

話說伊藤這日到了漢城，他國的領事，跟到高麗國的臣宰，一齊接到十里長亭。大家見了面，道了些個辛苦，然後才進了他國領事衙門。高麗的臣宰們，在那談了一會，遂辭別伊藤，回府而去。

單說伊藤在他那領事衙門，住了幾日，說把他的領事打咐回國，在高麗一概的事情，全都歸於他一人辦理。這一日下了幾個請帖，把高麗國的大臣：李完用、趙丙稷、朴定陽、尹用求等請來，讓至客廳，分賓主坐下。侍人過來到¹⁰上茶，茶罷擱盞。李完用等問道：「貴大臣今日將我等招來，有何事相商呢？」伊藤答道：「靡有別的事情，只因我國上幾年，替你們平定東學黨，你國的民，無故的把我的兵丁傷了無數，我國就想要替你國改革內政，趕上與中國開仗，也靡得暇來辦此事。今年因為我皇上，派我為你的統監，連保護商務，代辦那一年的事情。我以為那年的事情，雖是你國的百姓無禮，我們就硬把你國的政治改革了，也是狠¹¹不對¹²貴國的。所以我今天將貴大臣們請來，有幾樣事情相商，不知諸公願聞否？」李完用等說道：「統監只管說來，我們無有不願聞之理。」伊藤說：「如此，諸公聽我道來。」

伊藤侯坐在椅上把口張，擡了聲：「列位大人聽其詳：只因為你國人民來作亂，我國的無數兵丁受了傷。這都是你國內治不完善，才惹出無數人民發了狂。我皇上就把你們內政改，派我為你國統監在這方。我今日要把你們政治改，又覺着貴國臉上沒有光。敝¹³人我想出一條完善道，敢在諸公面前陳短長。你高麗所以到這般軟弱，都因為你們內政甚不良。我國家兵強馬壯政治好，可以替你們保護錦家邦。各衙門要上我國人一個，各樣事全得跟他去商量。有不善他們就能與你改，我管保諸般政事皆見強。各國裏你們不用把領事駐，別¹⁴用的領事在此讓他歸故鄉。外交事全能替你們去辦，一丈錢不勞貴國

8　原文：口+离.
9　原文：口+留.
10　倒.
11　很.
12　對不起.
13　敝.
14　不.

費思量。省下錢再與你國興武備，管保使你們韓國不滅亡，從今後你國歸為我保護，別的國誰也不敢來遭殃。改好了我們就推開手，豈不是一舉兩得一好方？」這伊藤花言巧語說一套，哄的那高麗臣等無主張，齊說道：「這個相應多麼大 咱快去稟報於那李熙皇。」

話說李完用被伊藤一片言語，哄的心眼直轉，說道：「貴國既有這片好心，來保護我們的國家，我們真是感恩不盡了，我們就回去稟於我國皇上得知，然後統監望我們各部裏派人吧。豈不是好嗎？」伊藤說：「既然如此，諸君就去稟報於你們國王上得知吧。」於是李完用等出了領事衙門，來到金殿，見了韓皇，把伊藤的話以[15]學，又說：「伊藤怎樣好心，人家替咱們保護國家，改變咱國的政治，改革好了，人家就撒手，我主你看這事有多麼相應。今日若不依允，恐怕過了這個村，麼有這個店啦。」那李熙本是胡哩胡嘟[16]，任其不知的一個皇上，當日聽大臣們這一說，也尋思這事是好事，遂說道：「愛卿你們酌量之辦去吧。」

於是他們又回到日本領事衙門，把方才之事，對伊藤以[17]說。伊藤說：「你們皇上到算是好王。」於是命野軍鎭雄為韓國兵部顧問官，藤增雄為內宮學農工三部顧問官，賀田種太郎為財政局的顧問官，幣原坦為學部參與官，九山重俊為警察顧問官，三島奇峰為法部顧問官，又將韓國各處人民詢訟的事，全讓他們領事代管。當日伊藤分派已定，是日韓國行政的權力，全歸於日本人的手。那韓國原有的官員，僅僅的跟人家一塊喫飯，湊熱鬧而已，而韓國的君臣，還以為日本是好意，真是可歎哪。

好一個詭計多端伊藤公，行出事全是要把高麗坑。拿着那保護韓國把名買，暗地裏奪取利權在手中 韓國裏君臣無謀見識小， 着[18]天的西裏胡都[19]賽啞聾。日本人施下毒辣傷人手，正以為人家給他好相應。自己國自己就當能保護，斷不可倚靠外人把事行。自己事全讓人家來替辦，簡直的跟着滅亡一般同。有權力國家就算有，麼權力國家既算扔。權力他是一個甚麼物？ 列位不知聽我明，

---

15 一.
16 糊里糊塗.
17 一.
18 整.
19 稀里糊塗.

權力與人好比一杆秤，用他來把東西衡。力者就是咱們的力，那權兒就是秤錘他的名。有秤錘就是打物件，靡秤錘就是不能行。咱們人好比一秤杆，倚靠着秤錘把物衡，秤錘要是歸了外人手，這杆秤就是無用人一宗，政治就是國家權力，能得權力國必興，高麗把權力送與日本手，無怪乎他就扔了錦江紅。中國人全不知他權力保，也恐怕跟着高麗把國扔，勸大家千萬要把權力強，斷不可忽忽悠悠度秋冬。這一回高麗失權眞可難，下一回日本把我財政清。書說此處算拉倒，明天白日再來聽。

衣服好比巡警，血脈好比銀錢；有衣遮體不能寒，血脈流通身健。二者相輔並

重，缺一就得未完。有識之士痛時艱，全在經濟困難。

『西江月』罷，書接上回，上回書說的，是那高麗歸了日本保護，他國一概[1]政治衙

門，全安上一個日本人幫着辦理，可見他國的君臣，全都任然不懂，把自己國的政

事，讓人家替着他們辦理，還以為是相應。一起手辦甚麼事情，全都跟韓國的君臣

商量，到後來把那個韓國的君臣，就扔在開外了。無論辦什麼事情，人家日本人說

煞就是煞，那韓國君臣好相[2]聾子耳垛一般。你看他們不但拿着不着意，還等着把政

治改好了，安然享太平福呢！不知那日本人如虎似狼，到嘴的肉，那有吐出來的？

況且說那日本，素日想只要吞高麗，就愁那韓國的權力到不了他的手。今天可一下

子到了他的手，他能勾[3]放鬆嗎？高麗無謀，把權力送與外人之手，我中國看看高麗

的前轍，自己也當加點小心哪。閒話少說。

單說伊藤自從把高麗種種的權力，全攬到手裏，可就讓他們在高麗的日本人，盡力

捉鬧。那高麗人民受他們的欺壓，實在是讓人難言哪。由此一年多，那韓國的力，一

多半都歸於日本人的手中。高麗又與伊藤修下一個統監衙門。這日伊藤正在衙門悶

坐觀書，忽然想起一宗大事來，遂命人套上快車，去上那高麗的政府。

到了門首下車，李完用等接至屋中，分賓主坐下，一齊向伊藤說道：「統監大人今

日到此，有何事相商呢？」伊藤說：「無事不敢到此，列位大人要問，聽我慢慢的道

來。」

好一個智廣謀多伊藤君，你看他未從開口笑吟吟，尊了聲：「列位大人且洗

耳，我今日有一件事情對你們陳。那一年你們國內起了亂，無故的攻破我國領

事門。殺傷了我國商人好幾百，又要害我那領事花房君。多虧了英國商船救

---

1　個.
2　像.
3　夠.

了命，若不然性命一定歸了陰。那時節我國派兵來問罪。你國裏包了五十餘萬金。這個金那時未能付於我，言說是指地作保利三分。這是那第一回該我們的欵，還有那第二回賠欵三萬金。第二回賠欵不為別的事，因為是你國大臣金玉均。他一心要在你國謀變法，去想求我國領事大發軍，到後來我們被中國打敗了，因此才包我十三萬兩好紋銀。也說是按年行上三分利，到今日合計起來十六春，本利和共合也有三百萬，至如今我們一兩銀。我國裏那日與我打來電，言說是新練兩鎮大陸軍。讓我在此與你們把賬討，好給那新練之軍作餉銀，要不着我國養兵用的緊，也不能來與諸公把帳尋，諸公們怎的也得奏封上，那管賣土地也得還我銀。我今日緩上你國一月限，到日子就得與我送到門。到那時要是將錢送不到，就苦了我國那些充軍人。要實在無錢還我們的債，我還有兩條道兒面前陳。第一是無錢將地賣與我，京畿這亂值三百萬兩銀；第二是你國財政我監理，出入欵項你不得與聞，用將去上我那衙門領，不讓你們妄費半毫分。省多少好與你欠債償，免去了貪官污吏來侵吞。你國人不知道理財為何物，拿着生財求富置妄聞，要知道生財求富的富庶，也不能讓那急荒屯了門。這兩樣你們必得從一樣，說什麼也得還我這項銀。要有銀還我可比這件好，我恐怕你們無處把銀尋。諸公回去好好想想吧，一日之賬是實云。」這伊藤說罷一些話，到把那李完用嚇吊[4]魂。

話說李完用諸人，聞伊藤說了一片要錢的話，一個個目瞪口呆，半晌方說道：「我因此時窮的靡法，那有還賬的錢呢？」伊藤說：「靡錢也不行，我國等只[5]這個作兵餉呢。你們要不還我的錢，我國用甚麼養兵？反正一月之限，湊足了更好，要湊不足，到那時可也就講不了，給我們地，或是讓我們監理你們財政，望下不用說了。」說完了，就上車回統監府去了。
單說李完用等，即當日商量了一會，誰也靡有法子。遂稟於他的皇上李熙，李熙也是沒章程。遂又商量了一回，捐他們的百姓，那百姓誰也不出錢。可知那外國的百姓，一個個是任煞不懂，要是知道的好了，把國債大夥湊吧，攤吧，還上日本，也說不能監理財政了。因為他們皆存自私的心思，不肯出錢還國債。那知道你不還人家錢，

---

4　掉.
5　着.

人家不是要你的地，就是把你的財政權把過去。財政是國家的血脈，要將血脈讓人家把守着，國家能自不亡嗎？咱們中國，賅[6]人家外國錢，比那高麗還多着多少倍。這幾年外人常想，只要監中國的財政，要是咱們的財政權，以[7]讓於外人把過去，也就離完不遠啦。諸公們好好想想吧。閑話少說。

單諸[8]李完用等籌備這個錢，眼看一個月也靡顛對妥，無奈到了統監衙門，對伊藤以[9]說。伊藤說：「既靡有，也講不了別的，反正都兩條道，你們是從那條吧。」他們又求緩日限，伊藤擺頭不答應。李完用等看看靡法，遂許伊藤監理他國的財政。趕到財政權到了日本人的手裏，是大韓的稅務錢糧王租，所有一概入歎的事情，全歸伊藤管理，那韓國想要作甚麼事，辦甚麼政治，伊藤也不給他的錢花。都說：「是你們賅[10]我們那些錢，我給你們省着還債呢。你們只知無故的化[11]費，我們這錢，你們可得何日還呢？」由此那高麗財政一失，可就不好了。

伊藤他本是一個毒辣男，一心要奪取高麗財政權。錢財好比人血脈，缺一點說得把病添。若是血脈全靡有，這個人立刻就來完。世上人誰能不把錢財用，論起來是人生命第二天。一無就莫邁不動了步，雖是那英雄豪傑也犯難。為無錢愁倒多少英雄漢，因此那貧窮之人把擔擔。都只為衣食房屋無處取，無奈才受苦挨餓在外邊。有錢的喫着嫖賭瞎胡鬧，創下了急荒債主賽如山，有一旦人家與他把錢要，他就得折賣房屋作償還。房屋地產全賣盡，剩下了隻身一人好可憐。到後來衣食無錢凍餓死，想想當初怎麼不淒然？看起來國家與人一個樣，財政去甚麼政治不能須。高麗國財政歸於伊藤管，那錢糧全得歸在他手間。是凡那豬馬牛羊皆有稅，那日本賊察查的分外嚴。有一點漏稅就得加重辦，可憐那高麗人民受熬煎。將歎項全是收在他的手，你想要用上一文難上難。高麗國諸般政治不能辦，他君臣一天無事飽三餐。各衙門政治事全歸日本管，那高麗

----

6  該.
7  一.
8  說.
9  一.
10  該.
11  花.

好相[12]附屬物一般。有國家不能把政事來辦，怎能勾[13]圖存疆土保全安？那高麗的君臣固然是昏懦輩，依我看他你[14]百姓也是蠢愚蠻。你國債就是你們家的債，雖[15]能勾[16]來替你們把賬還？你們若是不出錢來把債償，人家就要你們人民與江山。就是不把你們人民江山要，他定要監理你國財政權。財政本是國家的命脈，失財政國家就要快來完。國要是被那外人滅，你們家甚麼能勾[17]來保全？國家二字本是緊相靠，諸公心中仔細想一番。咱中國外債好幾千萬，衆明公八成未曾聽人言。都因為甲午庚子那幾仗，才拉下國債急荒重如山。外國也常跟咱們把錢要，也常想把咱國財政監。現如今各省全有籌還國債會，諸公們可以上那捐上幾個錢。欠外國的急荒要全還上，東三省或者可以能保全。衆明公看看高麗想想自己，中國也就列高麗那樣般。要等着財政到了人家手，那時節有甚麼方法也妄然。練兵無錢不能練，有鎗炮無錢更犯難。到那時甘坐來待斃，衆明公你看可憐不可憐。這本是至理名言眞情話，別拿着這些話兒常閒談。我今日說到此處腮落淚，望諸公仔細參一參 押下此事咱們且不表，再把那日本行凶言一番。

話說漢城東關有一家姓周，哥三個，長曰周忠，次曰周孝，老三曰周義。家裏有二處房舍，一處在道南，一處在道北，道南那處房子，自己家裏住着，道北那處房子招戶，偏偏說招了一個日本人，名叫吉田，在那開藥鋪。三間房子，言明一個月納房銀三十吊，每月月底打齊。這日周忠得了一個兒子，四五天上長了一個疙疸，狠[18]利害。周忠就到那日本藥鋪去，買了一點藥，拏了問價錢，那吉田回道：「咱們一個東夥，還講甚麼錢不錢，拿着上去吧。」周忠說道：「可使不得的。」這吉田擺頭不肯要錢，周忠家中等着用藥救急，也就忙只[19]回去了。到了家中，將藥上上，也沒見好，呆了只一天，把小孩也就扔了。這且不在話下。

--------------------------------

**12** 像.
**13** 夠.
**14** 們.
**15** 誰.
**16** 夠.
**17** 夠.
**18** 很.
**19** 着.

單說那吉田將房子住了許多月, 也靡給周忠打房銀。這日周忠去向他要錢, 吉田說：「趕上這日靡錢, 請改日再他[20]吧。」周忠尋思, 原先有人家藥, 都靡要錢, 也就未肯深說, 就回去了。又保了兩月, 周忠又去要房銀。吉田說：「這事狠[21]不對[22]你, 下月我務必給你打。」周忠尋思：「三四個月都緩啦, 這一月就不能等了。」遂又緩了一個月。

這日他們哥三個, 一齊前去跟吉田要錢。吉田說：「你[23]還是靡錢。」周忠說：「我已經寬五個月, 你怎麼今天還說靡錢呢？ 那管不能全給我, 先給我三月的房銀, 我有點要緊的用項, 那個咱們就放着。」吉田就變臉說道：「我不肯跟你們深拘, 你這一個計的不要臉！ 那日你買我那藥, 也值二百吊, 怎麼就不勾[24]你這幾月的房銀呢。」周忠說：「你不說不要錢嗎？」吉田說：「誰說不要錢來的。那時你問我價錢, 我說是二百吊, 你就擎着走了, 你這五個月的房銀, 纔一百五十吊, 去了你的, 還該我五十吊呢。我今天還要管你要錢呢！」周義、周孝從那邊說道：「那有那們[25]貴的藥？ 貴不貴的也不用說, 那讓我們用來的呢？ 講不起, 與你合上三十吊, 去一月的房銀, 這四月的, 今天非給不可！」吉田說：「那算不行, 非給我五十吊錢不可。」他們三言兩說打起來了。吉田看他們人多, 拿起鎗來就打了兩下, 把周忠、周義打死。周孝見勢不好, 跑到街上, 報於巡警。趕到巡警進了屋中, 那吉田早跑了。周孝一見吉田跑了, 他就上那外務部告狀去了。

單說那吉田跑到他們的統監衙門, 見了伊藤說道：「小人在街上周忠的房子開藥鋪, 那周忠買藥不給錢, 還替我硬要房銀, 我說是你該我的藥錢去了, 該你的房銀, 還欠我五十吊呢。我就與他們要錢, 他們不但不給錢, 還仗着人多打我。我無計可施, 才傷了他兩條人命。望大人與小人作主吧。」伊藤以[26]聽, 眉頭一縐, 計上心中。這事不要緊, 我把你綁上, 到在他們外務部, 自有辦法, 管保不能讓你受屈。」於是將吉田綁上, 坐上車子, 到了外務部, 見了尚書金炳之。這個時候, 周孝早把呈子遞上去了。

------------------------------

**20** 還.
**21** 很.
**22** 對不起.
**23** 我.
**24** 夠.
**25** 麼.
**26** 一.

當日金炳之見伊藤來到，說道：「統監大人到此，八成為那人命的事情吧？」伊藤說：「正是。我還有一件事情相商。」金炳之說：「大人有甚麼事情，儘管講來。」伊藤說：「既然如此，聽我道來。」

這伊藤未從開口面帶歡　哼了聲：「炳之大人聽我言：　只因為日韓定下通商約　我國人纔來貿易到這邊。那吉田在這街上開藥鋪，租了那周忠房子整三間。當面裏房租銀子講的妥，這說是一月拿上三十吊錢。因為那周忠兒子得了病，前去買藥向吉田。將藥買去無其數，一共合了二百吊錢。吉田欠周忠房銀一百五十吊，去了他的還欠吉田五十吊錢。他兄弟藥錢不算房錢要，纔惹那吉田把鎗轟，他哥倆個一起把吉田打，那吉田無奈纔動了野蠻，用鎗打死他們哥兩個，才惹出日韓交涉這一番。我國傷人無有死罪，不能與你法律一樣般。吉田傷了人命算有罪，我發他充軍在外十二年。這個事情算拉倒，我還有一件事情向你言。你國人無故來把人欺壓，巡警他因為甚麼不遮攔？巡警本專管打仗合[27]鬥毆，還保護別國人民在這邊。我國人你們巡警不保護，簡直的事[28]來欺侮咱。象[29]這樣巡警要他中何用，妄耗費你國多少銀子錢。到[30]不如將他撤了去，將我國的巡警這塊安。也省着我國人受他的氣，你國裏也能得點安然。吉田事就是那樣辦，巡警明日我就安。允不允的我不管的，我還要回去閑一閑。」說罷坐上車子回衙去，倒把那金氏炳之嚇一川[31]。

話說伊藤將吉田傷人的案子，硬壓只[32]辦了。又要撤高麗的巡警，安他國的巡警，把金炳之嚇的面目改色。那周孝又追金炳之給他報仇。金炳之說道：「現在咱國的權柄，全在他的手裏，這是這個事，還跟咱們辦，要是別的事情，人家都不理咱們。我明知道你是含冤，但是我一點權柄靡有，那也是無可如何。你回去自己想法報仇去吧。」周孝無奈何，回到家中，將周忠、周義的尸首成殮起來，埋葬了。自己尋思道：

--------------------------------------

**27** 和.
**28** 是.
**29** 像.
**30** 倒.
**31** 躓.
**32** 着.

「我自己一肚子寃枉, 無處去送。」越尋思越有氣, 從此得了個氣腦傷寒, 一病而亡。
那周氏兄弟, 俱被那日本害死, 真是可惜呀。這且不表。

單說伊藤回到衙中, 挑去些個日本兵, 變成巡警, 安在街上, 又把那高麗的巡警全
都撤弔[33], 由此那高麗可就越發不好了。

好一個心腸狠毒伊藤公, 害得那高麗人民好苦情, 明明是他國人民不講禮, 硬
說是高麗人民把他淩。可惜周氏兄弟死的好苦, 誰能勾[34]替着他們把寃伸？日
本人漢城以內行暴虐, 那巡警那敢上前把他橫？象[35]這樣還說巡警不保護, 硬
把那韓國警權奪手中。巡警與人衣服一個樣, 穿在身上能避風。自己衣服要麿
有, 指着穿人家的算不行。漢城中安上日本的巡警, 可憐那衆多韓民受苦情。
日本人隨便捉鬧無人管, 韓國人說句錯話都不中。只許日本把韓民苦, 不與那
韓民知一聲。韓民要與日本來打架, 那巡警立刻送局中。小則罰錢三百弔, 大
就罰半年的土工。有人說日本人不好, 黑棒就望身上扔。黑裏半夜來察戶, 一
宿也不得安窞。衆明公你看日本有多麼惡, 講究起眞是讓人不愛聽。聽此事你
們別不着意, 將來咱們也少不了那一宗。日本人要瓜分東三省, 能勾[36]不在此
來行凶？此時防備還不晚, 要等到權力一失就不行。要想只享個安然太平福,
不可不把此事放心中。說到此處住了罷, 再要說我就出不來聲。

---

**33** 掉.
**34** 夠.
**35** 像.
**36** 夠.

上回書說的，是那高麗國失財政巡警權，這一回說，高麗失審判權。他那審判權怎麼失的？也有個源[1]因，在前上美國留學那一群學生，內中不是有一個岳公嗎？此事就因只岳公娶妻而起。岳公之妻，怎麼就能把高麗審判權失了呢？列位不知，聽我細細的說一說。

單說岳公娶妻劉氏，小字愛戴，是平壤城北會賢莊，進士劉眞生之女。生的花容月貌，傾國傾城，不亞如廣寒仙子。以小又從他父親讀過書，曉得綱常倫理。平壤城裏，要講究才貌姿色，婦女之中，算靡有趕上他的就是了。十八歲那年過的門，夫妻甚是相得。過了一年，岳公上美國去了，愛戴就從着公婆在家度日。

光陰荏苒，不知不覺的，就是二年有餘。這一日劉家趕車來接愛戴，言說他母親有病想他。愛戴聽這個消息，就稟報了公婆，說：「是我母有病，命人前來接我，我想只去看看老母病體如何？」岳公夫婦說道：「你母有病，你那可不去看看呢，再說咱們家中，也用不着你作甚麼，你就快快的拾道着走吧。」又說道：「你把咱家的果品食物，與你母親拿點去。」愛戴說：「是，兒媳尊命！」於是愛戴回到自己屋中，拾道東西去。

單說岳公有一妹妹，名喚香鈴，年方十五歲，生的是品貌無雙，溫柔典雅，素日與嫂嫂最相善，天天跟着學習針指。這一聽說他嫂嫂要出門，他也要跟着去，遂也稟告了父母。他父母素日最愛喜他，也就應許了他啦。於是就拾道了拾道，過了一會，愛戴收拾完畢，過來拜別了公婆，領着香鈴坐上車子，可就撲奔會賢莊走下來了。

好一個劉氏愛戴女娥皇，他一心要上家中探老娘。綉房裏梳裝已畢後房去，拜別了公婆二老出庭堂。帶領著小姑香鈴坐車上，嶽安人送他姑嫂到門傍，說：「兒媳到家見了你父母，千萬要替着老身問安康。就說是老身無空來問病，捎去了一點薄禮表心腸。香鈴兒十五六歲孩子氣，別讓他無故說李與說張。為女

---

**1** 原.

孩說語要不加拘管，必使喚人家外人說短長。走道上總要時時加仔細，防備那胡匪強盜把人傷。」老安人囑咐以²畢回房去，他姑嫂坐車奔了會賢莊。劉愛戴坐在車上心暗想：也不知我母因甚病在牀，年邁入得病多半思兒女，若不然不能接我回家鄉。」這佳人正在車上胡思想，忽覺著夏日清和天氣暢。但只見遠山聳³翠含嫩綠，近處裏野草鮮花氣馨香。雙雙的燕子啣泥空中繞，對對的蝴蝶尋香花內狂。蜜蜂兒抱著漢⁴珠歸枯木，家雀兒覓蟲哺雛奔畫堂。滿隄邊桑枝向日蠶織繭，各處裏麥浪迎風遍地黃。愛戴娘觀著物景忽觸動，叫了聲：「香鈴妹子聽言良，咱姑嫂兩月未出城外看，這風景比著從前分外強。際是時花草宜人天氣煖，為人的不可虛度這時光。士子宜苦坐南窗求經綸，農夫宜鋤草扶苗隴頭忙。作工的發明機械心路暢，營商的貿易別家不淒涼。就是那朝廷大老君與相，也當宜安排政治保家邦。咱國家人民昏愚治政策　那君臣還在朝中睡黃粱，這時候若不圖謀保國策，豈不是白費這個好時光？韶光兒一去無有回來日，咱的國一弱何能轉盛強？」他姑嫂正在車上閑談話，猛抬頭看見一座大山岡，兩邊鄉樹木叢雜人跡少，猛聽那古寺鐘鳴響叮噹。這佳人正然觀看遠山景，忽聽的後邊有人話短長。一回頭看見三個日本子，緊跟著他那車子走慌忙，愛戴娘以⁵見日本心害怕，說：「他們幾時跟隨到這鄉？」日本賊狗見佳人回頭看，一個個心懷不良發了狂。這個說這：「個媳婦多俊俏。」那個說：「那個姑娘也狠⁶強。」這個說：「咱國無有這美女，眞不亞月宮仙子降下方。想煞法將他二人得在手，與咱們雲雨巫山把妻當。」他三人一行說著進山口，立刻間生出一種壞心腸。走到了樹木深密無人處，他三人一齊上前把路擋。跑上前去把車夫打，將車夫推倒地當央。這一個扯住愛戴懷中抱，那一個拉著香鈴林內藏。這佳人見事不好高聲喊，那日本立刻說要行不良。眼睜睜他姑嫂要失節，忽然間來了二位強壯郎。他二人手提大棍往前跑，到跟前大棍就往空中揚。只聽的咔叉一聲招了重，二賊子一齊打倒地當央。那一個見事不好要逃命，被樹枝掛住衣裳無處藏。他二人一齊上前忙提住，用繩子將他三人綁樹上，次又將

---

2　一.
3　生.
4　汗.
5　一.
6　很.

車夫香鈴忙扶起，那佳人這才過來話短長。

話說那三個日本，將他姑嫂拉下車子，就要肆行姦淫，眼瞅只[7]就要靡救，只見從樹林中闖出兩條大漢來，手持大棍，跑至跟前，將那三個日本賊打倒，綁在樹上。次又見車夫、香鈴倒在地上，他二人又上前扶起。愛戴娘也從那邊過來。那二人問道：「你們是望那裏去的？幾乎遭了危險。」愛戴遂將姓氏家鄉，始末從頭對他二人說了一遍，遂問道：「義士高姓大名？那裏人氏？今蒙救命之恩，刻骨難報，望祈義士留下姓名，請至我家，小婦人重重的賞賜吧。」他二人一齊說道：「咱們全是高麗國的人民，那日本人前來欺服[8]，無論誰都當宜相救。況且咱們相離不遠，禮當患難相恤。日本子肆行淫虐，我們那可坐視不救呢？救你們本是我二人應盡的義務，豈可言謝呢？」又說道：「這個地方叫留雲浦，此山叫作落雁山，我們是兄弟二人，我名張讓，他名張達，就在這山南炮手窩堡住着，以打獵為生。今日早晨打了一隻白鷺，不知落在那鄉，我兄弟二人正在此尋鷺，忽聽你們招呼救人，所以我二人才來的。」愛戴聞言，說道：「就是張家二位義士了。」遂拜了兩拜。他二人秉手當躬說道：「豈敢豈敢！」張讓又對着張達說道：「你去把鄉約地方找來，讓他們把此三個賊使，送到審判廳處問罪。」張達領命而去。張讓又限[9]愛戴說道：「你們不必搶[10]親戚了，可以坐車回家去，與這日本人打官司吧。」愛戴以[11]聽，說道：「可也是呀。」遂叫香鈴上車。那香鈴跕在那邊，如癡如呆，一言不發。愛戴知道是被賊嚇着了，遂將他抱在車上。這個時候，那張達也將鄉約地方找來了。那鄉約地方到在跟前，從樹上將他三人解下，從新綁上，帶着望審判廳去送。張氏兄弟也跟着去作甘[12]證。那車夫復又抹過車子，趕只回岳府而去。

單說那鄉約地方，同着張氏兄弟，將那三個日本人，送到審判廳。這審判廳的廳長，姓雷名地風，素日最恨日本人。當日接了留雲浦鄉約地方，所報的日本人強姦婦女的案了[13]，立刻升堂，將他們一幫人全喚上堂去。先叫那鄉約地方說道：「日本人怎麼

--------------------------------------

7 着．
8 負．
9 跟．
10 探．
11 一．
12 乾．
13 子．

奸淫婦女, 姦淫的是何人家的婦女? 你二人從頭說來。」那鄉約的地方一齊上前,
使[14]禮說道:「大人不知, 只道城中岳懷嵩的兒媳劉愛戴, 同着他小姑岳香鈴, 去上
會賢莊劉眞生家中創[15]門。路過那落雁山, 這三個日本人, 見色起意, 將他姑嫂拉下
車來, 就要奸淫, 多虧了張讓兄弟, 將他們救下, 又再這三個賊拿住, 報於我二人。
我二人看這事非小, 所以才將他三人押着, 送到這鄉。」雷大人又問那張氏兄弟, 說
道:「這三個日本賊, 是你二人拿住的嗎?」張讓、張達說:「是我二人拿住的。」雷
大人一聽此言, 衝衝大怒, 叫:「衙役們! 把那賊人與我帶上來!」那衙役們一聽此
言, 哄的一聲, 把那三個日本賊, 一齊拉到堂上。雷大人一見可就動起怒來了。

雷大人坐在堂上怒沖沖, 罵了聲:「日本賊人禮不通, 咱兩國通商定約原為
好, 你三人為何到此來行凶? 無故他把我婦女來奸淫, 看起來這事實在是難
容。你國裏婦女必然興奸淫, 若不然何為到此胡亂行, 縱就是你國婦女興奸
淫, 咱兩國法律焉能一般同? 咱兩國法律既然不一樣, 你三人這樣作來就不
中! 你國人在此胡行非一次, 尋思起把人眼睛活氣紅。看起來你們盡是欺侮
我, 今天我一定不能來寬容!」雷大人越說越惱越有氣, 忙把那三班衙役叫一
聲: 上前去將他三人捆倒地, 與我打八十大板莫留情:「眾衙役以[16]聽大人吩
咐下, 一個個拿起板子抖威風。走上去將他三人按在地, 五花板就往他們身上
招。立刻間每人打了八十板, 但見那賊子手上冒鮮紅。雷大人以見衙役打完
了, 他又在大堂以上開了聲:「我今天實在寬容你三個, 聽一聽岳父[17]婦女他
的聲。那婦女要是因此得病喪了命, 我一定讓你三人把命釘。叫衙役將他三人
押在獄, 然後再去請那位岳懷嵩。」眾衙役領命而去咱不表, 再說那大人名叫
雷地風。大堂上拿出紋銀整十兩, 賞與那張、讓張達二弟兄, 你二人拿賊有功
應受賞, 將銀子帶到家中度時光。他兄弟謝恩已畢領銀去, 鄉約也跟著他們回
家中。雷大人一見他們全去了, 自己也下了大堂後宅行。押下了此事咱們且不
表, 再把愛戴姑嫂明上一明。

- - - - - - - - - - - - - - - - - - - - - - - - - - - - - - - - - -

**14** 施.
**15** 串.
**16** 一.
**17** 府.

話說劉愛戴領着香鈴, 回到家中, 下了車子, 將小姑香鈴也抱下來, 然後又對車夫說道:「你回去對我爹娘說, 要想我改日再來接我吧。」那車夫說:「是了。」遂趕車回家而去。

單說愛戴娘扶着香鈴, 來到後堂, 將香鈴扶在炕上, 次又與公婆問安。岳老夫婦說道:「你們姑嫂怎麼回來了?」又說:「香鈴他怎樣的了?」愛戴遂將日本怎麼行兇, 怎麼被人救的事說了一遍。岳老夫婦一聽此言, 氣的面目改色, 一齊說道:「這日本人眞無禮, 幸虧有張氏兄弟相救, 要不然, 你姑嫂一定被他污辱了。」愛戴說:「那事先不必提了, 還是請個先生, 與我妹妹治病才是呢。」安人遂到香鈴身傍說道:「孩兒你怎的了?」那香鈴一言不發, 吁吁的直喘。安人一見香鈴的病體甚重, 遂請了好幾位先生, 喫了好幾付藥, 病體也不見好, 尚且加增。岳老夫婦也是無計可施。忽有家人來報導, 說:「啟稟老爺得知, 外面有二個公差, 請你上審判會話。」岳懷嵩說:「你去告訴那公差, 就說是我姑娘, 被日本人嚇病了, 今日無空, 有事改日再辦。」家人出去, 將那話告訴與公差, 那公差一聽, 也就回去了。

單說那劉愛戴在後堂煎湯熬藥, 伺候小姑香鈴。到了天黑, 安人說道:「媳婦你回房安歇去吧, 夜間我老身扶持他吧。」於是愛戴辭別了婆母, 回到自己屋中, 坐在炕[18]上, 尋思起白天之事, 可就落起淚來。

> 劉氏女悶坐房中淚盈盈,　尋思起白天之事好傷情。只因為母親得病把我想, 我這才領著小姑出門庭。那知道中途路上逢賊寇, 日本人將我姑嫂來欺凌, 幸虧有張氏兄弟來搭救, 若不然我們貞節保不成。這貞節雖然未失也丟醜, 又嚇病我那小姑名香鈴。那病體喫藥不把功效見, 看光景恐怕難保死與生。香鈴妹一旦不好喪了命, 我還有甚麼顏面對婆公。我丈夫美國裡求學把書念, 算起來去了二年有餘零。我在家創[19]下這樣大醜事, 豈不是挖我丈夫好聲名。外人都說我被日本人羞辱,　這聲名跳在黃河洗不清。　我今夜不如一死遮百醜, 免去那外人笑話不住聲。丈夫呀!　你在美國學堂住, 那知道為妻今夜喪殘生。咱夫妻今生今世難見面, 要相逢除非夜晚在夢中。望丈夫好好在那求學問, 回國時好

---

18 炕.
19 闖.

替爲妻報冤橫。要能勾[20]剿除日本興韓國， 社會上也是赫赫有聲名。次又將高堂老母心中想， 咱母女今生也恐難相逢。 別人家養女都是防備老，你老人竹籃打水落場空。 母親呀！有着[21]一日歸地府， 孩兒我不能弔孝去陪靈。」哭了聲生身老母難見面， 歎了聲半路夫妻不相逢。 這佳人哭罷一會忙站起，在梁上掛了三尺雪白綾。 用手挽個豬蹄扣， 雙足站在地當中。將脖子伸在扣兒內，但見他手又舞來腳又登[22]。 不一時手腳不動魂靈飛散，可惜那多才多智女花容。 繡房裏愛戴懸梁咱不表， 再把那嶽老夫婦明一明。

話說嶽老夫婦看他女兒的病，一會比一會增加，心中甚是發急，趕到天道將亮的時候，那香鈴忽然咔了一聲，氣絕而亡。他夫妻一見香鈴背過氣去，連忙的招呼，招呼了半天，也靡過來，可就哭起來了。

老安人一見香鈴歸陰城，你看他垜足捶胸放悲聲。說：我兒得病為何這樣快，是怎麼一夜就喪了命殘生？ 我的兒你死一生只顧你，拋下了為娘一身苦伶仃。昨早晨咱們娘兩還談笑，為甚麼轉眼就把為娘扔？ 象[23]你那樣精神伶俐百般巧， 讓為娘怎麼能勾[24]不心疼？ 為娘我就生你們兄妹兩， 從小裏愛似珠寶一般同。你哥哥現今留學在美國， 我也是常常掛念在心中。孩兒你一見為娘我愁悶， 就對著為娘來把笑話明。只誠想常常在家為娘伴，那知道今早偶然把命坑。你這命是讓日本活嚇死， 若不然煞病也靡有這樣。娘只為你們姑娘最相好， 為讓你跟着嫂嫂離門庭。早知有今朝這個凶險事， 斷不能讓你離了娘手中。」老安人越哭越痛淚如雨， 好比似萬斛珍珠滾前胸。後堂裏安人哭的如醉酒， 又聽那丫環[25]過來裹一聲

話說安人正在房中痛哭愛女，只見跑過來一個丫環，說道：「太太不好啦！ 我方才

--------------------------------

**20** 夠.
**21** 朝.
**22** 蹬.
**23** 像.
**24** 夠.
**25** 壞.

起來，上前堂掃地，只見我們少太太吊在梁上死了！」岳老夫婦說道：「怎麼你少太太吊死了？」丫環說：「吊死了。」他夫婦一聽此言，慌忙跑到那屋中，只見愛戴吊在梁上，急命丫環將他解下來了。環上前解下來，放在坑[26]上，已經挺屍了。老安人一見，又痛哭了一氣，遂命家人，上街買了兩口棺材來，將他姑嫂成殮起來。岳懷嵩說道：「夫人你在家中也不要哭，多哭也是無益。我去上那審判廳，告日本人，與咱姑娘媳婦報仇要緊。」安人說：「你去吧。」

於是岳懷嵩出了家門，來到審判廳，見了廳長雷地風，把香鈴嚇死，愛戴吊死之事，對他以[27]說，雷廳長說道：「我怕有此事，到底靡免了。此事昨日出差回來對我一學，我就知令愛病不好，可靡尋思你那兒媳自盡之事。到如今你也不必憂愁，我必讓那三個日本賊，與他姑嫂抵腸[28]也就是了。」懷嵩說道：「大人你酌量只[29]辦去吧。」遂辭別大人，回到家中，命人將他姑嫂埋葬了。單聽那雷大人處治日本賊的信息。

單說那雷地風送走了岳懷嵩，立刻升堂，把那個日本人提出獄中，問成死罪，定了一強姦幼女，致傷性命的案子，遂急拉到法場斬首。那岳老人夫婦聽說，甚是結[30]恨。

且說雷廳長，將那三個日本賊斬首，當時驚動了滿城日本人，一個個來到他們領事衙門，把此事對他們的領事以[31]學。他那領事聞聽此言，急忙修了一封書子，打到漢城統監衙門。

那伊藤當日接了這封書子，暗中就想出來一個破壞高麗的毒策，遂坐上車子，到韓國總督府，見了李完用諸人，說道：「咱兩國通商，我國人在你們這邊，要是犯了罪案，宜送在我國領事衙門定罪才是。現在有我們國三個人，在那平壤地方，不知做了甚事，就說他們強姦婦女，遂定了死罪斬首。我國裏自來就靡死罪，就是有死罪，也當宜送到我們的衙門發落，你們斷不可私自就殺了。看起來，我國人受你們的法律壓迫，真是可惜。從今後，你國的審判廳，全得歸我辦理。要不然，你這國家，也靡法保護我們的人民，受你國的屆也是太大了。今天我與你們知道，明天我就實行，愛答應不答應？」說罷坐上車就回統監衙門去了。那李完用等一個個啞口無言，甘[32]

-----

26 炕.
27 一.
28 償.
29 着.
30 解.
31 一.
32 乾.

聽着人家日本人去辦。到後來高麗審判權, 又歸了日本人手, 可就越[發]的不好了。

伊藤侯本是一個毒辣男, 一心要奪取高麗錦江山。將財政巡警到手還無厭, 又奪了高麗國的審判權。日本人肆行姦淫韓婦女, 還說是他國人民受熬煎。硬說是高麗法律不完善, 遂把那審判之權奪手間。韓國的廳長權事全撤吊, 盡要他們那些日本的官, 打官司任着他們胡判斷, 斷錯了誰也不敢說一言。有一人若是不服把他抗, 立刻就讓他一命歸陰間。高麗人有禮說無禮, 日本人無禮也占先, 怎說是日本無禮把先占, 都因為他們刑法不一般, 日本國無有斬首刑一件, 犯大罪不過充軍十幾年。韓國裏有那斬殺刑一件 高麗人犯罪就把脖[33]兒掀 有一點小罪就把大刑上, 你看那高麗人民多可憐。日本人願意怎的就怎的 無一人敢與他們把臉翻。日本人拿著高麗當牛馬, 讓飲水誰也不敢把草浪 現如今高麗已經滅亡了 那日本不久就到咱這邊。咱國的權力要是到他手, 也不能好好來把咱容寬。那時節還須比著高麗甚, 眾明公想想慘然不慘然。我今日說到此處住一住, 等著明公想咱們再言。

---

**33** 脖.

朝鮮主權外漸，君臣猶在夢中。留雲浦上顯良農，立會倡言革命。日人姦淫婦

女，天理所不能容。周氏二娘義氣生，要與日人拼命。


上場來『西江月』敘罷，書接上回。上回書說的是那高麗國的審判權，全歸了日本人

手中。日本人得了審判權，就無所不為，就是犯什麼大罪，也靡有死罪。那高麗人少

有一點罪過，就坐監下獄。日本人無論怎麼欺侮高麗人，高麗人不敢伸冤告狀，獨

只為那審判官，全是日本人。要告狀也不能與他們爭理。所以那韓國人，一個個含

冤負屈，無可如何，真是讓人聞之落淚呀。這且不再話下。

單說在平壤城裏，有一個開妓館的日本人，名叫奚谷松，是那三個日本賊的朋友。

當日聽說他三人讓地風殺了，心中甚是懷不憤。後來打聽人說，將他三人是說張氏

兄弟捉住他那三個朋友，於是想出個壞道來。他國的人會了十幾個，說道：「你們

莫聽說咱國人，讓雷地風殺了三個嗎？」那些人說：「我們聽說，但不知是何人捉住

的。」奚谷松說：「我原先也不知道是何人捉住的，後來聽人說，這城北有一個留雲

浦，那處有一座落雁山，山北有張姓兄弟二人，將他們捉住。要不着他們捉住，咱

國人焉能被殺呢？我今天將你們請來，想要上那留雲浦，將那張讓、張達殺死，好

解咱們心頭之恨。但是光聽人說，並不認識他們，這也是一樣難事。」內中有一個日

本人說道：「我認的。他們前一日，我在他們手中買過皮子，我還知道他的住處呢。」

奚谷松說道：「這更好了，咱們就殺他二人就是了。就是殺了他二人，咱們也不抵

償，不相[1]原先審判權，在他們手中那個時候了。你們願意不願意？」那些人一齊說

道：「很好，我們全都願意去。替咱們那三個朋友報仇。」奚谷松說道：「既然如此，

咱們就去吧。」於是大家收拾收拾，也有帶手鎗的，也有帶刀子的，也有帶二人奪

的，一齊出了平壤，可就撲奔留雲浦走下來了。


好一個賊子名叫奚谷松　一心要替她朋友報冤橫　領著同人也有十幾個　一個個

--------------------------------------------------

**1**　像.

揚眉怒目賽毒蟲。齊說道：「今日去上留雲浦，找一找張讓、張達二弟兄，要
能勾[2]將他二人得在手，一定是扒皮喫肉挖眼睛，與咱那死去之人把仇報，解
一解咱們心頭火一宗。」日賊徒一行說着一行走，眼前裏來到張氏那屯中。我看
那張氏兄弟大門首，一齊闖進屋子要行那凶。偏趕上他們兄弟出了外，所以才
未能遭在毒手中。眾賊子一見他們出了外，齊說道：「今天白走這一程。」那個
說：「既來不要空回去，將他那炮手窩棚用火轟。」賊子們說著說著點上火，忽
啦啦刮刮刮大火照天紅。眾鄰人一齊上前來救火，看見了日本人發楞怔，齊說
道：「這火必是他們放，若不然他們到此為何情？」奚谷松一見鄰人來救火，當
是那張氏兄弟轉回程。一齊的要上前去把手動，那鄰人個個吓的戰兢兢。拿起
腿來往回跑，眾賊子後邊追趕不放鬆。眾鄰人跑到家中門閉上，日賊人才知不
是他弟兄。說道：「是今日雖然未得住，等明日再來殺此人二名。」眾賊子一行
說著回裏走 眼前裏來了張氏二弟兄。

話說張氏兄弟，這日正在山上打圍，忽然看見家中起火，急忙的抗[3]起鎗，就往家
跑，中途路上與那些日本賊，見了對沖面。那個買過張讓兄弟的皮子。那個日本人，
一見他兄弟跑過來，說道：「這就是他們兩個，咱們還不下手,等待何時！」於是一
齊抽出刀鎗，望前就闖，可就不好了。

眾賊子一見他們眼氣紅，從腰間亮出刀鎗要行凶。忽啦啦將他兄弟圍在內，扣
手仗打的實在令人驚。他兄弟雖皆有鎗不中用，而且那寡不敵眾是實情。那張
讓張、達雖然是好漢，怎能勾[4]敵擋日人十數名？況且說倉卒之間不防備，被
賊人一齊打倒地流平。用刀子刺在他們心口上，可惜他兄弟二人喪殘生。眾賊
子殺了張氏兄弟兩，將尸首扔在落雁山澗中。留雲浦眾賊殺死人兩個，一個個
心滿意足回了城。眾明公聽聽日本恨不恨[5]？青天白日就殺了人二名。高麗人
受這樣大冤無處語，尋思起讓人心中甚難容。他國人所以受那日本氣，都只為
國家無權那一宗。他國主權若不歸日本手，有冤屈怎的也不能無處鳴。咱中國

---

2　夠.
3　扛.
4　夠.
5　狠不狠.

主權若歸外人手，咱大夥也與高麗一般同。眾明公聽着此話怕不怕？這不是虛言假語來胡蒙。從今後好好把咱國權力保，才不能受外國人他欺凌。你們要拿着此事當笑話，簡直的不如禽獸與畜生。非是我今日說話嘴兒冷，我是怕咱們性命被人坑。押下此事咱且不表，再把那農夫懷憤明一明。

話說那奚谷松等，把張氏兄弟殺了，回到平壤城裏。由此那些日本人，常上那留雲浦攪亂，無故的搶奪財物，姦淫婦女。騾馬牛羊，說拉去就拉去，買東西也不給錢，不賣還不中。莊稼在地裏，硬割着餵馬。種種的暴虐，令人實在不忍言啦。由此天長日久，就也惱了留雲浦中三個莊稼人。這三個莊稼人，一個叫周正，一個叫李得財，一個叫崔萬金。他三人家中，皆種着好幾十垧地，莊稼未割，就讓日本子先造害了不少。耕田的牛馬，又讓他們牽去十幾匹。家中的婦女也不敢出門，一出門遇着日本人，就得不着好咧。他三人一看這事，是實在教人太已過不去，不得了告狀去，官又不與作主。遂會到了一塊，周正說道：「兄弟們哪，這日本人的欺侮，真是讓人受不了啦。咱們要還一味老實，何日能勾[6]有頭呢？」李得財、崔萬金說道：「兄長有何方法，能使日本人不欺咱們呢？」周正說：「我倒有一個拙見，就是把咱們這村中，大大小小人家全請來，我這西廂房空着，又寬敞，將他們請來的時候，在我這廂房裏，大夥在一處議議。人多見識多，誰要有好道說出來，免去受日本的欺侮，豈不是咱大家的幸福嗎？」崔、李二人說道：「這條道不錯，咱們就這樣的辦法吧。」於是周正打咐幾個伙計，說：「你們去把咱屯中，各家的當家的請來。」

伙計去了不多一時，各家全叫來，到也有一百二十餘人。周正一齊讓到廂房，那些人一齊說道：「周正大爺把我們找來，有何話講？」周正說道：「無事不敢請諸位到此，只因為咱這屯中，屢次受日本人的欺侮。」眾人以[7]聽「日本」二字，一齊潑口大罵。周正說：「你們先不要動怒，我尋思咱們受日本人的欺侮，伸冤無地，告狀無門，這個欺侮何日得了？所以把你們請來。大家在一家商量商量，誰要有道，可以說上一說。」只見內裏出來一個老莊稼，名叫劉福慶，說道：「老夫有一條拙見，你們大伙願聞，聽我道來。」

------

**6** 夠.

**7** 一.

劉福慶站在那邊開了聲，尊了聲：「老少爺們聽分明： 日本人在咱國中行暴虐，無故的姦淫婦女胡亂行。好莊稼他們割著餵了馬，買東西不與錢來不與銅。到屯中無所不為財物搶，又奪取騾馬牛羊好畜牲。婦女們不敢出門把親串，恐怕是遇見他們來行凶。張氏兄弟被他們殺的苦，尋思起眞是讓人痛傷情雖有那天大冤枉無處訴，告狀去官也不與把理爭。這個國明明是咱高麗國，那權力全在日本人手中。日本人說怎就算怎麼的，咱國裏靡有一人敢出聲。咱大夥生在韓國為百姓，好比似下了地獄一般同。人家讓活著咱們不敢死，人家讓死咱們不敢生。死生權操在日本人的手，咱們有多少屈情無處控。依我看怎麼也是一個死，到[8]不如與他們把命去拼。他要是再上這裏行暴虐，咱們就要排家伙把他攻。從今後就與他們硬對硬，再要來欺負咱們就不中。咱大家立下一個雪耻會，老夫我就在這裏為頭領。老夫我今年六十有四歲，在陽間能有幾年壽祿星？要能使咱們不受日本氣，我就是死在九泉也心甘。你大夥全要像我這個樣，把那個「生死」二字一傍扔。如果是因為這個喪了命，到算是男兒有志義氣橫。日本要知進知退算拉倒，要不然我就與他把命拼。這就是老夫心中一拙見，你大家看看可行不可行？劉福慶說罷前後一些話，只聽那扒[9]掌排[10]的如雷鳴。

話說那劉福慶說罷了一片言語，眾人一齊拍掌說道：「這個道對，咱們靡有別的方法，就得與他們對命。他們要怕死，咱們可就能安然兩天。」劉福慶說：「你都要願意了？」眾人一齊說：「是願意。」福慶說：「你們既然願意，望後要跟日本人打仗，可要哈出命來。」眾人又說：「我們全哈出來了。劉大爺，你說怎辦就怎辦吧。」福慶一看，他們意思全成了，遂在周正廂房，立了一個農夫雪耻會，自己為會長，選了一百五十多年青有力的人，買了些子藥，預備下些個傢伙。那日本人一上他們屯中攪亂，那劉福慶他就着人破死命的去打。由是那日本輕易不敢上他那屯中去攪鬧了。押下此事,暫且不表。
單說被日本吉田所害的那周忠兄弟三個, 有一個姐姐, 名喚二娘, 許配於漢城孫光

---
8 倒.
9 巴.
10 拍.

遠為妻。後來孫光遠因為漢城日本屢次為亂，他夫妻就搬在平壤會賢莊，與那劉眞生街東街西住着。那週二娘自從搬出漢城，因為道遠，十餘年也靡回去住家。心中常常掛念他那三個兄弟。這一天聽人說，周忠們讓日本害了，二娘一聞這個凶信，就痛哭了一場，心中想道：「我幾個兄弟讓日本人害了，我必與他們報仇才是。」又因日本人屢次各處姦淫婦女，越發動觸二娘心中之怒，自己說道：「兔死狐悲，物傷其類，我們當婦女的，受這樣的冤枉，無處可訴，都不如哈上這個性命，與日本人對了。我想單絲不線，孤樹不林，我一人有多大本領，也不好乾甚，我不如將這屯中的婦女，連[11]合到一處，在屯中那邊箕子廟內，立下一個婦女報仇會為妙。」主意已定，遂先連[12]合了自己九個同心的女人，後又連[13]合各家。

各家婦女一聽這個事情，無有一個不願意，遂都來到箕子廟內，那二娘等已經先在那裏等着呢。婦女一共到了一百八十餘人，就在那廟的西廊房，開了一個大會。只因這廟的西廊房是一個戲台，棹子椅櫈俱備。自從那日本人時常作亂，就永久不在那裏唱戲。當日他們到了屋中，周二娘讓眾婦女們全部坐下，他自己走至舞台以上，對着大夥，可就講起話來了。

　　周二娘邁步上了舞臺間，你看他滿臉帶笑開了言。尊了聲：「列位姊妹且洗耳，我今有幾句話兒陳面前，咱國裏君王無道賢臣少，遂把那國計民生扔一邊，他君臣但知朝端享富貴，那知道國政被那日本專。那國政歸了日人不要緊，最可惜咱們婦女受熬煎。白日裏不敢出門把親串，到夜晚宿在家中還膽寒。獨只爲日人肆行淫婦女，一遇見他們就算犯了天。可歎那嶽家姑嫂招污辱，落了個年青幼小染黃泉。這事情放在心中實難忍，又況且咱們全然一般。淫他們焉知不把他們淫，到那時你看可憐不可憐。兔死狐悲物且知傷其類，況咱們位列三才在人間。依我看怎麼也是難逃避，知何時他們攪亂到這邊？到不如今日想個對付策　也省著天天害怕在家園。從今後立下這個復仇會，各人家把這心志堅一堅。把那個「日本」二字存心內，別讓他無故到此羞辱咱。倘若是他們到此行暴虐，咱們就哈出死命把他攔。要能勾[14]除治日本人幾個，算是

---

**11** 聯.
**12** 聯.
**13** 聯.
**14** 夠.

替岳家姑嫂報上寃　讓他們見着咱們不害怕，要因為此事死了也心甘。縱就是因為這個喪了命，社會上也是赫赫有威嚴。世上人雖活百歲也得死，這個死比著羞辱強萬千。這是我周氏二娘一拙見，你大夥看看完全不完全？」周二娘說罷就把舞臺下，又聽的那些婦女把語言，這個說：「這方法兒時狠[15]好。」那個說：「任死不受羞辱寃。」這個說：「治他要把錢來用，我哈出折賣首飾與簪環。」那個說：「要把日本趕出去，我情願日日曲膝叩老天。」這個說：「賣了衣服我情願。」那個說：「破了家業也心甘。」這個說：「任只挨冷不受氣。」那個說：「受餓也佔了這個先。」正是他大傢夥說了氣話，又只見內中一人開了言。

話說那些婦女正然說氣話呢，只見內裏走出三十餘歲婦人說道：「我看咱們人心是狠[16]堅固，這個復仇會，算是能勾[17]成立了。但是靡有頭行人，咱們還是得舉兩個頭行人才是。」

單說這個婦人，名叫李三姐，是那劉愛戴的表姊，素日與愛戴最知。近後來聽說愛戴身死，他心中甚懷不平，想想要替他表妹報仇。當日聽周二娘說立報仇會，他就極力跟着提倡。當日說完了這一片話，那些婦女說道：「可也是呀。」遂公推周二娘為正會長，李三姐為副會長，將他們那會起了一個名，叫作婦女復仇會。這個會以[18]成立，那日本人要到他們那屯中作亂，這些個婦女就首先反對。日本人看會賢莊的民氣甚凶，他們也不敢無故的去作亂了。那位爺說啦，高麗國地方最多，怎麼單道兩下的莊稼人婦女知道大義呢？但不知這個地方，都是侯元首報館感化的原因。若不然，他兩處那能這個樣子呢。

高麗國政治腐敗主權傾，他君臣猶且昏昏睡夢朧[19]。日本人在他國中行暴虐，害的那韓國百姓好苦情。侯元首憂國憂民開報關，感動了留雲浦上眾良農。劉福慶義氣倡興雪恥會，領鄉人攻打日本眾賊丁。周二娘箕子廟內也立會，連[20]

-----------------------------------

15 很.
16 很.
17 夠.
18 一.
19 朦朧.
20 聯.

合了無數婦女顯威風。自從這雪恥復仇兩會立，日本人不敢無故把凶行。日本人不是不把烈害怕，都因為人民不敢把他攻。為人的能勾[21]哈出命不要，那賊徒也得稍微減減凶。論起來農人婦女最卑陋，還知道雪恥復仇把君忠。高麗人要是全能這個樣，他們的江山土地那能扔？留雲浦農夫知道忠君義，會賢莊婦女曉得愛國誠。這也算高麗國中一特色，看起來農夫婦女那可輕？這都是侯弼報館化的廣，開報館這個功效了不成。韓國裏要能多有幾個報館，未必不是開化民智第一宗。莊稼人看能全能知大義，為甚麼動不動與他把門封？說是禁報館就能把禍免，這個話囫圇傻子許能行。我中國人民也有四百兆，全當宜把「日本」二字放心中。也當宜學學福慶去對命，也當宜學學二娘不惜生。如果把「死生」二字拋開手，那管他日本逞雄不逞雄，要犯着就與他們把命拼，那日本自然就得望後鬆。東省人尤當注意這件事，斷不可胡哩胡塗度時冬，要等著土分分與外人手，那時節就是哈出性命也不中。眾明公及早回頭就是岸，別等著刀壓脖子才想便[22]威風。這個話諸公好好想一想，我不是無故讓你們把命扔。都是為早晚不免那一頓，我才讓你們大家把命憑[23]。如果是憑命保下東三省，你們那子孫也能享太平。若但知眼前活著就算好，到後來那個苦處說不清。當奴隸子子孫孫不換主，眾明公你看苦情不苦情。編書的磨破舌尖來相勸，望大家可別當作耳傍風。書說到此處咱們拉倒吧，且等着下回書裏再改更。

---

**21** 夠.
**22** 使.
**23** 拼.

方今世界各國，貧富強弱不一，弱國之民少智識，何以能勾[2]獨立，欲想轉弱
為強，除非廣開民智，開談宣講有利益，勸化人人自治。

『西江月』罷，書接上回，說的是那韓國的婦女復仇，這個咱們先押下不表。再說那
高麗國的那些學生，在美國留學，光陰似箭，日月如梭，轉眼就過了三年。這年岳
公、金洪疇、李範允、陳聖思、陳聖暇、曹存、姜[3]述白、李俊八人在陸軍學堂畢業，
寇本良、趙適中、孫子奇、高雲、周莊五人在理學專科畢業。這些個人為國家的計
大，皆知道用功，所以到畢業的時候，名字全列在最優等。住陸軍學堂的，學了一身
好武藝，寇本良學了一肚子醫道，趙適中、孫子奇學了些個機器製造之學，高雲學
的是博物，周莊學的是理化，皆學的狠[4]精妙。趕到考究了畢業，領了文憑，他十三人
就商量只[5]回國。寇本良說道：「後天是星期，咱們那天走吧。」岳公等說道：「好，
後天金有聲他們還有空，省着明天走，他們還耽誤工夫來送咱們。」遂一齊把東西行
囊收拾妥當，次又到在法政學堂，見了金有聲諸人，把回國之事，對他們以[6]學。李範
允說道：「你們要得家信，可要早早寫下，省着到後天招[7]急。」金有聲說：「那是自
然，趕到後天，我們早早的上你們那去，一來替你們搬東西，二來與你們餞行，豈不
是好嗎？」大家在一處，談了一會，寇本良等可就回去了。
到了後天，他們全會在一處，將東西搬到火車站上，起了票，上了車，將東西安排好
了。金有聲買了些酒飯來，擺在客車以內，眾英雄團團圍住。有聲對着本良等說道：
「你幾位今日回國，相見不知何日，咱們大家今天，在一處痛飲一場吧。」於是與每人
斟了一杯，眾英雄一齊開懷暢飲。安重根從那邊說道：「各位兄長，今日回國，小弟
有幾句言語相奉，不知諸兄願聞否？」寇本良等說：「賢弟只管講來，我們靡有不願

---

1　返.
2　夠.
3　韓.
4　很.
5　着.
6　一.
7　着.

聞之理。」重根說：「既然如此，請小弟道來。」

安志士未從開口笑笑吟，尊了聲：「列位兄台聽我云：咱大家本是韓國求學子，那耐得身居異域商家門，都只爲國家軟弱人民闇，咱這才來在美國求學問。有學問然後才能作大事，還不憚飄零異域三四春，諸公們今日畢業回故里還要把來時之意放在心　可不要貪圖榮華希富貴，把那個國計民生當笑頻。可不要曲膝承顏媚日本，把那個國家之恥置妄聞。要果然昧着良心去作事，怎對那鄉間父老與親鄰？，不能勾[8]保國又道敗壞國，社會上千秋萬世罵名存。量諸兄一定不能這個樣，但是我不能不這樣規箴。咱國裏君臣昏昏政治壞，要圖強除非開化眾人民。倘若是咱國人民全開化，何必拘區區三島日本人，要想使人民開化知道理，除非是着[9]天宣講化愚蠢。勸化人都要時時求自治，勸動人不要虛度好光陰。辦煞[10]事要把國家存在意　斷不可貪圖富貴把日親。望諸兄到家把宣講設立，講自治使喚他們耳目新。咱國裏要是人民全開化，然後再倡辦鄉團擴武軍。如果要鄉團擴充武備整，自能勾[11]保全國家永久存。望眾兄回家先要辦此事，候一年我們也要轉家門。那時節大家同心把國治，或者能保全疆土不被分。」眾英雄一邊說著一邊飲，忽聽那火車氣管響呻吟。重根說：「火車放氣是要走　咱兄弟不久就要兩下分。」重根們全都掏出一封信，讓他們隨便給帶到家門。說話間火車放了三過氣，眾英雄無可奈何把手分。對着面一齊施下周公禮，說一聲：「一路珍重少勞神。」重根們這才下了火車上，但見那列車忽忽起了身。一個個愁眉不展歸學校，躺在那床頭以上淚滿襟。不論那有聲諸人腮含淚，再把那歸國英雄云一云。

話說寇本良十三人，辭別了金有聲等，那火車也就開了，只聽的兩面忽忽風响，扒着窗戶，望外一看，只見那村莊樹木，隨風而倒，轉眼之間，就是十幾里，眞正快的非常。他們坐火車，走了十幾天，出了美國的陸地，到了太平洋，又坐上輪船，由舊金

----

8 夠.
9 整.
10 啥.
11 夠.

山奔檀香山, 由檀香山奔日本, 走了兩月有餘。這日到了日本海, 望見對馬島, 寇本良說道:「眾兄弟們哪, 前邊來到對馬島了, 離咱家不遠啦。」大夥一齊扒窗去望, 說道:「可不見怎的?」一個個喜的坐臥不安, 可就言講起來了。

> 眾英雄望見對馬在前邊, 一個個心中快樂面帶歡[12] 齊說道:「飄零在外非容易, 今日裏可一下子轉家園。歸至家父母妻子重相會, 再與那親戚鄰右把話談。也不知國現在什麼樣子, 也不知各樣新政添不添, 也不知日人暴虐減未減, 也不知全國人民安不安。咱大家努力同心把事做, 顧持那江山社稷不來完。把那些日本賊人趕出國, 咱大家再把新法頒一頒。也那[13]那共和主意倡一倡, 也把那專制毒政改一番。老天爺如果隨了人心願, 也算咱全國人民福如山。」眾英雄說說笑笑望前走, 這一日到了仁川境界邊。只聽那三通氣畢船攏岸, 一個個搬這[14]東西下了船。旱岸山僱了車子正五輛, 極將那東西搬在車上邊。他幾人到此也就要分手, 又聽的本良那邊把話言。

話說寇本良十三人, 到了仁川上岸, 僱了五輛小腳車, 寇本良、岳公、陳聖思、陳聖暇、趙適中、孫子奇六人兩輛車回平壤, 金洪疇、高雲、韓[15]述白三人坐一輛車, 回安平[16]北道, 李範允、曹存、周莊三人坐一輛車, 回盛境[17]道中岑鎮, 李俊自坐一輛車回漢城。他們當下安排妥當, 將東西搬在自己所坐的車上, 拾道已畢, 就要各歸本里。寇本良就道:「你們到家, 可千萬要辦自治, 各處宣講所, 好開化咱國百姓的智識呀。」李範允說:「那是自然, 咱們回國, 若不先由着開化民之入手, 怎麼能保全國家呢? 我們到家就辦自治事, 然後再提倡鄉團。那鄉團若是全立齊了, 未必不是保全國家一個好道。」寇本良說:「既然如此, 我也就不必叮嚀了。」於大[18]大家對着, 皆使[19]了一禮, 然後各人上了各人的車子, 車夫趕起, 各歸本鄉而去。

---

12 歡.
13 把.
14 着.
15 姜.
16 平安.
17 咸鏡.
18 是.
19 施.

單說寇本良幾人，坐上車子，出了仁川，夜宿晚行，非止一日。這日到了劍水驛，陳氏兄弟先到了家。本良四人，又走幾日，也就到平壤。岳、孫、趙三人各歸本家。寇本良來到雲府，進了書房，此時書房已經改成報館了。本良到至屋中，叩拜了元首。元首一見本良回來，樂的喜出分外，急命本良坐下。此時就有一人報到後宅，那安母雲老夫婦，一聽這個消息，一齊來至書房。本良一一的見了禮，大家然後坐下。元首說：「本良，你可以將你們上美國這幾年的事情，並你今天回國所想辦的事情，襯[20]着今日有空，可以學學與我們大夥聽聽。」本良說：「大人既然願聞，聽我慢慢的道來。」

冠本良一見元首開一聲，他那裏滿面代[21]笑把話明：「那一年我們離家遊美國，路途上收了三位好賓朋。第一位他的名叫李範允，還有那周莊、曹存人二名。他三人家住盛境[22]中岑鎮　與我前去遊學赴了美京。到仁川有聲結了九位友，也都是上那美國留學生。漢城裏李家兄弟人三個，就是那相窩[23]、李俊合[24]瑋鐘。李樹蕭本是親王應藩子，還有那安平[25]北道人五名。金洪疇、吳佐車人兒兩個，韓述堅、韓述白本是弟兄。還有那一位高雲讀書子，我大夥會在一處奔前程。一齊的坐上輪船奔美國，這一回去了二十單八名，水旱路一共走了七十日。那一日來在美國京城中。我大夥一齊到了外務部，見了那美國大臣名華聽。那華聽看了恩師那封信，將我們全都留在學堂中。入他國陸軍學人兒八個，學的行軍步陣是好武功。如他國裏學專科人五位，學的是化學物理並農工。剩他們十五位人入法政，學的是法律憲政那幾宗。我在那理[26]學專科學醫理，過三年就領畢業大文憑，陸軍學堂三年也把業來畢，法政學比我們多著二年功。這一回我們畢業十三位，全都是最優等的畢業生。領文憑我們這才回了國，在道上走了兩月有餘零。回家來想若倡辦宣講所，講自治勸化人民善心生。想只要保全國家無他道，必得使人民全有愛國誠。這是我已來未來那些事，倡自治事我要

---

**20** 趁.
**21** 帶.
**22** 咸鏡.
**23** 高.
**24** 和.
**25** 平安.
**26** 里.

緊事一宗。」冠本良說把[27]前後一些話，又聽的侯彌那邊哼一聲。

話說寇本良說罷一片言語，元首從那邊說道：「你這個倡自治的見識倒狠[28]好，你望後就可以張羅着去辦。若是辦成以後與我的報館相輔而行，那人民或者能多開化幾個。」本良問：「金玉均先生那裏去了？」元首說：「咳，那玉均先生從你們走以後，與我開這報館，甚是熱心，只因去年四月之間，在背上生了一塊惡瘡，醫藥不效，數日而逝，於今已經一年有餘了。」本良聞言，歎息了一會。雲大人又訪問了美國些個風土情景，又說了本國種種失權的事情。本良又將重根等捎來的信，一一的交了。當日天色已晚，安母與雲大人，全都回了後宅，由此望後，本良就在平壤城裏，立了幾處宣講所，着[29]天同孫子奇等，在那演說，勸化百姓。這且不再說下。
單說岳公這日到了家中，見了二老爹娘，參見已畢，岳老夫人說：「兒啦，你幾時從美國起的身？在那駐[30]的？是甚麼學堂？學了些甚麼回來？」岳公遂將住的甚麼學堂，學的是甚麼，幾時領的文憑，幾時回來的，一一的對父母學了一遍，又問岳安人說道：「香鈴妹子，上那鄉去了，是出了閣怎的，可是[串]親戚去呢？」老安人說：「兒啦，你要問你那妹妹，真是讓人一言難盡了。」

岳夫人未從開口淚盈盈，叫了聲：「我兒岳公聽分明：要是問你那妹子香鈴女，提起來真是讓人痛傷情。那一年你的岳母得了病，你妻子與你妹子離門庭。去上那會賢莊裏把親串，中塗路遇見三個日本人。走至那落雁山中起了壞，硬拉著你那妻妹要行凶。多虧那張讓，張達弟兄兩 將賊人捉住送到審判廳。到後來香鈴得了驚嚇病，一晝夜喪了他的命殘生。你的妻羞愧難當上了吊，他姑嫂一同歸了枉死城。我的兒光在美國求學問，那知道咱家出了這事情。」岳公他聽了安人這片話，不由的無名大火望上沖，手指著漢城以裏高聲罵，罵一聲：「日本狂賊名伊藤，都是你施下毒辣坑人策。硬要奪我的高麗錦江城，拿取了我國權力真可恨 你國人還在此處來行凶。種種的暴虐之行全由你，羞污我妻妹之事最難容。這冤仇今日要是不報報，我岳公枉在陽間走一

-----------------------------------

**27** 罷.
**28** 很.
**29** 整.
**30** 住.

程。正是他咬牙切齒高聲罵，又聽的懷嵩那邊問了聲。

話說岳公正在那裏大罵伊藤，岳懷嵩說：「我兒不要這個樣子。你那妻妹雖然身死，那三個日本人，尚與咱們抵了償。現在日本人的暴虐，比先前還甚着多少倍呢。我兒不知，聽為父我對你學一學吧。」

岳懷嵩坐在那邊開了聲　叫了聲：「我的孩兒名岳公，我的兒，你今離家三四載，咱國的權力全歸人手中。只因為咱過欠那日本欵，那伊藤施出一種狠毒行。硬將咱國財政權柄奪在手，作甚事伊藤不與錢與銅。他國人無故打傷好人命，又奪了咱國巡警權一宗。審判權他們也是握在掌，咱國裏君臣誰也不去爭。是權力全都歸了伊藤手，咱這國想要保全怕不能。這都是伊藤一人想的道，將咱國人民害的好苦情。我的兒，你今回家看一看，日本人現在實據了不成。」岳懷嵩說罷前後一片話，到把那岳公眼睛活氣紅。

話說岳公又聽他父親，說了一片國家失權的話，氣的他心驚肉跳睛暗的，說道：「伊藤這個賊呀，無論何時，非將他刺死不可，好解我心頭之恨。若不然，這口怨氣何時出呢？」

你看他主意以[31]定，就在家中住了兩日，這日去上雲府，拜見元首，談了一會，就到那寇本良之屋，說：「兄長，我今天有件事情相求。」本良說：「賢弟有何事情？只管講來，何必拘之呢。」岳公說：「我想求你做幾個炸彈子。」本良說：「你要那個做甚麼呢？」岳公遂將要刺伊藤之事，對他一學，本良說：「這事恐怕是不容易。」岳公說：「做成了，得便就刺了，不得便就罷。」本良說：「你候幾天，我與你做三個，也就夠用了。」

於是岳公回去，等了三天，本良與他做了三個炸彈。這本良他怎麼能會作炸彈呢？皆同他在美國住了三年，醫學專科，所以他會做。本良將炸彈做成了，交與岳公。這岳公得了炸彈，就想上漢城刺伊藤去。正是：

------------------------------------------------

**31** 一.

準備雲弓射猛虎，安排香餌釣鰲魚。

畢竟不知後事如何，且聽下回分解。

第四卷

話說寇本良炸彈遞於岳公，岳公接過一看，這兩個炸子，是用一條藥線連在一處，每個有酒杯大，外面用黃銅葉包着，裏邊藏着鋼子與炸藥，那條藥線，通在裏邊。岳公看完，對着本良說道：「兄長你做這個炸彈，怎麼與我在美國看見那個不一樣呢?」本良說：「怎麼不一樣?」岳公說：「那個無有這條藥線。」本良說：「這是新出的樣子，賢弟你不知道，我對你說上一說。」

　　本良開言道：賢弟你是聽：提起這炸彈，實在令人驚。那一年日俄開仗首山搶，日本人屢次不能佔上鋒。到後來做出這種炸藥彈，挑了那三千多個敢死兵。將炸彈每人胸前揣一個，將藥綫含在口中不放鬆。空着手首山以上降俄國，俄國人以為他們無改更。將他們個個領至大營內，一個個口中藥綫咬咯嘣。只聽那炸子咔叭一齊响，傷了那俄國兵丁好幾營。那三千餘人也都喪了命，他國家由此可也把功成。這炸彈就是仿照日本樣，想要用就得哈出活性命，藥綫也得含在口，炸子也得揣在胸，對着賊人用牙咬，自能犯火響咕咚。打準了賊人必得死，打不準自己先喪命殘生。賢弟你千萬想一想，別拿着性命當非輕。」岳公他聽罷本良一片話，你看他開言有語話從更：「兄長啊咱們國恥實難忍，要不刺伊藤心不平。哈出我這把生靈骨，探探那黃河幾澄清。要是能將伊藤活刺死，也算是韓國人民福氣生。縱就是事情不成我命死，我情願一死方休照簡青。」本良說賢弟既然意已定，我還有幾句言語向你明。做事情縱若時時加子[1]細，一漏洩機關就了不成。那時節事情不成還招禍，反到[2]使家中老幼不安寕。賢弟呀！這個事情非小可，別拿着這話當作耳傍風。」岳公說：「是我記下了。」本良說：「你要記住就算行。」說話之間天色晚，岳公他拿着炸彈轉家中，押下此事且不表，再說那統監名伊藤。

話說伊藤自從將高麗審判權奪在手中，以後他就僱了些個高麗人，在外邊打聽韓國

--------------------------------

1　仔.
2　倒.

人民的形勢。這一日有一個探子，從平壤回來說是：「平壤百姓氣勢狠[3]兇，那農夫婦女全都立會，與你國人作對，還有報紙在外面鼓吹，現時有人立了宣講所，天天在那勸化呢。」伊藤一聽這個消息，暗自想道：「平壤民氣如此兇猛，又有用報紙鼓吹的，有用宣講所講自治的，像這樣他們那民智那有個不開化？他們那民智若都像平壤百姓那樣，高麗國不是得不到了手了嗎？我不如望平壤走一趟[4]，一來探探那邊的民氣到[5]是如何，二來將他那鼓動人民的那個人，與他消滅了。他們的民氣若不兇，可就不怕啦。」主意一定，先與他國駐平壤的領事打一封電去，讓他在那邊安排公館接待。這封電一發到他那領事那處，他那領事名喚振東三郎。當日接了這封電信，就在他領事衙門裏安排下公館，預備着好接伊藤。

這個風聲一傳，就傳到岳公的耳邊，岳公一聽，伊藤要上平壤來，暗自忖道：「我正愁刺他無隙可乘。今日他要望此處來，我何不在這南門外伺候他，等他以[6]過之間，我就將他刺死，豈不是解了我心頭之恨嗎？」於是又將這個事情告訴於寇本良得知。本良說：「這道[7]狠[8]有機會，你千萬要小心。」岳公說：「那是自然。」這個時候侯元首也知道了，心中狠[9]不願意，只怕事情不成，反惹下禍。那岳公的意思狠[10]堅，他也無可如何，只得聽只[11]他辦去吧。由是岳公天天在南門外等着，這且不表。

單說伊藤發電後，探了兩天，就拾道拾道，帶着一千護衛軍，坐上快車，可就捕奔平壤走下來了。

> 這伊藤坐上快車出漢城，你看他前呼後擁好威風。出城來帶領一千護衛隊，分出了馬隊步隊兩路兵。頭前裏跑開三百快馬隊，後有那五百步隊護軍行。馬隊頭兵丁拿着九音號，吹起來笛笛嗒嗒甚可聽，快車子四面玻璃照人眼，跑起來披嗒扒嗒馬蹄聲。步隊兵左右前後把車護，好一似北辰高掛眾星共[12]。出漢城

----------------------------------

**3** 很.
**4** 趟.
**5** 都.
**6** 一.
**7** 倒.
**8** 很.
**9** 很.
**10** 很.
**11** 着.
**12** 拱.

威威烈烈往前走，人與馬飢食渴飲不稍停。論走也得半個月，說書何用那些
工？簡斷捷說來的快，這一日到了平壤地界中。振東三郎接出二十裏，一齊的
勾奔南門要進城。岳公他早在門裏把他侯，讓過去馬隊上前就行凶。在嘴裏藥
綫用牙只一咬，那炸彈克[13]又一聲了不成。三炸彈一齊暴裂望外打，先炸死行
刺人兒名岳公。該着那伊藤博文命不盡，那彈子未曾傷着他身形。打死了護衛
兵丁人九個，又炸死趕快車人兒一名。大夥兒一齊說是：「有刺客！」護衛隊將
車圍個不透風。巡警慌忙望前跑，看見岳公死屍靈。將死尸抬到領事舘，伊藤
也進了公舘中。振東三郎過來把驚道，又只見伊藤那邊開了聲。

話說岳公見伊藤車子過來，他急忙將藥線咬開，只誠想將伊藤炸死，那知道他那護
衛軍多，未曾傷着伊藤，他自己讓炸子先崩死，眞是可惜。後來伊藤到了公館，命人
驗岳公的尸，看看他是用何物行刺。驗尸之人，驗了一會，回來言道：「那人是炸彈
行刺，看他口中含有藥線，並且他還是崩死的。」伊藤一聽這話，暗自想道：「這人
是姓甚名誰？並且他這炸彈，韓國人也不能會制，其中必有原[14]故。再說此人，要
想行刺，不能他一個人。我想要將此城中之鼓動百姓，與這個行刺的黨徒，可得用
個甚麼法能知道？」尋思一會，忽然計上眉峰，說：「我何不僱此處的人，讓他與我
訪聽。要是有人打聽着實據，我給他五百元錢，他國人見財就能替我辦事。」主意已
定，遂將這事告訴於振東三郎。振東三郎就僱了些高麗人，在外打聽。
這日來了一個二十歲的人見振東三郎振。東三郎領着見伊藤。伊藤命通事問他，
說：「你姓甚名誰？將那刺客的原因，並他的黨羽，一一的說來。」那人對着通事可
就講起來了。

那個人站在那邊開了聲，尊了聲：「通使老爺聽分明：我小子姓關名字叫關
富，有一個外號叫作一包膿。家住在南門以外東胡衕，行刺那些事兒我知的
清。他的家與我離不遠，他的名字叫岳公，他師傅姓侯名元首，在雲府教書
誨童蒙。岳公的同學也有十幾個，前幾年一齊遊學赴美京。侯元首他在家中
開報館，專講究勸化百姓救生靈。今年裏岳公遊學回家轉，還有那寇氏本良

---

**13** 原文: 口+克.
**14** 緣.

人幾名。寇本良在這城中立宣講，着[15]天裏講究自治瞎咕噥。岳公他一心要把統監刺，寇本良與他作了炸彈物一宗物。這事情我寡知道人三個，就是那元首、本良與岳公。我怎麼能知他們是同黨，這裏頭有個原因在其中。侯元首有個使人叫李九，我二人本是八拜好賓朋。這事情全是李九對我講，所以我才知內裏那情形。這本是三三見九實情話，並無一句虛言來假告誦。五百元錢快快給我，我好與李九分贓飲劉伶。那通事聽罷關富一些話，他這才對這伊藤把話明。

話說那通事聽罷關富一片言語，遂對伊藤一說。伊藤又讓通事問那關富，說：「那侯元首、寇本良現在那裡？」通事又問關富，關富說：「在雲在霄府前門房報館裏住着。」通事又對伊藤以[16]學，伊藤遂與關富五百元錢，遂派了十幾名巡警，讓關富領着，去上雲府拿寇本良、侯元首二人。以外又多給關富十元錢，作為酬勞，關富得了錢，遂領着巡警上雲府拿人，這且不表。

再說這領事衙門，有一個茶童，名喚林中秀，本是韓國人，原先在侯弼報館內當過茶童，皆因家貧，元首常周濟他，後來因為別的原[17]故，不在那處，就上日本領事衙門，與那振東三郎當茶童。當日聽關富說元首與岳公是一黨，他就知道伊藤一聽這話，必不能干休，他偷着跑到元首報館。

這時候元首正與本良在那閑論伊藤這次來不知因為煞事，又見林中秀歡歡喘喘跑進來說：「你二人快逃命吧。」元首說：「因為甚麼？」林中秀說：「伊藤自從岳公刺他以後，他就常常打聽岳公的黨羽。今天有一個關富，貪了五百元錢，說你二人與岳公一黨，並把那做炸彈之事全都說了。我想日本人不久就要派人來拿你二人來了。要不速逃，恐怕性命難保。」本良說：「事到其逼，就得垜垜為妙。」元首說：「可也是。」遂急忙備上一匹馬，也靡顧拾道煞，元首騎馬，本良步行，師徒逃難而去。那林中秀也不回領事衙門，自己去了。

單說關富領着巡警，到了街口，撞着李九從那邊來。關富說：「他二人在家沒有？」李九說：「我早晨出來的，方才我迎着他二人，慌慌張張，望東北去了，你們快趕去

---

**15** 整.
**16** 一.
**17** 緣.

吧, 才走不遠。」關富一聽, 可就領着巡警, 捕奔東北趕下來了。

    這關富本是一個古董星, 只為那五百元錢把壞生。對着那振東三郎把話講, 硬說是元首、本良要革命。賊關富領着巡警報舘去, 要捉那元首、本良人二名。不着那林氏中秀把信送, 他二人性命一個保不成。賊李九從中又把壞來使, 關富他才領着巡警東北行。他二人方才出了北門外, 又聽的後邊人馬喊連聲。他二人一見勢不好, 急忙忙往前跑個凶。該着元首命運盡, 坐下馬忽然跌倒地流平。眾巡警後邊開槍打, 可惜那元首一命歸陰城。寇本良邁開大步望前跑, 你看他一溜栽花影無踪　本良他逃命不知何處往　只剩下元首死尸臥道中　可憐他一腔豪氣從今盡, 可憐他滿腹經綸今日傾。再不能鼓動學生遊美國, 再不能飛行報紙化羣生。韓國裏今日死了侯元首, 少一個保國圖存大英雄。可嘆他從小伶仃命運苦, 可嘆他心志堅固赴美京。可嘆他教練農備操鄉勇, 可嘆他奇峯山上打賊丁。可嘆他保全重根母子命, 可嘆他飄零在外好幾冬。可嘆他降志辱身投祖帳, 可嘆他巧言義說金有聲。種種的憂國憂民苦心志, 落了個鎗穿肚腹血濺身形。數十年英名一旦附流水, 到[18]把那恢天志氣落場空。恨只恨賊子關富貪財賄, 害的那元首義士好苦情。縱然是五百元錢將你買, 也不該拿着仇人當恩公。這麼人咱們中國也不少, 要得着生喫他肉也不嫌腥。象[19]這個狼心狗肺誰不恨, 得到手就當把他性命坑。這些事咱們押下且不表, 再把那關富賊子明一明。

話說關富領着巡警, 將侯元首打死, 又去趕寇本良。那寇本良兩條快腿, 他們那能趕的上? 用槍打也莫打着, 只得將元首屍首, 交於振東三郎, 關富自己去了。單說伊藤聽說將侯弼害死, 心中甚是快樂。遂將岳公、侯弼二人的尸首, 用棺槨成殮了。說是此二人雖是刺我, 到[20]算你韓國兩個志士, 我不能不張大他二人的節義,

--------------------------------------------

**18** 倒.
**19** 像.
**20** 倒.

這是伊藤邀買人心的法子。由着元首以[21]死本良以[22]逃, 那平城[23]裏是宣講所報舘全都無了, 那伊藤越發的放心了。住了一個多月, 就回了漢城不表。

單說雲府與岳家將他二人的棺槨領來, 各人拉到各人家裏。那侯元首的棺槨, 雲在霄接在府中, 好好的祭奠祭奠。他那些門人朋友, 都前來哭吊。後來選塊吉地, 埋葬起來。

時人有詩贊侯元首曰: 身悲國弱血心競, 無過韓人元首公。

雖事未成身殞命, 尚留忠義照韓京。

話說雲府將元首埋葬以後, 歸至家中。光陰荏苒, 不覺過了新年, 這日雲老夫[24]人正在書房觀書, 只見家人呈上一封信來。要知此信是從那裏來的, 且聽下回分解。

---

**21** 一.
**22** 一.
**23** 平壤城.
**24** 大.

話說雲夫[1]人這日正在書房觀書，只見家人呈上一封信來。他接過來一看，外皮上寫着是從美國來的，遂啟了封籤，從頭至尾，可就看起來了。

上寫着：「叩稟父母尊前聽，敬稟者孩兒名喚雲落峯。願父母膝下金安身康健，願父母福祉多綏神氣清。孩兒我於今離家五六載，在外邊每思父母淚盈盈。上二年本良回家捎過信，趕以後永遠未捎信一封。現如今我們全都畢了業，安重根榜上列了第一名。我大夥畢業全是最優等，昨日裏領了畢業大文憑。不久的要束裝回家轉，過不去三月就能到家中。望爹娘不要苦苦把兒盼，咱居家不久就能得相逢。」右寫着「闔家老幼均安泰。」左寫着「愚兒落峯燈下沖。」雲大人看罷落峯來的信，你看他急急忙忙後宅行。

話說雲在霄看完了書信，急忙上了後宅，見了老夫人跟安母說道：「咱們那些遊學生，不久要家來了。」安母急忙問道：「有信怎的？」在霄遂將落峰信中之話以[2]學，安母說道：「我兒今日可有還家之信了。」又聽畢業考的第一，把個安母樂的無所措手足了。那雲老夫人說：「妹妹，從今後別念誦你那重根長重根短了。」安母說：「不但是我就是嫂嫂，你也不必念誦盼望你那落峰兒了。」大家談笑了一氣，就專專等他們還家，這且不表。

單說金有聲、李相窩[3]諸人畢了業，領了文憑，呆[4]了幾天，大夥全收拾了，一齊僱上火車回家。趕到海岸，又上了火船，飢飡渴飲，非只一日。這日到了仁川，一齊下了船，僱了幾輛馬車，將東西搬在車上。李相窩[5]對着大眾說道：「咱們大家到家，可千萬要在社會上作事，斷不可貪圖富貴，把遊學的目的扔在一邊。」大家一齊說道：

---

**1** 大.
**2** 一.
**3** 峕.
**4** 原文：扌+呆.
**5** 峕.

「兄長不必多勞, 我們斷不能廣希富貴, 忘了國家。」李相窩[6]說：「既然如此, 咱們就此分手了吧。」於是各上了車子而去。

單說安重根、雲落峰幾人, 坐上車子, 夜宿曉行, 不日到了平壤, 各回各家。重根等到了雲府, 全家相見, 歡天喜地, 談了些一路的景況, 說了些美國的政治。

這時候趙適中、孫子奇聽說他們回來, 也前來相瞧[7]。大家會在一處, 談了一會, 侯珍說：「我叔父跟寇老兄往那裏去了？」雲落峰、安重根也說道：「可是, 怎麼不見他幾人呢？」孫子奇說：「要問他幾人, 你們不要燥[8]急, 聽我慢慢的道來。」

孫子奇未從開口帶悲容, 尊了聲：「你們三位聽分明： 咱高麗歸那日本國保護, 那伊藤在咱國中統監升。用巧言買動咱國大元老, 將權力全都奪在他手中。這權力一歸伊藤不要緊, 最可嘆咱國人民受苦情, 他行出別樣壞事還可忍, 青天白日姦淫婦女實難容。那一年岳公妻妹把親串, 遇見了日本賊人來行凶。他妻妹因爲這個喪了命, 趕到那岳公回來眼氣紅。又加上咱國權力歸日本, 才惹起他那心機火一重。寇本良與他作子三炸彈, 一心要刺那統監名伊藤。到後來伊藤來此把事辦, 岳子他埋伏在這南門東。該着那伊藤老賊命不盡, 炸彈子未曾傷着他身形。岳公他身被炸彈活崩死, 落了個寃仇未報喪殘生。」

他三人一聽這個話, 齊說道：「我說岳公他怎麼未來, 原來如此, 眞是可惜。那炸子怎麼就靡崩着那伊藤呢？ 眞是使人遺恨, 咱們遊學的二十餘人, 未等作事, 先傷了一位, 眞是讓人傷心落淚呀。」雲落峰說：「岳公既然如此, 我那本良哥哥與咱們先生, 他二人可是那裏去了呢？」孫子奇說：「你不要燥[9]急, 聽我一句的一句的道來。」

孫子奇復又開言把話明,「你三人不要燥急仔細聽： 咱先生在這城中開報舘, 各處裏勸化百姓有大功。也不知何人對那伊藤講, 說先生他是岳公黨一名。又

---

6　高.
7　瞧.
8　躁.
9　躁.

說那炸彈原是本良造，遂派了十數個兒巡警兵。上雲府來就把他二人找，這時候有人到此把信通。他二人出離北門去逃難，後有那無數巡警把他攻。一鎗兒將咱先生活打死，冠本良逃難不知奔何程？」他三人一聽元首喪了命，一個個垛足捶胸放悲聲。這一個哭聲叔父未見面，那一個哭聲義父不相逢。這個說我兄不知何處去，最可嘆先生一命歸陰城。一齊的指着漢城潑口罵：「伊藤呀害的我國好苦情！為什麼我國權力你奪去，為什麼讓你國人來行凶，為什麼奸淫我國好婦女，為什麼監理才[10]政警權爭？種種的行凶作惡真可恨，我高麗將久坑於你手中。」重根說：「我父母當年受了日本害。」侯珍說：「不着那個我們那能外邊行？看起來這個宛仇何日了   到[11]不如尋找伊藤把命憑。」他三人哭一氣來罵一氣，淚珠兒點點滴滴濕前胸。雲夫人[12]見他二人哭過甚，他這才走上前來勸一聲。

話說他三人越哭越痛，雲夫人[13]急忙上前勸道：「你三人不要哭了。元首已經死了，哭也無益。不如養養你們的神思，想個方法，保全咱這國家，與元首報仇要緊。」他三人被雲大人勸了一會，這才不哭。侯珍又向子奇問道：「我叔父既被巡警打死，後來怎樣呢？」子奇遂將伊藤怎麼邀買人心，雲大人怎麼接來，埋葬於何處，對他學了一遍。重根說：「先生既死，帶咱們這些情算是無以報了，明日預備下點祭禮，上他的墳墓上哭弔哭弔，盡盡咱們心不好嗎？」落峰等說：「那怎不好呢？」於是大家又說了些國家事情，遂各自散去。

到了次日，安重根、雲落峰、侯珍、雲氏叔侄，一共五人，拿了點祭禮，帶了一個家人，到在元首墳上。一看孤墳三尺，荒草四圍，心中甚是悲慘。重根急命家人擺上祭禮，他五人一齊點香行禮，坐在地下，可就哭起來了。

眾英雄點香已畢坐在塵，一個個兩眼捕蘇滾淚痕。哭了聲：「元首恩師死的苦，白瞎你一腔熱血滿腹經綸。前幾年尚在平壤開報舘，至而今身歸黃土起孤墳。你的那扶國雄心不能展，落了個西風飄飄蕩孤魂。與國家未能立功身先

--------------------------------------

死，豈不是黃泉遺恨百年存？師傅呀！你死一身只顧你，讓我們往後作事靠
何人？」侯珍說：「叔父代我恩情重，從小裏時時保護我的身。只誠想回國團圓
把叔奉，那知道叔父一命歸陰陰。看起來苦命之人誰像你，尋思起眞是讓人痛
傷心。」重根說師傅於我恩更重，提起來實在不能報一分。奇峯山救過我們母子
命，念書時教我費心格外深。在美國僅僅呆[14]了五六載，師傅呀，你怎麼不等
我報報恩？看起來師傅你死非為別的，都是那賊子統監伊藤博文。伊藤賊與我
寃仇深似海，我必然除去老賊把寃伸。」那邊鄉在岫、落峯號啕哭，雲落峯眼淚
滴滴濕衣襟。正是他五人哭元首，又只見遠遠來了四位人。

話說安重根等五人，正是在那裏痛哭元首，只見遠遠來了四人，走至近前一看，乃
是金有聲、黃伯雄、堯在天、錢中飽四人。他四人一齊說道：「你們來，怎麼不與我
四人一個知會呢？」說完了，遂也坐在那裏痛哭一場。哭完了，一齊站起，撮歎一會，
這才一齊轉回家中。

呆[15]了兩天，這一天有孫子奇、趙適中、蕭鑑三人前來造訪。雲在岫等接至屋中坐
下。在岫說：「正想要請你幾人去呢。」孫子奇說：「請我們作甚麼？」在岫說：「你
們不知道，現在咱們已經回國這些日了，也得想着作點事才好呢。」孫子奇說：「兄
長有何高見？請當面言講，要是好，咱們就張羅去辦，豈不好嗎？」在岫說：「既然
如此，聽我道來。」

雲在岫未從開口喜洋洋，尊了聲：「列位兄弟聽其詳：咱大家美國留學五六
載，今年裏才得畢業轉家鄉。現如今到家已經數十日，還得要謀方畫策保家
邦。咱大家要是不去把力用，這個國不久就要見滅亡。想當初咱們說過開民
智，今日裏還得去從那個方。咱國中人民已有數百萬，要去作也非容易事一
椿。我想要在這城中立下會，請咱那諸位同學到這鄉。大家夥同心努力把事辦
立下個愛國大會在平壤。在會中人人盡把責任負，勸化咱各處人民保家邦。全
國人要是全存愛國意，咱這國或者不至被人亡。這主意你們看看可不可，要可
行就此撒帖往各方。將咱那同學之人全請到，在會人各盡責任化愚氓。他幾人

--------------------------------

**14** 原文: 扌+呆.
**15** 原文: 扌+呆.

　　　　一齊說道：「是甚好，咱們就各處撒帖聘賢良。」

在岫說：「此道既然能行，這會場可得安在何處呢？」金有聲說道：「可也是呀，這個會所，准得找個僻靜處才好呢。」孫子奇說：「那先不忙，等把他們請來再作定奪吧。」在岫說是：「對。」於是就寫了些個帖子，望各方撒起來了。

　　　　好一個雲氏在岫小英雄，他一心要倡愛國會一宗。四方裏撒的帖子無其數，要
　　　　請那遊學美國衆賓朋。劍木驛來了陳氏兄哥兩，在漢城來了李栐[16]蕭合[17]李瑋
　　　　鐘　李相窩[18]、李俊也來到；還有那李範允、周莊、曹存人三名。咸鏡、漢城
　　　　的英雄全來到，又來了安平[19]北道衆英雄。金洪疇、高雲便在頭裏走，後跟着
　　　　述堅、述白二弟兄。吳佐車騎着快馬也來到，一齊的進了平壤這座城。他諸人
　　　　一齊到了雲府外，雲在岫慌忙讓至待客廳。大廳裏分罷賓主落下坐，書童兒獻
　　　　上幾個小茶盅。主賓茶罷把話講，說了些多日不見相思情。相窩[20]說：「怎麼
　　　　不見本良冠賢弟？」範允說：「岳公賢弟何處行？」雲在岫見他二人把話問，遂
　　　　把那上項之事說分明。衆英雄聽說岳公喪了命　一個個手指漢城罵伊藤。齊說
　　　　道：「破壞我國都是你，趕何時將這老賊性命坑　替我國黎民百姓出出氣，替我
　　　　那屈死朋友報寃橫。咱大夥趕緊立這愛國會，成立時好去刺這老賊丁。」有聲說
　　　　你們大家別急燥[21]，咱還得張羅立會是正經。

話說李相窩[22]等，正然痛罵伊藤，金有聲說：「你們不要如此急燥[23]，咱還得是張羅着立這會才是呢。」雲在岫說：「現在咱們人一共有二十六位了，要想只[24]辦，方才所說那件事，准得在避[25]靜處立會才好。」有聲說：「何妨差人去上外邊，訪聽一個

---

**16** 樹.
**17** 和.
**18** 髙.
**19** 平安.
**20** 髙.
**21** 躁.
**22** 髙.
**23** 躁.
**24** 着.
**25** 僻.

避²⁶靜處呢。」在岫說：「這也道²⁷不錯。」遂差孫子奇、雲落峰去上外邊訪聽地方。二人去了兩天，回來說道：「我二人出去訪察地方，事情也湊巧，離此三十餘里，就訪察着了。那處名叫留雲浦，西面有一山，名叫落雁山，在那山傍有一座房，甚是避²⁸靜。這房是留雲浦劉福慶的。我二人見了劉福慶以²⁹提，那劉老爺情願讓咱們白住，你們看這事豈不是好嗎？」在岫說：「既然有了會所，咱們就搬在那裏去吧。」大家說：「是好。」這才一齊搬到那裏，把那愛國會立妥，舉李相窩³⁰為正會長，金洪疇、李範允二人副之，其他皆為會員。會既成立，各任責任，安重根、侯珍、雲落峰，情願去刺伊藤；堯在天、雲在岫、蕭鑑、吳佐車四人，管四路調察打聽消息事；韓氏兄弟、陳氏兄弟、曹存、李俊六人，管倡辦鄉團事；錢中飽、黃伯雄、李瑋鍾、李樹蕭、雲落峰五人，管各處宣講自治事；金有聲、堯在天跟三位會長管開報館事；趙適中、高雲、孫子奇、周莊四人，管製造物品，勸化人民，講求實業事。當日眾英雄各有責任，調查員又連³¹合了復仇會及雪恥會。由是平壤地界的人民，讓眾英雄們勸化的狠³²好，專等打聽伊藤出行的消息，好去行刺，這且不表。

單說韓國這個時候李熙皇帝，讓位給太子隆熙，封李完用為內閣總理大臣。伊藤一看，韓國換了皇上，李完用當朝，他就看出韓國不能興了，可就想起瓜分中國的事情了。遂辭了統監之職，以曾禰荒助為統監，自己坐船歸國，仍在朝當宰相。這日日皇升殿，伊藤出班奏本，正是：

　　　經營朝鮮還未已，又來中國起風波。

畢竟不知伊藤說出甚麼話來，且聽下回分解。

---

26 僻.
27 倒.
28 僻.
29 一.
30 高.
31 聯.
32 很.

話說伊藤上至金殿, 山呼已畢, 日皇設下一把金交椅, 命伊藤坐下, 伊藤謝恩, 坐於交椅以上。日皇說道:「愛卿歸國, 未發一策, 今日上得殿來, 有何本奏?」伊藤說:「老臣一日不死, 不敢一日忘了國家。今日上殿, 還是為的國家大事。我主在上, 洗耳聽微臣道來。」

伊藤侯未從開口笑吟吟, 尊了聲:「我主在上聽原因: 臣本是西京一個讀書子, 無甚麼經濟才幹在本身。蒙見愛召進京城作臣宰, 臣自愧無甚學問佐聖君。因此才歐美諸邦去遊歷, 担惧了十餘年的好光陰。回朝來籌備立謀變法, 全國裏君臣上下煥然新, 都只為我主待臣恩情厚, 臣這才竭盡愚忠報聖君。為高麗為臣廢[1]了千條計, 好容易奪他權力買他心。十年上韓國政府咱買透, 那塊地將來不久歸咱們。從今後不用在那把心費, 費心機善把中國去瓜分。中國人比着高麗強百倍, 細思想不是容易就瓜分。臣有心南北滿洲去遊歷, 看一看他那人民煞[2]樣心。訪一訪諸般政治好不好, 探一探官吏因循不因循; 考一考河山地勢甚麼樣, 察一察人煙戶口合[3]莊村。將中國種種情形全知道, 然後再安排欵項運動人, 慢慢的將他權力謀到手, 東三省咱與羅斯平半分。我的主今日准了臣的本, 到明天安排舟車就起身。為臣的一死方休算報國, 若不然永遠不能放下心。」日皇說: 愛卿為國心使碎, 理應當准你所奏隨你心。一路上公費支銷由你便, 有事情快打雷報早知聞。只因卿機關險詐人心忌, 提防着強盜刺客與賊人。」伊藤說:「我主不勞多懸掛, 臣自然時時防備加小心。」說畢了別駕辭行回府去, 晚景過轉眼就到第明晨。帶從人坐上快車出京去, 各官員餞行護送奔橫濱。由橫濱上了火船奉天奔, 這一日水路行程到旅順。分付[4]聲攏攬輪船上了岸, 猛看見日俄戰場好酸心。

---

1  費.
2  啥.
3  和.
4  吩咐.

話說伊藤來至旅順, 出船上岸, 一見當年日俄開仗之地, 事雖徼倖[5]成功, 傷害多少生靈, 不由幸盡悲來, 心中甚是悲慘, 遂題詩曰: 渤海灣頭新戰場, 兩軍忠骨土猶香。恩讎所致非私怨, 追弔當年轉斷腸。

此處已歸掌握, 並不停留調察, 臨行又有詩曰:

秋捷辭家赴遠程, 蟲聲唧唧雁南行。明朝渤海波千尺, 滿日蕭然嘆縱橫。

伊藤題罷詩句, 進奉天城盤桓幾日, 又由大連灣上了火車, 直奔長春。無論到在何處, 全有中外國的官用心接待。在長春遊覽了幾日, 又想上哈爾濱, 這且不表。單說高麗愛國會的調察員蕭鑑幾人, 天天在外訪查伊藤出門的消息。這日聽說他遊歷滿洲, 已經出京, 他幾人急忙回到會上, 對着李相窩[6]一說。李相窩[7]說: 「要刺伊藤, 這個機會狠[8]好。」安重根說: 「這事不虛呀?」蕭鑑說: 「訪的眞眞切切, 那有虛的呢。」重根說: 「既然如此, 天賜成功。我明日就由元山上火船, 奔海參威去刺這奪國主謀的對頭!」相窩[9]道: 「這事關係不小, 成不成性命先得搭上, 你能豁出來麼?」重根說: 「男兒生在世上, 要能為國家報仇, 這個性命, 可道算個甚麼。伊藤賊與咱仇深似海, 咱要不報這仇, 有何面目立於人間? 大哥不必過慮, 小弟非去不可。要不能刺死此賊, 永遠不回本國!」相窩[10]說: 「你的心志既然堅固, 但有一件是很難的。」重根說: 「何事?」相窩[11]說: 「賢弟做此事, 必定為國亡身, 恐怕老母難捨不允。」重根說: 「咱們立會的時候, 我擔任行刺的事, 已經稟過老母。我母說: 『孩兒要能除了咱國仇人, 娘也就不愛你的身了。我兒得了機會, 自管去吧。』這事我母早已竟[12]應許了。」相窩[13]說: 「既然如此, 此事不宜遲, 明日就可前往。」重根說: 「正是。」遂又向雲落峰、侯珍二人商量道: 「我一人前去行刺, 恐怕

------------------------------

5 僥倖.
6 高.
7 高.
8 很.
9 高.
10 高.
11 高.
12 竟.
13 高.

不便，二位兄長幫我走走才好。」他二人一齊答應道：「賢弟即不說，我倆也是要
去。」重根說：「好，好。」於是各人帶了一桿七星手鎗，懷了一些籽母，三人扮作成
日本模樣。當下收拾一畢，大家談一宿。到了次日，用餞行飯完了，三人拿了手銃，
帶了盤費，告別出行。眾人含淚送別。正是：萬般悲苦事，死別共生離。好難捨的
狠[14]哪。

> 眾英雄挾手送出大門庭，一個個滿面悽慘帶愁容。齊祝告重根舍生去行刺：願
> 此去賢弟馬到成了功。賢弟呀！要果作成這件事，算與咱韓國人民報冤恒。事
> 成了賢弟必然把命捨，咱兄弟分手就在今日中，你真是浩氣凌雲人難比，你真
> 是韓國第一大英雄，來來來受我大夥三叩首，盡一盡咱們同學義氣情。」說罷了
> 一齊跪在流平地。重根說：「諸公們不必這樣行。兄弟我要能刺死伊賊子，就死
> 在九泉以下也心明。諸公們好好安排保國的道，保全咱韓國不亡是正[15]經。」他
> 眾人叩頭一畢抬身起，一個個淚珠點點濕前胸。重根說：「諸位請回多保守[16]，
> 小弟我忠心耿耿不改更。」一躬身辭別分手登古路，後跟着侯珍相伴雲落峯。相
> 窩[17]等目送無影方回去，他三人談談論論往前行。這一天到在碼頭元山地，他
> 三人乘坐輪船撲正東。到在那海參威子把船下，上火車延[18]路又往西北行。去
> 煩詞簡斷捷說來的快，這一天到了哈爾濱江城。下火車入了肅靜的招商店，專
> 等那伊藤來到把刺行。

話表安重根三人，來至哈爾濱，下了火車，找了一個雅素客棧，搬進去住在一個單
房，暗暗打聽。人說伊藤才到長春，他三人店中等候。白天上街閒走，忽見路南藥鋪
內，站着一位高麗人，好像寇本良。走至近前，正是他人。本良見他三人到此，慌忙
讓到屋中坐下，問道：「你們幾時節回國，到此有何事情？」重根一看，跟前無人，遂
把幾時回國，到此大事，對他說了一遍。本良說：「此事狠[19]好，我要不為刺這老賊，

---

14 很.
15 政.
16 重.
17 高.
18 沿.
19 很.

那能到此?」重根說:「兄長逃走以後, 怎麼到此?」本良說:「日人將師傅打倒, 我見事不好, 就舍了師, 一陣好跑；跑了一氣, 聽聽後邊沒動靜, 我這才慢慢而行。行了兩日, 到了奉天, 在奉省探詢了幾天, 遇見咱國幾個商人, 上此處作生意的, 我這才跟了他們到了此處。他們開了一個木梳鋪, 我幫了他賣貨。探了二年, 自己積了四百餘元錢, 就在上海辦了點藥, 在此處開了個藥鋪, 於今一年有餘了。」重根說：「我們常訪兄長下落, 無人知道, 今日在此相逢, 豈非天緣有幸。」本良說：「你們在店裡住之, 甚是不便, 不如搬到我這來。」重根說：「那到[20]狠[21]好。」本良令人同他們回店, 將三人的行裝搬在藥鋪後屋。夜間又用炸藥與他們加料做成幾個籽母, 重根帶着, 天天上車站等候。

伊藤這一天, 是日本明治四十二年十月二十四日, 我國宣統元年九月十三日, 伊藤坐着特別客車, 來到哈爾濱。一時中國官、日本官、俄國官全[22]接, 俄國巡警排列車前, 中國軍樂也去伺候。安重根雜在日本人堆中, 商民齊看, 人聲喧譁[23], 好不熱鬧哇!

> 好一位日本謀臣伊藤公, 這一天坐了火車到哈城。驚動了中外各國眾官弁, 俱都是火車站上去接迎。那一邊站的中國軍樂隊, 這一邊站的俄國警察兵。來了那交涉局的劉總理, 日領事川上、小池人二名。俄國的度支尚書人一個, 可可維夫昨本是他的名。外有那日本人民無其數, 一齊的來到站上接伊藤。安重根雜在日本人羣內, 這時間正在上午九點鐘。伊藤他火車來到站上了, 荒了那中外各國官與兵。巡警官叫聲立正齊立正, 又聽的軍樂洋洋聒耳鳴。中外的官員上前去接見, 那伊藤慌忙下了客車中。走向上與各官員把禮見, 說道是有勞列位來接迎。他這裏正與各官把話講, 未提防人羣攢出一後生。手中裏拿出七響鎗一桿, 對準了伊藤博文就行兇。忽聽的嗑叉嗑喳響七下, 只見那伊藤倒在地川平。川上君右膀一[24]上把傷受, 小池君左腿一[25]上冒鮮紅。俄國兵見事不祥

------

**20** 倒.
**21** 很.
**22** 同.
**23** 喧嘩.
**24** 以.
**25** 以.

圍上去，捉住了重根刺客不肯放鬆。刺客他大喊三聲韓萬歲，眾兵丁將他送到衙門中。眾日人看見伊藤倒在地，急荒忙上前扶起驗身形。但只見前胸打進兩彈子，渾身上血星點點令人驚。吩咐人急可抬至領事舘，請來了日俄兩國大醫生，眾醫生方才來至領事舘，那伊藤已竟²⁶嗚呼歸陰城。他亡年正在六十零九歲，也算是亞洲多智大英雄。都只為他的心腸太毒狠，所以才忠烈俠義不能容。再不能統監外國弄譎計，再不能暴虐韓民不太平。這一回路途之中被了刺，也算是為國為民喪殘生。領事官無奈含悲先成殮，然後的一對電奏到東京。將刺客打在木籠囚車內，跟靈車一同送到奉天城。將伊藤棺槨送回本國去，將刺客送在旅順審判廳。審判官坐在上邊開聲問，叫一聲：「行刺之人你是聽，我問你因為甚麼來行刺？」重根說：「替我國家報冤恒。我今日事已作成遂心志，但願之早早賜我歸陰城。」審判官再三鞫訊無別供，擬下個抵常²⁷之罪梟首刑。法場上含笑就刑真傑士，就死後神色不變面如生。這才算韓國英雄第一位，落下個名標青史永無窮。咱這裏押下此事且不表，再把那本良三人明一明。

話說他三人見重根那時刺了伊藤，喜出望外打聽解送旅順，拋了藥鋪後趕而去。候着重安根²⁸斬訖，夜間盜屍成殮，送回平壤。會上一見，又悲又喜。喜的是伊藤已死，悲的是重根已亡。他大家哭奠一番，擇地安葬，養其老小而已。論伊藤是謀臣，不足為忠，專務競吞，不行仁義，不思守國安民，只想奪地戕生，有詩歎曰：

弱國強吞事可傷，弔君何必苦爭忙？只因貪戾行欺詐，功未成時身滅亡。
又曰：暴虐從來不久存，秦吞六國漢平秦。只興有道伐無道，好惡拂人災及身。
又贊美安重根詩曰：報國雄心盈宇宙，忠君正氣貫韓京。於今皓月臨皓骨，普照千秋仰大名。

--------------------------------

**26** 經.
**27** 償.
**28** 安重根.

話說李相窩[29]等葬安重根, 回到會上去了。單說伊藤的棺槨, 回到東京, 日皇帥[30]領滿朝文武官, 接出十里之外。到了家中, 發喪已畢, 埋葬起來, 封其子文吉襲男爵。光陰似箭, 日月如梭, 不知不覺的又過了新年, 那一年就是宣統二年。宣統二年春天, 日本將韓國統監曾禰荒助換回, 派寺內正毅前去作統監。這一日韓國忽然起了一個大暴動。要問這個暴動是甚麼? 且聽下回分解。

---

29 窩.
30 率.

上回書說, 韓國起了一個大暴動, 這個暴動是甚麼呢? 列位有所不知, 只因韓國統監寺內到韓國時, 也是日日想法將韓國滅了。這日忽然想出一個道來, 自己說道:「韓國君臣無道, 那百姓又全然不一個心, 反對他們政府的狠[1]多, 我今日何不上他那政府去, 商量着將日本韓國合在一處, 名曰一國, 假說替他們保全自安的名目以籠絡。他君臣也不敢不從, 就是這個主意。」

遂坐上車, 到了韓國政府門外下車, 早有人報於李完用等。李完用等聽說, 慌忙接出堂來, 讓至客廳, 分賓主坐下, 使人獻上茶來。喫茶已畢, 完用向寺內說道:「統監無事, 不能到此, 今日到此有何軍國大事相說呢?」寺內說:「我今日到此所辦的事情, 可真不小, 但是與你國也狠[2]有利益。諸公不知, 聽我道來。」

這寺內坐在那邊開了腔, 尊一聲:「列位大人聽其詳: 你國家政治頹靡民氣弱, 全仗着我國與你作主張。是政治全得歸於我們管, 我國人費了多少苦心腸。為你國我國化[3]了多少歎, 替你國安排政治保家邦。你的國現今不算獨立國, 別的國待你韓人太不良。咱兩國不如合併在一處, 是政治全都推於我皇上。我皇上替你國人把事理, 你皇上安然無事把福享。從今後我國人民高聲價, 從今後你國君臣得安康。廣[4]在那高樓以內享清福, 什麼事不用你們作主張。過這村恐怕沒有這個店, 這本是保全你國第一方。諸公們看看此事可不可, 要可行條約之事再商量。寺內他說罷合併一些話, 又聽的完用那邊訴短長。完用說:「這個事情道[5]狠[6]好, 我心中早已量過這一椿。我國人常常埋怨我大夥, 說我們不會辦事竟[7]遭殃。外面的名聲實在不堪講, 早晚的就要來把我們傷。奸臣名

--------------------------------

[1]　很.
[2]　很.
[3]　花.
[4]　光.
[5]　倒.
[6]　很.
[7]　淨.

反正我們算被[8]上，倒不如跟着你國合了邦。寺內說：「這事果然要辦妥，我管保諸公永久在廟堂；我管保俸祿銀子不能少，我一定不能撒謊把人誆。」完用說：「這個事情全在我，皇統監不必常常掛心上。」說罷了寺內告辭回衙去，李完用急忙上殿見韓王。山呼畢交椅以上落了坐，把那事對着韓皇奏其詳。高麗王一聽合併這句話 嚇的他不由一陣心落慌。

話說完用上了金殿，將合併之事，對韓皇講了一遍，極誇講合併如何之好。咱這國如此軟弱，終久[9]不能強啦。不如襯[10]着這個時候，跟日本合成一國，比啥都強。韓皇說：「事出倉卒，我也無有章程。你等幾天，看看百姓如何？」李完用聽韓王之話，只得下殿回府。這且不表。

單說漢城裏有一人，姓李名喚容九，在漢城中創了一個一進會，入會者也有三十餘萬人。他立這會是為甚麼呢？其中有一個原故，韓國歸日本保護，在萬國公會上他的國列為四等國，他的百姓，也就列為四等民了，這李容九創會的意思是想要使韓國人為一等國民。當日聽說日韓合邦這個事情，心中想道：「日本是一等國，我國要是與他合成一處，我們豈不是也成了一等國民了嗎？」這個事情，當以竭力贊成，遂率領會中三十餘萬人，在政府中遞了一件意見書，呈說日韓合邦，有多大好處，又各處勸化，說是咱們要跟日本合在一處，咱們百姓就全成了一等國民了，別的國也能高抬咱們。那韓國百姓，皆信以為然，遂同上意見書於政府，贊成日韓合邦之事。李完用見有好幾十萬民上意見書，遂又奏於韓皇，韓皇想只[11]不應吧，百姓們願意的狠[12]多，大臣們全部願意，日本人又逼的利害，無奈將此事應了。日本明治四十三年八月二十二日，日本統監韓國侍[13]內正毅，韓國內閣總理大臣李完用，在總督府寫了條約，是凡韓國的政事全歸日本，去了韓國國號，封韓國皇上為昌德公，李王永遠不許辦韓國政事。條約擬成，二十九日發布，韓國從此可就亡了。

---

8　披.
9　終究.
10　趁.
11　着.
12　很.
13　寺.

都只為李氏完用狗奸佞，倒賣了高麗國的錦江洪。日本官發出合邦一意見，完用他以為好事就應從。將政治全都讓於日本管，自古來無有這樣事一宗。明只說日韓合邦是好事，暗只說日本實在得相應。是權力全都歸他政府內，是土地全部在他掌握中。去了那大韓國號兩個字，高麗王簡直變作一白丁。既說是日韓合邦求安泰，為甚麼隆熙受那日本封？這事情令人實在測不透，他君臣怎麼全為糊塗蟲！尤可恨昏庸領袖李容九，立一會創成亡國第一功。他想要仗人勢力增多價，這件事好比畫餅把飢充。他兩家合併條約一發布，驚動了愛國會上眾英雄。調察員打聽明白這件事，忙到了愛國會上把信通。對着那相窩[14]諸人說一遍，到[15]把那眾位英雄眼氣紅。一個個手指漢城高聲罵，大罵聲李氏完用狗娘生。你也是高麗國中人一個，你也有父呀妻子弟與兄。滅了國你也未必得了好，你為何暗助日本把事行？奸賊呀！有着[16]一日獲住你，我大家生喫你肉不嫌腥。眾英雄越說越惱越有氣，一個個摩拳擦掌要行兇。齊說道：「國家已竟[17]滅亡了，咱何不唆[18]上死命爭一爭。」他大家聲聲要把日本打，金洪疇口尊列位且稍停。

話說愛國會諸位英雄，聽說日韓合併，就要前去與日本作對。金洪疇說：「咱們大家且不要性急，咱們要反對此事，就咱這二十九人不能中用，必得去到各處調齊了鄉團，連[19]合着百姓作起事來。見一個日本人殺一個，然後再上漢城去殺統監寺內，與那奸臣李完用。要是將此二人除治，再破出死力，與那日本人作對，或者能將咱們國家保住。現雲老大人在霄已經於去年病故，別的臣宰皆是奸貪，要辦此事，非連[20]合百姓不可了。」李範允道：「此說甚好，事不宜遲，咱們就如此辦去吧。」金有聲說：「好。」他大夥逕到了各處，連[21]合百姓們。

-----------------------------------

**14** 峝.
**15** 倒.
**16** 朝.
**17** 經.
**18** 豁.
**19** 聯.
**20** 聯.
**21** 聯.

那百姓們一聽着這個動靜, 全都說要破出死命, 去打日本。不幾天工夫, 就連[22]合了四五十萬人馬, 男男女女鎗也摩[23]有多少, 隊伍也整齊不了, 但是愛國血心氣象勇猛。數日之間, 人馬齊備, 公推金洪疇為元帥。他也不推辭, 逐將兵隊點齊, 令李相窩[24]等各領兩萬人浩浩蕩蕩, 可就殺起來了。

忽聽得日韓合邦事一宗, 氣壞了愛國會上眾英雄。連[25]合了四五十萬好百姓, 金洪疇眾人公推作元戎。眾英雄每人帶領兵兩萬, 俱都是男女老弱不相同。雪恥會頭領名叫劉福慶, 率領着苦力農人作先行。復仇會周二娘子李三姐, 帶領着仗義婦女隨後行。雖然是槍械仔[26]藥不完備, 各懷着救國忠誠氣象兒。遇見了日本一個殺一個, 不論他男女老少與官兵。金洪疇領兵殺奔漢城去, 一路上遇着日本不容情。殺死那日本官員無其數, 驚動統監寺內那計都[27]星。與他國打去一封急電報, 立時的發來三鎮大陸兵。日本兵一齊發到高麗界, 朝日嶺兩軍相拒紮下營。下戰書第明清晨開了仗, 只聽的連環大炮響咕咚。韓國兵大半是些農莊漢, 又加上軍裝火藥不相應。日本兵使出落地開花炮, 眾義兵何能抵擋大炮轟。隔大山兩軍打了一晝夜, 韓營裏周莊本良傾了生。寇本峰[28]、李俊、高雲相繼死, 又傷了孫子奇與雲落峰, 還有聖思、聖暇合着蕭鑑, 又傷了李樹蕭與李緯鍾。雲在岫、堯在天皆被鎗打, 金有聲、錢中飽皆受炮轟。李範允、小曹純二人廢命, 又死了黃伯雄、韓氏弟兄。吳佐軍與侯珍爭先而喪, 周二娘、李三姐為國捐生。雪恥會故去老將劉福慶, 傷兵丁四散逃亡數不清。往往是兵家勝敗為常事, 最可憐韓國被傷人苦情。雖然是為國亡身死的苦, 照比着賣國求榮死猶生。只因他人雖忠勇器不利, 因此纔打了敗仗落下風。愛國會兵敗將亡失散淨, 只剩下相窩[29]、洪疇人二名。他二人獨立無援方逃走, 撲奔那南洋羣島去避兵。在路上哭聲我國眾男女, 又哭聲忠君愛國的眾賓朋。高麗

--------------------------------------------------

22 聯.
23 廳.
24 高.
25 聯.
26 子.
27 多.
28 良.
29 高.

國於今算是要亡滅，咱無有回天手段[30]怎成功。只指望旗開得勝復韓國，不料
想竹籃打水一場空。最可歎無數良民白送命，那去了同心聚義好英雄。再不能
立會結團扶家國，再不能宣講自治化群生。他二人哀國哀家哀百姓，英雄淚滴
滴點點濕前胸。止不住一行哭着一行走，此一時西方隆落太陽星。意忙忙投奔
招商存旅店，咱在此休息一夜再登程。我也要說到此處留連住，勸諸公果知感
激再來聽。

----

[30] 段.

話表金洪疇、李相窩[1]二人入店，焦思一夜，第明清晨急速登程，夜住曉行，非止一日。單說這日到了南洋羣島，想只[2]由那上火船，投奔美國去借兵復仇，偏趕上這檳榔嶼地方，有他們高麗人很多，在那立一個同鄉大會。當日金洪疇二人入到會中，見了那會中的會長賀平康。平康將他們讓至屋中，各人通了姓名。平康問：「你們二公為何到此？」洪疇遂將韓國的現在情形，怎樣的合併，他們與日本怎麼爭戰，怎麼敗的，對會長細細的說了一遍。」平康說：「我也聽說，不想這事已經成了，咱們算是亡國人啦。」一陣傷心懷國，俱各哭起來了。

　　賀平康聽說合邦事一番，他這才哭聲韓國叫聲天：「我高麗立國於今幾千歲，不料想一旦亡在日本前。日本哪，你國待鄰特暴虐，這幾年害的我們甚可憐。明只說保護我國成獨立，暗設計奪去我主政治權。既說是替我韓民求幸福，為甚麼不許我主掌國權？他不是詭計詐謀行微[3]倖，辦交涉不得相應心不甘。上幾年假說保全高麗國，平空裏安上不少顧問官。統監府修在我們京城內，凡事情全得歸於他統監。那時候伊藤巧言來虛哄，他說是改好政治皆回還。這政治已經改了四五載，恨煞人今日生出大事端。顧問官不但不去又多設，硬奪了我國政治巡警權。奪去了諸般大權猶不足，又要奪錢糧土地與江山。說合併明明吞滅我們國，是舉動我已早就聽人言。日本人說話靡有一回算，一轉眼就要弄出巧機關。合邦是本是定的併吞計，事已成令人聽說心痛酸，最可恨賣國奸賊李完用，你不該倒賣韓國錦江山。你也是父生母養本國後，為甚麼作來[4]事來無心肝？論官職你在咱朝頭一個，是凡那千斤重任你得擔。正應該日夜暇思求善策，保全着國家不亡才算賢。不能夠保國安民宜求退，你反與他國私通失主權。你一時貪心不足國榮利，賺下個萬世千秋罵名傳。從此後今生結下來生怨怒，從此後不殺奸賊心不甘。」又罵聲：「不知好歹李容九，你為何贊

---

1　髙.
2　着.
3　僥.
4　起.

成合邦事一端？你累世韓國生來韓國長，國要亡你的身家怎保全？相<sup>5</sup>你這豬狗無知為會首，作壞事理宜扒皮把眼剜。咱本是箕子之後文物國，至而今扨的不值半文錢。從今後家業財產歸人管，從今後父母妻子不團圓。從今後身與子孫當奴隸，從今後子弟不許心<sup>6</sup>書篇。使渾咱任煞不懂成呆禮，使澤<sup>7</sup>咱忘了根本恢復難。使渾咱不知父母眞名姓，使渾咱韓國三<sup>8</sup>字扨一邊。咱的字永遠不許咱們寫，還得去竊學他的字語言。數年後咱國制度全灰盡，總<sup>9</sup>就有天大手段<sup>10</sup>是枉然。這好比臨崖勒馬收繮晚，這好比船到江心補漏難。」賀平康一派悲國思家話，痛恨極淚點滾滾濕衣衫。兩旁邊在會同人皆傷感，俱個的淚珠點點落胸前。這就是英雄才有亡國淚，就是那無知人聞也心酸。這洪疇心忙就要奔美國，賀平康携手送出大門前。囑咐聲事事留心多謹愼，暗到<sup>11</sup>在美國以裹把兵搬。此後事成敗爭兢難預定，這部書編刻此處不再編。列明公思一思來想一想，亡國的形狀悲哀太不堪。高麗國先侵後滅誰不曉，皆因那忠烈英傑不得權。病作成無有靈丹難續命，勢已去雖有智者怎保全？細思量都是庸愚他悮國，致使那愛國英雄喪九泉。未死的追古悲今空流淚，有何法能使我國不來完？眾英雄淚落千行無濟事，勸君子可知防患於未然。眾明公思思高麗想想已<sup>12</sup>，咱中國現在亦是難保全。咱中國誠恐先亡東三省，這吉奉如在人家手掌間。日本人得隴望蜀非一日，因為這高麗奉吉繁相連。那朝鮮本是東省屏藩地，好比似一座院牆修外邊。有院牆狼豺不敢把院進，無院牆狼豺進院有何難。現如今狼豺已竟<sup>13</sup>要進院，望諸公快想妙法將他攔。乘此時安排器械不甚晚，遲悞了狼豺要將翅膀添。待等他添上翅膀恐靡治，那時節也與朝鮮一樣般。滅咱國就是把咱家來滅，別拿着家國二字兩樣看。失了國分崩離析家何在？大家的仔仔細細想一番。可知道愛國愛家一樣愛，不保國一定

---

5　像.
6　讀.
7　渾.
8　二.
9　縱.
10　段.
11　道.
12　已.
13　經.

不能保家園。咱中華君臣人民稱大國，無上下人人都當求治安。休仗着朝有君
相能推靠，千斤擔還是大家一齊擔。官府裏那樣不是靠百姓，壞了事選[14]得百
姓受熬煎。明良宰廣[15]知修已[16]安百姓，胡蠹蟲廣[17]知賣法摟官錢。豈不想將來
要坑咱大夥，為甚麼你們還想去靠官？滅了國他們還想享新福，受苦罪咱們
百姓得占先。看一看這個時候難挽救，家[18]府家以為無事在心間。那[19]着那國
計民生不在意，每日夜妓女窑子去的歡。將私財揣在私囊無其數，世界亂好上
外洋去過年。動不動就說欸項不彀[20]用，修衙署為何浪費那些錢？行新政何必
高樓與大廈？種種的虛糜耗費不堪言。不管那野有餓殍民凍餓，只顧的車來
轎去喫喝玩。並不想美酒膏粱萬民血，並不想日費虛耗百姓錢。一出門前呼後
擁人不少，這個樣實在令人不愛歡。帶護兵為的防備革命黨，這個話又無滋味
又無鹽。革命黨刺的賊官與污吏，為什麼不作清廉忠正官？皆因為誰作廉官
誰不久，亦只因同流合污去敷衍。大家們從今不必靠官府，到何時也得百姓去
當先。大家們要不想法救東省，怕的是事到臨頭後悔難。東三省好似齒牙在口
內，朝鮮國好似嘴唇在外邊。嘴唇子倘要被人割去了，齒牙兒突突露外受風
寒。要想着齒牙不把風寒受，除非是另設法子保護嚴。我今天沒有別的救急
法，各處裏齊心用力練鄉團。莫疼錢備下鎗礮與藥彈，欺壓來當時咱們把臉
翻。大家夥至死不退將他打，東三省尚可一戰得保全。謹記着自治自強結團
體，謹記着別把此事扔一邊。愁無奈午夢窗前弄紙筆，為勸懲編出韓亡事一
番。

這部書編到這算完了。列位看書的爺們，與聽書爺們，總要把高麗亡跟咱東三省的
關係，常常在心中存着。那伊藤狠[21]有奸智，創出歸並高麗，瓜分中國，這兩條大事。
吞併韓國那件事，他算辦成啦，至於瓜分中國這件事，還得在我們中國人嘍。怎說

------------------------------------

14 還.
15 光.
16 己.
17 光.
18 官.
19 拿.
20 彀.
21 很.

在我中國人呢？這話有個緣故哇：一者人多地廣，二者比高麗開化，三者現時奪去權力不多。我們要全存個自強的心思，外國雖想只[22]來瓜分，他們也得打算打算。要是咱們大家真能自強，國家也就強盛啦，他們也就不敢來瓜分了。列位想想，咱們可是讓外國瓜分哪，可是人人圖自強呢？這話我也不敢說定了。那位說啦，外國要把咱國分了，咱們分到那國，就與那國納糧納稅，那裏有甚麼不好呢？咳！列位不知現在這個時候，不相[23]早頭了。早頭是滅國，現時是滅種。甚麼叫作滅種呢？就是把這種人的風俗人情，言語文字，官階服制，倫常禮義，全都去吊[24]，讓你與他國人一個樣子。他還不能好好待你，拿你當牛當馬，作奴作隸，是凡不好的事情，全讓你去作，把你一家人指使個七零五散，父子不相見，兄弟妻子離散。台灣就是明鑑。你們看看『國事悲』那部書，看俄國待波蘭民那個樣子，別的國也就全是那樣子。這個事情，就在我們當國民的關心不關心了。話說到這就算完，書編到這也算完，至於咱們國完不完，上下同體方保全。嗟呼！到此我也不忍說了，我也不必說了，我也不敢說了，我也不能說了，咳！拉倒吧！

詩曰：中原自古產英雄，痛恨今朝盡醉翁。禹域軒裔悲欲滅，權[25]人急轉夢途中。

又曰：興廢雖然在國民，提綱挈領賴賢臣。仍依敷衍因循計，難免臨危血濺身。

又曰：忠貞萬古永流芳，何自偏私亂紀綱？歷史[26]姦貪傾國輩，榮華莫久臭名長。

又曰：紂時億萬心億萬，周有三千惟一心。上猶疾風下弱草，自強何以只責民？

又曰：於戲大局將支離，仰賴忠謀挽救時。上下開通無障礙，民情猶水任東西。

- - - - - - - - - - - - - - - - - - - - - - - - - - - - -

22 着．
23 像．
24 掉．
25 勸．
26 來．

繪像英雄淚　卷四　五十

種人的風俗人情言語文字官階服製倫常禮義全都去吊讓你與他國人一個樣子他還不
能好好待你拿你當牛當馬作奴作隸是凡不好的事情全讓你去作把你一家人指使個七
零五散父子不相見兄弟妻子離散台灣就是明鑑你們看看國事悲那部書看俄國待波蘭
民那個樣子別的國也就全是那樣子這個事情就在我們當國民的關心不關心了。話說到
這就算完書編到這也算完至於咱國完不完上下同體方保全嗟呼到此我也不忍說了。我
也不必説了我也不敢説了我也不能説了。唉拉倒吧

詩曰　中原自古產英雄　痛恨今朝盡醉翁　禹域軒畜悲欲減　權人急轉夢途中

又曰　興廢雖然在國民　提綱挈領賴賢臣　仍依敷衍因循計　難免臨危血濺身

又曰　忠貞萬古水流芳　何自偏私亂紀網　歷史姦貪傾國輩　榮華莫久臭名長

又曰　紉時億萬心億萬　周有三千惟一心　上猶疾風下弱草　自強何以只責民

又曰　於戲大邑將支離　仰賴忠謀挽救時　上下開通無障礙　民情猶水任東西

皆因為誰作康官誰不久
到何時也得百姓去當先
東三省好似畱乎在口內
醫乎兒突突露乎受風寒
我今天没有別的救急法
欺壓來當時咱們把臉翻
謹記着自治自強結團體

亦只因同流合污去畱行
大家們要不想法先救東省
朝鮮國好似嘴唇在外邊
要想着畱乎不把風寒受
各處裏齊心用力練鄉團
大家夥至死不退將他打
謹記着別把此事扔一邊

大家們從今不必靠官府
怕的是事到臨頭後悔難
嘴唇子倘要被人割去了
除非是另設法子保護嚴
莫疼錢備下鎗礮與藥彈
東三省尚可一戰得保全
愁無奈午夢窗前弄紙筆

為勸戀編出韓七事一番

這部書編到這算完了列位看書的爺們與聽書爺們總要把高麗七跟咱東三省的關系常
常在心中存着那伊藤狠有好智創出歸併高麗瓜分中國這兩條大事吞併韓國那件事他
算辦成啦至於瓜分中國這件事還得在我們中國人嘍怎説在我們要全存個自強的心思外
哇一者人多地廣二者比高麗開化三者現時奪去權力不多我們要全存個自強的心思外
國雖想只來瓜分他們也得打算打算要是咱們大家真能自強國家也就強啦他們也就
不敢來瓜分了列位想咱們可是人人圖自強呢這話我也不敢說定
了那位説啦外國要把咱國分了咱們分到那國納糧納税那裏有甚麼不好呢咳
列位不知現在這個時候不相早頭了早頭是滅國現時是滅種其麼叫作滅種呢就是把這

繪像安重根　卷四

那朝鮮本是東省屏藩地
無院墻狼豺進院有何難
乘此時安排器械不甚晚
那時節也與朝鮮一樣般
失了國分崩離析家何在
不保國一定不能保家圍
休仗著朝有君相能推靠
壞了事選得百姓受熬煎
豈不想將來要玩咱大夥
受苦罪咱們百姓得占先
那著那國計民生不在意
世界亂好上外洋去過年
行新政何必高樓與大厦
只顧的車來轎去喫喝玩
一出門前呼後擁人不少
這個話又無滋味又無鹽

好比似一座院墻修外邊
現如今狼豺已竟要進院
遲悮了狼豺要將翅膀添
滅咱國就是把咱家來滅
大家的仔仔細細想一番
咱中華君臣人民稱大國
千斤担還是大家一齊担
明良宰廣知修已安然煎
為甚麼你們還想去靠官
看一看這個時候難挽狀
每日夜妓女蜜子去的歡
動不動就說款項不夠用
種種的虛糜耗費不堪言
並不想美酒膏梁萬民血
這個樣實在令人不愛歡
革命黨刺的賍官與污吏

有院墻狼豺不敢把院進
望諸公快想妙法將他攔
待等他添上翅膀恐難治
別拿著家國二字兩樣看
可知道愛國愛家一樣愛
無上下人人都當求治安
官府裏那樣不是靠百姓
胡嚷亂廣知賣法摟官錢
滅了國他們還想享新福
家府家以為無事在心間
將私財揣在私囊無其數
修衙署為何浪費那些錢
不管那野有餓殍民凍餓
帶護兵為的防備革命黨
為什麼不作清廉忠正官

王一

93

210

相你這猪狗無知為會首，作壞事理宜扒皮把眼挖。
至兩今拋的不值半文錢，咱本是箕子之後文物國。
從今後身與子孫當奴隸，從今後家業財產歸人管。
使澤咱忘了根本恢復難，從今後子弟不許心書篇。
咱的字永遠不許咱們寫，使渾咱不知父母真名姓。
總就有天大手段是枉然，還得去竊學他的字語言。
賀平康一派悲國思家話，數年後咱國制度全廢盡。
俱個的淚珠點點落胸前，使渾咱韓國三字扔一邊。
這洪疇心忙就要奪美國，這好比後到江心補漏難。
暗到在美國以裏把兵搬，兩傍邊在會同人皆傷感。
列明公思一思來想一想，這好比臨崖勒馬收繮晚。
皆因那忠烈英傑不得權，痛恨極淚點滾滾濕衣衫。
細思量都是庸愚他惧國，這就是英雄才有亡國淚。
有何法能使我國不來完，就是那無知人聞也心酸。
眾明公思思高麗想想已，賀平康攜手送出大門前。
遠吉奉如在人家手掌間，囑咐聲事留心多謹慎。
此後事成敗爭競難預定，這部書編刻此處不再編。
亡國的形狀悲哀太不堪，高麗國先侵後滅誰不曉。
病作成無有靈丹續命，勢已去雖有智者怎保全。
致使那愛國英雄喪九泉，未死的追古悲今空流淚。
眾英雄淚落千行無濟事，勸君子可知防患於未然。
咱中國現在亦是難保全，咱中國誠恐先亡東三省。
日本人得隴望蜀非一日，因為這高麗奉吉黑相連。

繡像英雄淚／卷四　五一

賀平康聽說合邦事一番　他這才哭聲韓國叫聲天　我高麗立國於今幾千歲
不料想一旦亡在日本前　日本哪你國待鄰將暴虐　這幾年害的我們甚可憐
明只說保護我國成獨立　暗設計奪去我主政治權　既說是替我韓民求倖福
為甚麼不許我主掌國權　他不是詭計詐謀行徵倖　辦交涉不得相應心不甘
上幾年假說保全高麗國　平空裏安上不少顧問官　統監府修在我們京城內
凡事情全得歸於他統監　那時候伊藤巧言來虛誑　他說是改好政治皆回還
這政治已經改了四五載　恨煞人今日生出大事端　顧問官不但不去又多設
硬奪了我國政治巡警權　奪去了諸般大權猶不足　又要奪錢糧土地與江山
說合併明明吞滅我們國　是舉動我已早就聽人言　日本人說話心有一回算
一轉眼就要弄出巧機關　合邦是本是定的平吞計　你也是父生母養本國後
最可恨賣國奸賊李完用　你不該倒賣韓國錦江山　是凡那千斤重任你得担
為甚麼作來事來無心肝　論官職你在咱朝頭一個　不能够保國安民宜求退
正應該日夜暇思求善策　保全着國家不亡才算賢　賺下個萬世千秋罵名傳
你反與他國私通失主權　你一時貪心不足國榮利　又罵聲不知好歹李容九
從此後今生結下來生怨　從此後不殺奸賊心不甘　國要亡你的身家怎保全
你為何贊成合邦事一端　你累世韓國生來韓國長

照比着賣國求榮榮死猶生

愛國會兵敗將亡失散淨

只因他人雖忠勇器不利

因此纏打了敗仗落下風

撲奔那南洋羣島去避兵

只剩下相寫洪疇人二名

他二人獨立無援方逃走

高麗國於今算是要亡滅

在路上哭聲我國衆男女

又哭聲忠君愛國的衆賓

不料想竹籃打水一場空

咱無有回天手段怎成功

只指望旗開得勝復韓國

再不能立會結團扶家國

最可嘆無數良民白送命

那去了同心聚義好英雄

英雄淚滴滴點點濕前胸

再不能宣講自治化群生

他二人哀國哀家哀百姓

意忙忙投奔招商存旅店

止不住一行哭着一行走

此一時西方墜落太陽星

勸諸公果知感激再來聽

咱在此休息一夜再登程

我也要說到此處留連住

第二十六回　　既合併英雄徒落淚　　未瓜分國民宜關心

話表金洪疇李相寫二人入店焦思一夜第明清晨急速登程夜住曉行非止一日單說這日到了南洋羣島想只由那上火船投奔美國去借兵復仇偏趕上這檳榔嶼地方有他們高麗人狠多在那立下一個同鄉大會當日金洪疇二人入到會中見了那會中的會長賀平康平康將他讓至屋中各人通了姓名平康問你們二公為何到此洪疇遂將韓國的現在情形怎樣的合併他們與日本怎麼爭戰怎麼敗的對會長細細的說了一遍平康說我也聽說不想這事已經成了咱們算是亡國人啦一陣傷心懷國俱各哭起來了。

○推辭送將兵隊點齊令李相高等各領兩萬人浩浩蕩蕩可就殺起來了。

忽聽得日韓令邦事一宗　气壞了愛國會上眾英雄　连合了四五十萬好百姓

全洪疇眾人公推作元戎　敵英雄每人帶領兵兩萬　俱都是男女老弱不相同

雪恥會頭領名叫劉福慶　率領著苦力農人作先行　復仇會周二娘子李三姐

帶領著仗義婦女隨後行　雖然是鎗械仔藥不完備　各懷著救國忠誠氣象兇

遇見了日本一個殺一個　不論他男女老少與官兵　全洪疇領兵殺奔漢城去

一路上遇著日本不容情　殺死那日本官員無其數　驚動統監寺內那許都星

與他國打去一封急電報　五時的發來三鎮大陸兵　日本兵一齊發到高麗界

朝日嶺兩軍相拒紮下營　下戰書第明清晨開了仗　只聽的連環大炮響咕咚

韓國兵大半是些農莊漢　又加上軍裝火藥不相應　日本兵使出落地開花炮

眾義兵何能敵擋大炮轟　隔大山兩軍打了一晝夜　韓營裏周莊本員傾了生

冠本豪李俊高雲相繼死　又傷了孫子奇與雲落峯　還有聖思聖賢暇合著生

又傷了李樹蕭典李瑋鐘　雲在岫堯在天皆被鎗打　吳佐軍與侯珍爭先而喪

李範允小曹純二人廢命　又死了黃伯雄韓氏弟兄　全有聲錢中飽皆受炮轟

周二娘李三姐為國捐生　雪恥會故去老將劉福慶　傷兵丁四散逃亡數不清

往往是兵家勝敗為常事　最可憐韓國被傷人苦情　雖然是為國亡身死的苦

繡像英雄淚卷三

第十四回　愛國的英雄別母　患學淺志士遊洋

話說侯元首將學生們喚到跟前說道。日本現在將中國打敗了。中國又認咳咱國為獨立國

看着這個形象日本是想只要吞併咱們的國家我看這個時候是狠艱難的要想着保護咱

的國家除非是咱們全國的人民都是一個心嗎。但是這個事情也非容易。我想這讓你們去

上美國遊學住了他們的學堂學些知識有學問回國辦事才能容易。我說這個你們願意

不願意呢。你們要願意的時候。我就跟雲大人說。讓他預備欵項。就讓你們前往。然後我再合

金玉均先生在這個地方開上一個報館。慢慢的開化遠民的知識等你們回來的時候咱大

家用心用力。以願全咱這國家豈不是好嗎。那學生們聽元首這些話。都一齊說道。我等情願

意上美國遊學先生你就跟張羅着辦吧。元首說你們既然願意我心中是狠快樂了。遂命書童

說道你去把雲老大人請來至書童去了不多。一時雲大人來至書房坐下說道先生有何話講

元首答道無事不敢勞大人到此請大人在上洗耳聽我侯弼慢慢的道來。

這侯弼未從開口帶憂容　尊一聲大人洗耳在上聽　我從小喪亡親生父合母

倚着那哥哥嫂嫂度秋冬　七歲時南學以裹把書念　通達了史鑑四書並五經

常看那西洋各國人傑史　最愛慕華威頓的好名聲　因此我這纔想下出遊意

別兄嫂遠涉重洋到美京　在美國陸軍學堂畢了業　同家來不願居官在衙中

1

繡像英烈□法　卷三

仁里村選練農備兵一隊，教成了數百青年子弟，私心裏常把一抱恢天志。總想要整頓家邦使國兵，最傷心時氣不及命運苦，兄嫂又相繼而亡歸陰城。無奈何家中教徒來把書念，連教那青年有力眾莊丁，想只要使喚全國皆成勇。好治那日本強徒來欺凌，那知道心志未隨禍爭起，為打賊得罪日本眾賦丁。黃海道交涉衙門把我告，一心要害我侯豹活性命，多虧了黃氏伯雄把信送。我爺兒倆個逃難離家庭，我叔侄飄零在外三四載，纔能勾來到這座平壤城。多虧了大人收在尊府下，送命我官府以裏海兒童，僕不才自愧不稱為師職。學生們與我實在有感情，現如今已經交了十餘載，諸生們五經四書都全通。我侯豹今生沒有別的願，但願這學生全成大英雄，英國家作下一點大事業。保護著咱這國不至凋零，咱國裏日本屢次擋勢力，看光景是要把咱高麗坑。前幾年看著還有不怕樣，到而今十死只能有一生，只想要保國圖存無他策。就得使人民全有愛國誠，這事情也恐不是容易事，還得有幾個英雄意氣橫。要想使英雄出於咱的國，除非是上那美國求治功，那美國本是一個民族國。無論那君民臣等一般同，我想讓學生們去遊美國，到那裏住在他國學校中。學此了治國安邦大學問，同來時鼓吹民氣壯韓京，學生們全都願意出美國。但缺少學費饍費那一宗，因此我纔把大人請到此，望大人預備欵項送他們行。

雲在霄聽罷元首這些話　你看他喜氣洋洋開了聲

話說雲在霄聽元首說了一片言語答道先生見識甚是高遠我也睜著咱這國家甚是軟弱
恐怕為那日本所滅就是靡有什麼方法今天先生想出這個道來我是很願意的但不知他
們都是誰去可是呢元首說道有金有聲冠本良黃伯雄錢在天侯珍冠本峯岳
公孫子奇王順之蕭鑑趙適中陳聖思陳聖暇雲在岫雲洛峯安童根這些人趕到他們走後
我在家中無事想只要與金玉均先生開上一個報館慢慢的開化那百姓們的知識大人你
看如何雲大人說道先生的意思極好那歇項之事全在我了一年有十萬吊錢夠他們十七
個人化了元首說道既然如此今日是大清國光緒二十二年三月二十日讓他們有家的回
家探探家趕到下月初一日回來初五日就送他們起程豈不是好雲大人說道這還狠好
於是那陳氏兄弟回劍水辭去了至於岳公孫子奇王慎之蕭鑑趙適中五人全是平壤城裏
的人也各自回家去了惟有金有聲錢在天因為逃罪在外冠氏兄弟與侯珍安童根
四人全都靡家所以都在雲府住著單雲著他們探家回來好望美國去這且不表單說安童
根這年十七歲生得像貌魁偉聰明過人那些個同學的誰也趁不上他所學問的所以侯元
首格外的愛惜他他當日聽先生要讓他們上美國住學堂去樂得他無所措手足就到了
安太太的屋中參見已畢將上美國遊學的事情對安人說了一遍安人一聽感動了無限情
由說道重根你知道咱母子徑言是誰家呀重根說道這不是我舅家嗎安人又說道你既知

道是你舅家。可知道咱母子怎麼到此呢。重根說道母親說是孩兒父
親早亡家中無人總來到舅舅家住着安人說道那全是假話原先我因為你是念書的時候
要告訴你恐怕你荒廢了學業。所以我拿那假話圈圈你。你那舅父舅母我也告訴他不然誰
對你說別人靡有知道的。所以你就拿那話信一說以為真啦。現今你要遠行我把咱母子到此的
情由對你說上一說。你可不要激烈呀。你要激烈。我可不告訴你小。重根說道母親儘管講來
孩兒不激烈。既然如此聽為娘道來

老安人未從開口淚盈盈。叫了聲重根孩兒子細聽。怎娘們本是京城一住宦
你父親受過皇榜進士封。只因為京城日本常作亂。全家子總想逃難平壤城
帶着那家財細物離故里。這一日到了黃海地界中。想口要平壤以裏來避難
那知道中途路上遇灾星。奇峯山日本賊為強逼。打劫那來往客商賣路銅
偏趕上咱家車子從那過。你父親騎馬就在後邊行。日本賊出山就使鎗來打
最可歎你父一命歸陰城

重根說道母親怎的兒還是被日本人打死的嗎安人說道正是。口聽重根哎喲一聲跌
倒在地可就不好了。安重根一聽父親為日人坑。你看他咕咚跌倒埜平流眼睛一開絕了氣
三魂渺渺歸陰城。老安人見了公子跌在地。吓的他滿面焦黃膽戰驚
走上前將公子忙抱起。重根兒不住的叫連聲。我原先不讓你激烈。

你怎麼要遠府這樣大先生

陽世三間熱如火　　　　叫了聲武兄武快蘇醒　少歸陰司多歸陽城

陰朝地府冷如冰　　你今要有個好合歹

為娘我一定不能生

這安人連哭帶叫多一會

忽聽的那邊公子哼一聲我非

話說安人叫了多時。公子哼了一聲睜開眼睛罵道日本哪爾與我有殺父之仇我非

報上不可。安人一見公子活了說道我兒不生氣了安人說道你要不生氣再聽為娘道來

再望下講吧孩兒我不生氣了安人說道你要不生氣再聽為娘道來

我的兒本是一個苦命丁

三歲裏就喪了生身的父

老安人復又在上開了聲

多虧了侯氏元首來搭救

咱母子繞得逃了生

重根說道侯元首不是我的先生嗎安人說道正是

咱母子也是幾乎把命坑

打死了日本無數眾賊兵

這恩情猶如泰山一般同

到後來將咱母子接到他家裏

因此繞將咱母子命救下

侯先生帶領農備兵一隊

贈與他傳家如意物一宗

施銀錢埋葬你父死尸靈

這恩情猶如泰山一般同

咱母子感恩不盡無的報

你先生又派兵丁人二個

護送咱母子來到平壤城

重根說就是我們先生。現在帶着那如意安人說道正是

他叔侄飄零在外三四載

無奈何他也避禍出門庭

為咱們先生得罪賊日本

侯元首與咱母子恩德大

現如今又為孩兒你的先

我的兒有着一日得了地

繡像英烈傳　卷三

千萬莫忘了元首好恩情
這是我母子所以來到此
你看他眉緊縐怒怒冲冲
你為何施下一種蠶食策
使你國無數強徒來行凶
今生裏要是不把他來報
忽聽的安人這邊喚一聲

從今後先生你要當父事
我的兒今日總知已住情
手指着日本東京高聲罵
罵一聲虎狼賊子名伊藤
立逼我皇上把商約來定
又害生身之父的活性命
這公子越說越惱越有氣

可別拿娘話當作耳邊風
這公子聽罷安人一些話

我就算妄到陽間走一程
看起來欺侮我國全是你
屢次要破壞我國錦江洪

話說安重根指天畫地真是罵那伊藤安人說道我見不要生氣了上學房與你先生謝恩去
吧重根聽母親告訴只得來到學房見了元首雙膝跪下說道先生與學生有救命之恩置之
度外真是聖賢了學生父親已七今就認恩師為義父吧說完就跪下叩頭元首慌忙扶起說
道我早有此意但恐你母子不久今日之事實在投我的心望後那恩情之事你母子不要提
了現下你們別要逃走可好好在家住兩天吧重根於是辭了元首就回到他母處把上項
之事以訴母親也是狼樂意光陰迅速不知不覺的到了四月初一日那此二探家的學生全都
回來了這個時候雲大人將欵項已經預備妥了又預備下六輛車子到了初五日早晨起來
大家用飯已畢雲大人雲老夫人安母與岳父諸人的家人全來與他們送行雲大人拿過十
萬吊錢交全有聲冠本貝二人說道你二人年長些可將此項錢帶着好留只到那作學膳費

二十一

6

用自此後我每年與你們滙去這些錢你們好生學習無有敵人之望正說着只見元首過來

說道那這樣拿着不行聽我告訴你們由咱這上美國路經仁川趕到你們到仁川的時候有

個會東錢店是美人開的到那打成滙票滙到他國拿着滙票再領錢方能行呢金有聲說道

記住了元首又從懷中取出一封信交於金有聲說道美國有一個外務部尚書名叫華聽此人

我在美國時與我同過學上月他與我來信說他新升為外務部尚書到時將信交與他讓他

與你找學堂才能行呢致于這一路的事情你與寇本良担住着你二人總要拘束與他們這

才是有聲本良一齊說是遵命當下囑咐完畢那六輛車子全都套好了東西也全都綁好了

出府正要起程候元首說道慢着你們今日遊學美國我有幾句要緊的話告訴你們可要好

好記着諸生不知愚師道來

侯元首未從開口笑吟吟

叫了一聲諸位學生細聽真

為師我因為學淺遊美國

在他那邦陸軍學堂安過身

因此我知道他國學堂好

才想讓你們諸人那邊存

現在時咱們國家甚軟弱

終久的恐怕為那日本吞

保國家在你諸人這一舉

在學堂可要千萬苦用心

那煙花柳巷不要去

戲館茶樓少留身

拋家捨業是難云

別與人家把氣冲

咱們是為國求學問

在那裏你們要是不學好

怎對為師我這片心

你諸人心中常要懷此意

雲大人為你們把歇備

每年閒須費三萬兩銀

7

這事情關係咱國的生存
侯元首囑咐完了那邊去
怎不教為娘我掛在心
為娘我有幾句話
到店裏不要妄言得罪人
上船時好好看守自己物
在學堂不要妄把功夫廢
斷不可忘了咱國那仇人
我那兒身青幼小不定性
別使他任着性兒去浮況
眾學生一齊說是謹遵命
那學生這才一齊跪在塵
施禮已畢皆站起
那安人轉過身來淚紛紛
望諸位須要專心求學問
望諸位可要規誠他的心
省着讓為娘在家把心分
安太太囑咐完了親生子
有不好儘管與我把他教
又叫聲諸位學生聽我云
別辜負咱國花的這些金
元首說天道不早你們走
看他倆一個一個淚沾襟
轉眼間就離了故上之地
安人才一步一步轉回身

不必先生苦勞神
我的兒今日別母行遠路
但不知何日能夠轉家門
在道上不要各處胡遊要
免被無賴之人來相尋
總要把國恥與我把他常在意
只一去就是五六載
我的兒須要牢牢記在心

雲大人催着他們把車上
那車夫鞭子就在手內掄
等着那車子遠了看不見
那安母孤且依稀倚着門
押下了安人回房且不表
再把那李樹蕭來云一云

話說那李樹蕭自從將冠本良送走
以後看着他國家一天比一天軟弱
日本人一天比一天
強盛他心中就着實焦燥
起上這年中日戰後他猶其看出他國不好了
但是沒有甚麼法子

這日忽然想其一個道來說道我有三個知己的朋友他們素常日子也跟我常議論這保國的方法今日我何妨再與他們商量商量萬一他們能有道呢豈不是好嗎那裏去單說他這三個朋友一個叫李相寫。一個叫李緯鐘一個叫李俊本是一姓兄弟第三人俱是漢城的人氏當日李樹蕭未到李相寫的家中也不用門軍通報自己就進了屋中看他三人全在屋中不知在那裏寫其麼的又看那邊坐着五人不認識他三人一見樹蕭急忙下得地來。是說道賢弟來了有失遠迎赦罪赦罪樹蕭說道你看我也忘與你引見了此人姓金名洪遠此呢遂問道這五位客是那裏來的李相寫說道咱們兄弟本是知己之交那裏蕭用着這些個話人姓高名雲此人姓吳名佐車全是安平兆道人氏此二人一位名姜述壁一位名姜述我表弟與他三位同鄉說完这一一與樹蕭引見了大家敘几己畢坐下相寫說道我方才想打听家人請你去偏趕上你來了樹蕭說我作其麼相寫說道只因為我外邊表弟與金仁兄想只上美國遊學遂前來連合我去遊學我是狠願意的所以我要請賢弟來商議除非有學問不可他們來連合我去遊學豈不是好麼樹蕭說道我來也是為國家軟弱沒有方法的原故想只來與兄以保護國家當日這個渾賢在是好小弟那有不願意的道理呢相寫又在棹上拿一張禀長們商量商量今日這不是我們方才寫的禀想只上學部去遞賢弟可以把名添上吧說着遂將李樹帖來說道這不是我們方才寫的禀想只上學部去遞嗎相寫說為甚麼不遞的呢樹蕭說即想只要遞咱就上學部蕭的名字添上今日樹蕭說不去遞嗎

9

繡像英雄淚　卷二十

去吧說罷他也又一齊起身出了李相窩之家逕奔學部而來。正是平壤學士方離里漢城書

子又出京要知後事如何且聽下回分解。

第十五回　　安重根路收三義友

話說李相窩九人。拿著稟帖到了學部用坐著當日

接了這個稟一看有樹蕭的名字他暗自忖道親王的兒子也想只去遊洋我要不準似乎不

好我不知應許了他們一年也費不多少歇項讓他們念誦我的恩德也是好的遂將稟帖批

出准他們官費上美國留學又在外務部與美國領事衙門辦了一分文書讓他們四月初十

日起身這些算是李完用作了一點好事且說李相窩九人這日看稟帖批準許了他們官費留

學一個一個喜出分外各自回到家中收拾收拾到了初七日李樹蕭辭別了家人與李相窩

八人會在一處到學部將文書領來歇項由學部望美國滙去他們不管一概事情全都完備

遂催了四輛車子也由水路走所以出了漢城勾奔仁川走下来了。

　　　全有華店結九良朋

眾英雄困為學淺離門庭　　一個個滿面凄慘少笑容　　齊肾說道不幸生在軟弱國

著天裡得交日人人欺凌　　那君王朝中以裡竟作夢　　大臣們一個一個裝啞聲

象這樣君臣那有不亡國　　鼂思起真是讓人痛傷情　　社會上百姓昏昏如睡覺

是何人相呼他們在夢朧　　眼看著刀子到了膊子復　　還以為安然無事享太平

現如今虎狼已經進了院　　誰能勾安排劍戟把他攻　　咱國中數萬人民盡痴睡

10

無一人知道防備傷人蟲

到那時山河粉裂社稷隆

一家裏父母妻子各西東

說今日咱們美國求學問

也不枉遠涉重洋走一程

便與這全國人民如一體

看了看眼前來到仁川城

原明公聽書不要熱熱鬧

大清國也與高麗一般同

眾明公別拿自己不要緊

怕什麼日俄逞雄不是雄

話說金有聲諸人出了雲府。拜別了在宵元首安母這才一齊上了車子勾奔仁川。可就走下來了。

最可歎數千餘年高麗國　　將久要落於日本人手中

咱們這條命十死無一生　　空積下數萬銀錢不中用

眾英雄一齊說到傷心處　　不由的兩眼滴滴流淚橫

也不知能夠求成求不　　如果是求來真實大學問

有學問回國好來做大事　　喚一喚數萬人民在夢中

想一想咱們中國怎樣形　　豫備着催上輪船赴美京

不怕那日本人們怎樣雄　　英雄們一邊走着胡談論

大家夥一齊入了大客棧　　別拿着看高麗城亡不經意

高麗國不過是他們一個　　咱國人要是全都存此意

有一人就是他們一個虎　　東省人要是全都存此意

押下此事咱們且不表　　再把那有聲諸人明一明

來的是十六英雄離家鄉　　一一要上那美國去出洋

才拋了家中老少與爹娘　　都只為國家軟弱思保護

如果是高麗全能這個樣　　全知道求點學問固國邦

他國家一定不能被人亡　　看他們不顧家鄉離故土

看他們本是一些青年子

一個個坐在車中話短長　這個說從小未走這遠路　那個說不知美國在那方

聽人說美國是個民族主義國　到不如他那政治是那莊　到那裏先將這個事情訪一訪

回國時也把民族主義倡　這個說不知咱得何日到　路途上這些辛苦甚難當

那個說不要著急咱們慢慢走　這個說著急也是白心腸費　大家影這才不講究

又看那天色將要到午傍　走多少曲曲灣灣不平路　見多少草舍茅舍小山莊

聽了些各處農夫唱鍾草　觀了些往來仕宦路途忙　各處裏百鳥林中聲細細

滿道上青榆綠柳色蒼蒼　觀不盡遊魚河裏爭花戲　看不了燕子啣泥影成雙

遠山上奇峯夏雲繞出岫　近處裏榆錢落地色發黃　真果是夏日清和人氣爽

身體兒覺著平常分外暢　正是英雄們觀看路途景　看了看西方墜落太陽光

大家影一齊入了招商店　到明日復又登程走慌忙

這一日來到朝日大嶺傍　眾人一齊過了朝日嶺

飢食渴飲路途奔

又聽黃伯雄那邊開了腔

話說金有聲諸人正望前走忽聽黃伯雄那邊說就是瑞典縣了咱們今日晚上就宿
在這吧金有聲說道天道尚早何不多是幾里伯雄說道再望前走五十里才能夠有店呢金
有聲說道既然如此咱就宿在這裏吧小過來將他們的行李一齊搬到屋中安排妥當店
小打幾盆熱水大家拭了面店
至院中店小過不好嗎用完飯諸位好歇著有聲說道怎麼不好呢於是店
小又說道客官就用飯不好嗎小放上棹

子將飯菜一齊端上來。大家用飯已畢。付了店錢店小將棟子搬去說道客官歇着吧遂去了。

單說安重根喫完了飯跟孫子奇說道天還得一會黑咱二人出去遊玩去不好嗎孫子奇說怎麼不好呢於是他二人出了店房望南走了二里餘路到在一個河邊玩他二人就在那四下觀望忽見那邊來了一輛車子不多一時來至近前從車上跳下三個人來拱手說道這位賢弟在下得問一聲前去多遠能有店家重根已看這人非凡答道前邊二里餘就有店你們是望那裏去的呢賣姓高名那人答道在下姓李名範允此人姓周名莊此人姓曹名存全是咸境道中本鎮人氏我們因為國家軟弱思要上美國留學重根聽說道事情真湊巧了我二人也上美國留學的遂通了自己與孫子奇的姓名又說道咱們今日遇在一處真是三生有幸我們還有十幾人在店中呢你們隨我到店中明日與我們一同上美國去不好嗎李範允三人一齊說道我們正愁人少派單安賢弟願意與我們那有不願意的道理於是他三人說笑笑來至店中單說冠本良安重根二人出去多時不回來正在着急的時候只見重根領了三個人來本良說道賢弟你那裏去了此三位是何人重根遂將方纔之事說了一遍又引見了一齊坐下說了一會各自安歇第二日清晨他三人與有幾人會在一處坐上車子又撲奔仁川大路走下來了。

好一個安氏重根小後生　　在路上結交三位大英雄

咱諸人那能相交一路行　　看起來這事真果是湊巧

重根說不着咱們國家弱

總算是有緣千里來相逢

13

卷三

若不然咱們相離數十里
說道是這事實在係非輕
每想要西洋各國求學問
無奈何辭別家院本前程
偏偏與重根賢弟遇一處
我三人實在是樂非輕
咱英雄說說笑笑望前走
這日到了仁川城

李範允三人一齊開言道
常想着學問淺薄心內空
那能勾同去留學赴美京
我三人從小同學好幾載
因年幼家中屢次不讓行
這幾年國家軟弱不堪講
每想要結交幾個好賓朋
我三人恐怕自己不中用
因重根又與諸位相了善
一見面幾句話來就投情
咱大家一齊住在美學校
回來同心同力好把國興
一個個滿心得意志氣增
曉行夜宿非止一日
又聽得有聲前來把話明

話說金有聲諸人這日來到仁川進了客棧金有聲說道你們在這店中等着我去上會東錢店起了滙票連起火船票說罷出了店門來到會東錢店起了火船票滙了錢才想要走只見外邊忽來九個人也起火船票一見他們形像覺着有因遂問道諸位上美國作甚麼去單說這九人不是別人就是那李相寫九人當日到了仁川來在會東錢店起票一見金有聲相問遂各通了姓名又說我們店中還有十幾位人列位要不嫌票可以與我們一統前去李相寫是遂通了姓名就好了遂起票領着有到了他們所住之店將東西全都拾通起來到了有聲所住的店中方將東西放下李樹蕭看見冠本良說道賢弟你怎麼到此冠本良一聽有人招

飄零數載未曾面　今日店中又相逢

呼他回頭一看。乃是李樹蕭遂上前施禮正是

要知本良説出什麼話來且聽下回分解。

第十六回　英雄同入美學校　侯病集股開報館

話説冠本良見了李樹蕭施禮已畢説道兄長你怎也到了這裏呢李樹蕭遂將上美國去留學

的意思説了一遍本良也將他們意思説了一遍此時本峯也過來見過了樹蕭各道此離別

的情膓有聲本良又與他們互相引見了大家圍圍坐下此時他們一共有二十八個人了又

重叙了一回年庚李伯雄堯在天錢中飽姜遠白李樹蕭岳公蕭艦趙適中雲在岫陳聖思陳

曾存李俊冠本峯孫子奇雲落峯安重根當日他們大家名次排定談論一會各自安歇

聖暇侯珍冠本峯高居長次全洪疇金有聲李瑋高雲周莊美樹堅吳佐車

第二日上午八點鐘他們將來送的車打咐回去遂後上了輪船由太平洋撲奔美國走下

眾英雄上了輪船離仁川　　那火船好似箭打一樣般　　廣聽那輪子各支各支响

但見那海水波濤上下翻　　轉眼間就走出去千幾里　　猛回頭看不見了大仁川

但見那海水洋洋無邊岸　　睄不著江村茅舍與人烟　　但聽那鯨魚吐氣噴噴响

那辨出南北與東西　　　　烏雀兒空中飛着氣力盡　　

看這個茫茫大海何日盡　　吧嗒吧落在船頭那一邊

尋思起真其没人好心酸　　也不知美國到此有多遠

15

288

綉像英烈傳　卷三

都説是走到也得七十天
要不幸遭了颶風船刮沈
有甚麼回天之志向也算究
滿船中除了同人無親故
忽聽那船長起呼用晚食
論走也得兩個月
這日到了美國檀香山
下了輪船把火車上
又聽有聲那邊把話言

歡煞人波浪濤天無陸地
這伙人全得死在海中間
到那時家中老幼難見面
只聽那隔號之人笑言宣
大家夥用飯以畢艙中臥
說書的何用那此天
檀香山離美國還有八千里
這日到了美國京城前

往來的僅有幾隻火輪船
身體兒一定辱在鯨魚腹
有多大國恥全得拋一邊
英雄倆正在船上胡叨念
忽忽悠悠就安眠
簡斷提說來的快
不幾日可也就到了一邊
下火車一齊入了店

話説李相寫諸人這日早晨到了美國京城華武頓下了火車找了一個店將所帶物件安排
妥了金有聲説道咱倆上他那外務部遞文書去呀大家説是走吧那位説得啦你不用説了
高麗與美國話也不通字也不一個樣他們前去辦事人家那能懂的呢並且那文書的字人
家也不認的呀列明公有所不知這裏有個原因那俟元首在那國保過會他國的話人國的
的文字皆與美文一樣所以他倆能夠與美國人説話至於那文書盡是翻的美文的封信俟元首也是因
文是一樣的在上幾回書中廉將此事敘出所以你倆發疑開話少説再説那金有聲等一齊出
美文寫的

16

287

了店中。來到街上一看。好不熱鬧哇。

要上那外務部把文書呈
到街上舉目留神仔細看

眾英雄一齊邁步出店中

大街上馬路修平如鏡
快車洋車花花來往冲

好一個繁華熱鬧美京城

走那上廳有一點塵土星
兩邊廂洋樓洋行修的好

買賣家一天澆上水三遍

屋子裏排着些古董器
冷眼看全都不知甚麼名

俱都是玻璃窗牖好幾層

防備那陰天落電把屋轟
街兩傍安着杆子整兩溜

屋頂上安着避雷針一個

一邊是預備來往打電報
一邊是安着玻璃電氣燈

電氣燈本是一種古怪物

不用油自己就能放光明
齊說道外洋人兒學問大

紅銅絲杆子以上放的精

在這國不應見過
長這大都走走聽說這一宗

發明的物件實則令人驚

也不枉千辛萬苦走這程
四周圍斜山轉角好幾面

今日裏咱們算是開了眼

玻璃瓦又在上耀眼光明
眾英雄一邊說着望前走

忽又見一座洋樓修的精

那個說他國以裏無皇上
這個說皇宮不知怎樣上

這個說這是美國上議院

有事情送在議院大夥議
議安了統領頒布就實行

全國人公舉一個大統領

全仗着華盛頓來把美興
眾人民與美國血戰九年

才能勾叛英獨立世界中

都說是美國以裏政治好
今一見話不虛傳是真情

這個說美國原先也軟弱

忽看見那邊來了一帮兵
只聽的洋鼓洋號咬吼响

眾人們走過這座上議院

繡像立志傳　卷三　六

一個個年青有力帶威風
他衆人說說笑笑望前走
又聽那門軍過來問一聲

說道是無怪人家國強盛
眼前裏來到外務部門庭

看這些兵丁全都有多凶
衆英雄走至門前就站住

話說李相寫二十六人來到美國外務部衙門。一齊站住門軍過來問道。你們是作甚麼的。李相寫等答道我們是韓國的學生到你國前來留學有文書在此乞閣下與我們進去通禀一聲軍門說你們在此等候。一回遂進去不多時。出來說道你們跟我進去吧他們一聽遂跟着門軍進了裏邊見了華使禮已畢李相寫李範允各將文書呈上金有聲將侯元首那封信呈上華聽看完了文書又看那封信是侯元首與他來的可就折開看起來了

上寫着謹具蕪函字數行
拜上了華聽仁兄貴座傍
咱兄弟於今離別十餘載

常思想不能見面掛心腸
前幾年兄長與我捎過信
言說是位坐外部尚書郎

都只為山高路遠難見面
比來能賀喜增榮到那鄉
看起來侯殿實則是無禮

望兄長腹内寬宏把弟量
今日裏魚書寄到貴府内
也就算盡了為弟這心腸

這本是咱們二人在下事
只因為我國軟弱無賢相
可憐我數萬人民遭他映

君臣們每日昏昏在朝堂
還要求長長替辦事一椿
看這樣是要坑害我的國

我高麗本是中國他的屬
日本在我國屢次增勢力
那日本硬認我國為獨立

我國人猶且昏昏睡黃梁
我那高麗國恐怕將來被人七
百姓們全都不知把國保

弟以為要想保國求安泰 除非是全都入民學問強 我國裏學校無多辦法壞

百姓們皆以學堂為不良 說學堂人人掩著耳朵跑 無一人送他兒郎到書房

說我國這樣人民看一看 誰敢學國家不被日人七 李鶴我教了幾個好弟子

他們一心要留學到外洋 因此我才望他們貴國往 望兄長千萬收留在那鄉

哪因為你國政治學問好 所以我才望他們留學上 學儲費我國年年望那滙

管保不能讓兄長你搭上 右寫著侯殿平壤三頓首 下墜著四月四日燈下撿

華大人看罷侯殿遠這封信 在那邊絪絪眉頭開了腔

話說華聽看完了侯殿那封書信暗暗的想道高麗軟弱他們學生前來求學是為他們國家

的計大我想日本要是把高麗滅了與我國也是靡甚麼好處而且大有害於我何不把他們

留下給他們挑個學問堂住著萬一能出來一位英雄把高麗國保護住他國人也念誦我真

好處。主意已定遂向金有聲等說道你們前來住學堂但不知願意入那樣的我看你們也是

不知道那樣好我告訴你們吧要想著保護國家當陸軍學法政是講治術的陸軍是講

武備的還有理科專研究物理化學理學專科全是三年畢業法政是五年畢業。

可不知你眾人願意入那樣學堂與理學專科全是三年畢業法政是五年畢業。咱們大家商量於是岳公金宏疇李範兄陳

聖田陳聖照常存韓述白李俊李相爲說咱們八人願意入陸軍學堂冠本良趙適中孫子奇高雲周莊五人陳

願意入理科剩下他們十三人全願意入法政學堂商量妥當向華聽一說華聽說既然如此

卷三　　十一

我就送你們入學吧遂命他們把東西從店中拿來一齊搬到學堂裏去本良入了理科中之醫科由是他們大家全都入了學堂慢慢望前來學這且不表單說侯元首自從將金有聲送走回到家中呆了幾天跟金玉均說道學生們都來了咱二人還得張羅著開報館哪王均說想要開報館咱這歡項怎麼籌呢元首說兄長勿愁我自有方法遂寫了幾個帖子把岳父之父岳懷嵩孫子奇之父孫善長趙適中的哥哥趙適宜蕭鑑的父親蕭衡聲請來又請了三位紳七一個叫田承恩一個叫張建忠一個叫花錦當日諸人挨了請帖全都來到元首的學堂元首接至屋中坐下眾人一齊說道先生請我到來有何話講元首說無事不敢勞諸位到此眾位仁兄洗耳聽我侯彌道來

侯元首未從開口面帶春
尊了聲諸位仁兄聽我云
想要讓眾位仁兄幫我銀
幫我銀錢不為別的事
只因為咱們受那日本氣
才打附那些學生離家門
回來時開化民智固邦根
現今裏他們已經離故土
我常想要使咱國不亡滅
除非是數萬人民同一心
必得用報紙鼓吹眾黎民
使他們全知日本的利害
保家們就是保護咱這國
家與國本來沒有什麽分
這社稷江山一定不能湮
因此我要使人人把家保

將諸公請來不為別的事
想著要開個報館把民新
讓他們美國以裏求學問
我在家沒有營生占著身
要想使他們全都同心意
因利害了能知保家們
人人要全都知道把家保
有一條披見敢在面前陳

在這城開上一個白話報
望諸公不要拒絕我這心
那時節人民知識盡開化
侯彌的話是真不是真

天天各處發賣化愚民　　請諸公幫我銀錢就為此
諸公們一家集上幾個股　報館成來就在你們諸君
豈不是咱大家福分深　　諸公們思一思來想一想

話說元首說罷一片集股開報館的話。岳懷嵩諸人一齊說道先生的意思極好。我們沒有個
不贊成者。用多少錢我們都能幫着你們。元首說也用不了多少。有三四千吊錢也就夠了。岳
懷嵩等說道這點錢不要緊先生儘管辦吧。我們八人一家集上四個股。一股拿上五百吊不
夠再望上添。元首說有四千吊錢也就夠用了。於是他八人各自回到家中將錢湊足與元首不
送來元首一見有了幾件印書的機器聘了幾位訪員自己為主筆的開了報館各
處去賣起初人們都不愛看。到後來看看有有趣味全都爭只買那報館可就興旺了。遠且不表。
單說日本早朝伊藤出班呼道吾皇萬歲臣有本奏正是英雄方且吹民氣日本又
來虎狼人畢竟不知伊藤說出甚麼話來且聽下回分解。

第十七回
　伊藤拜受統監印
　韓國坐失行政權

話說伊藤上至金殿參見已畢日皇設下金交椅命伊藤坐下伊藤謝了恩隨
那日說吞併高麗得先使他歸咱們國保護現在你這道安胡怎麼樣。伊藤奏我主不知為
臣來的正為此事道兒已經籌算算妥了。日皇說既然安了愛卿與寡人言講言講然後咱們就

21

續俠義勇法　卷三　十一

頒布著實行豈不是好嗎。伊藤說我主願聞臣下道來。

尊一聲我主在上聽根芽。為臣我自從出世到今日。

第一是滿洲未能歸咱轄。第二是高麗未能屬咱管。

因為那滿洲高麗緊接呌。要能勾將高麗得在手。

現如今僅僅在那把手插。前幾日為臣也曾畫過策。

派一位能言大臣去駐扎。在他國暗在以裏計定。

惟獨那內治外交有點差。我的國把你們來保護。

也省的受他國來欺壁。我今日與貴國想上一法。

就說是高麗本來是好國。無論辦甚事全得由著他。

在他國修下一個統監府。這時候何不急以圖他。

高麗事已經不歸中國管。為高麗為臣費了滿腔血。

言說是保護高麗他國家。給與他一顆統監韓國印。

用花言巧語把他君臣們。因此你們才受他國的氣。

我國的種種敗政改改吧。外交事我國此替你們管。

讓你那駐外領事皆回家。諸般的政治我們替你辦。

為國我自有方法處治他。那韓國君臣昏弱盡無謀。

明著以保護他國為名目。見將時眉開眼笑樂了他。

那時節不怕他們不應允。暗地裏慢慢把他權力刮。

他國的權力要是都到咱。癈權力咱們怕他作甚麼。

要可行我主就把統監派。得高麗然後再分東三省。

咱的國庶乎可以見發達。這伊藤金殿以上把話發。

惟有那兩個目的未能達。這兩樣還是著重第一樣。

取東三省也就省了法。咱們就一點一點把他轄。

讓他速速望高麗國發

伊藤侯說罷恩話

話說伊藤說罷一片併吞高麗跟東三省的話　日皇說道愛卿見識極高寡人看這統監別人
也不能勝任就得受卿你去吧怎麼說呢因為事事都是你作的別人去辦也摸不著頭緒所
以寡人願意讓愛卿你去坐那統監伊藤說我主既派了為臣也不敢推辭後日為臣我
既要起身日皇說是越快越好恐怕事情遷延省再出差於是伊藤辭別了日皇下殿回府去
了日皇命工部造一顆統監印說話之間就是三天到了那日伊藤將統監印懸在懷上拜九
拜然後受下日皇先望高麗打封電報讓他國領事在那邊迎接這言又安排下酒宴與滿朝
文武在十里長亭與伊藤餞行伊藤早就收拾安當帶了無數官員預備上高麗辦政治用於
是坐上快車出了京城那滿城的百姓聽說伊藤要上韓國作統監去遂前來看果好不熱鬧
的很哪。

事不宜遲就要辦　再等幾天恐有差
又聽那日皇把話答

這伊藤坐上快車出東京
馬上的人兒甚青年
在後邊也有護衛隊
刺刀兒安在上邊躍眼明
威威烈烈往前走

你看他前呼後擁好威風
洋號兒咀裏吹的吱吱響
盡都是青年有力小步兵
着人數也有五六百
把快車團團住不透風
又聽那庶民人等亂哄哄

在前頭跑開三十六匹護橋隊
好比似鶴唳龍吟一般同
每人抗著鎗一桿
遠個說大人今日出了府

蕭家老佳人　卷三

十二

23

那個說不知要往何處行

那個說統監要到高麗國

那時節把高麗必定把國招

日君臣早在那裏來等候

日皇說愛卿不要來謙恭

說罷將酒遞過來

又過來文武百官眾公卿

對着百官俩施下禮

威威烈烈起了程

書要簡捷方為妙

那領事接在使館中

這個說韓國去把統監坐

他的國一定被你坑

不言這百姓滿街閒談話

伊藤他慌忙下了快車中

寡人我今日發你三杯酒

伊藤侯使禮謝罪接手中

每人欽了三杯酒

說道是有勞諸公好心誠

那伊藤飲的滿面紅

三杯酒方纔飲到腳膛內

使禮已畢把車上

坐上輪船奔韓行

這日來到韓城內

你們因甚不知情

那時節咱國必然得土地

再說那伊藤到了十里亭

伊藤說為臣今日有了罪

晷報報愛卿你的忠

嘀嘟囉嗦困明公

前行來到海沿上

話說伊藤這日到了漢城他國的領事跟到高麗國的臣宰一齊接到十里長亭大家見了面道了些個辛苦然後才進了他國領事衙門高麗的百宰們在那談了一會遂辭別伊藤回府而去單說伊藤在他那領事衙門住了幾日說把他的領事一概的事情全都歸於他一人辦理這一日下了幾個請帖把高麗國的大臣李完用趙丙復朴定揚井用求等請來讓至客廳分賓主坐下侍人過來到上茶茶罷攔益李完用等問道貴大臣今日將我等

24

招來。有何事相商呢。伊藤答道。廉有別的事情。只因我國上幾年替你們平定東學黨。你國的民。無故的把我的兵丁傷了無數。我國就想要替你國改革內政趕上與中國開仗。也廉得暇來辦此事。今年因為我皇上派我為你國的統監連保護商務代辦那一年的事情。我以為那年的事情雖是你國的百姓無禮。我們就硬把你國的政治改革了。也是很不對。貴國的所以我今天將貴大臣們請來。有幾樣事情相商。不知諸公願聞否。李完用等說道。統監只管說來。我們無有不願聞之理。伊藤說如此諸公聽我道來

伊藤傻坐在椅上把口張。尊了聲列位大人聽其詳

我國的無數兵丁受了傷。這都是你國內治不完善。只因為你國人民來作亂

我皇上就把你們內政改。派我為你國統監在這方。才惹出無數人民發了狂

又覺著貴國臉上沒有光。敵人我想出一條完善道。我今日要把你們政治改

你高麗所以到這般軟弱。都因為你們內政甚不良。敢在諸公面前陳短長

可以替你們保護錦家邦。各衙門要上我國人一個。我國家兵強馬壯政治好

有不善他們就能與你改。我管保諸般政事查見道。各國裏你們不用把領駐

別用的領事在此讓他歸。外交事全能替你們辦。各樣事全得跟他去商量

省下錢再與你國與武備。管保使你們韓國不減亡。一文錢不勞貴國費思量

別的國誰也不敢來遭殃。改好了我們就推開手。從今後你國歸為我保護。豈不是一舉兩得一好方

肅象兵隹天 卷三

這伊藤花言巧語說一套　哄的那高麗臣等無主張　齊說道這個相應多廢大

咱快去稟報於那李熙皇

話說李完用被伊藤一片言語哄的心眼直轉說道貴國既有這片好心來保護我們的國家我們真是感恩不盡了我們就回去稟於我國皇上得知然後統監望我們各部裏派人吧豈不是好嗎伊藤說既然如此諸君就去稟於你們國王上得知吧於是李完用等出了領事衙國來到金殿見了韓皇把伊藤的話以學又說伊藤怎樣好心人家替咱們保護國家改變咱國的政治改革我主你看這事有多麼相應今日若不依允恐怕過了這個村靡有這個店咧那李熙本是胡哩胡嘟任其不知的一個皇上當日聽大臣們這一說也尋思這事是好事豪說道愛卿你們酌量之辦去吧於是他們又回到日本事衙門把方才之事對伊藤以說伊藤說你們皇上到算是好王於是命野軍鎮椎為韓國兵部顧問官藤增雄為內宮學農工三部顧問官賀田種太郎為財政局的顧問官將原坦為學部參與官九山重俊為警察顧問官三島奇峯為法部顧問官又將韓國各處人民訟訴的事全讓他們領書代管當日伊藤分派已定只是日韓國行政的權力全歸於日本人的手那韓國原有的官員僅僅的跟人家一塊喫飯湊熱鬧而已而韓國的君臣還以為日本是好意真是可歎哪

好一個詭計多端伊藤公　　拿著那保護韓國把名買

暗地裏奪取利權在手中　　韓國裏君臣無謀見識小　　著天的西裏胡都賽啞聲

26

日本人施下毒辣傷人手

斷不可倚靠外人把事行

正以為人家給他好相應

自己國自己就當能保護

自己事全讓人家來替辦

簡直的跟著滅亡一般同

有權力國家就算有

廢權力國家既算抓

權力他就是一個甚麼物

列位不知聽我明

權力與人好比一杆杆

用他來把東西衡物

力者就是咱們的力

那權兒就是杆錘他的名

有杆錘就是打物件

廢杆錘就是不能行

咱們人好比一杆杆

倚靠著杆杆把物衡

杆錘要是歸了外人手

這杆杆就是無用人一宗

有政治就是國家權力

能得權力國必興

高麗把權力送與日本手

無怪乎他就扔了錦江紅

中國人全不知他權力保

也恐怕跟著高麗把國扔

勸大家千萬要把權力強

斷不可忽忽悠度秋冬

這一回高麗失權真可難

下一回日本把我財政清

書說此處算拉倒

明天白日再來聽

第十八回　　索國債監理財政

　　　　傷人命強奪警權

　　衣服好比巡警　　血脈好比銀錢

　　二者相輔並重

　　　　缺一就得未完　　有衣遮體不能寒　血脈流通身健

　西江月罷書接上回上回書說的是那高麗歸了日本保護他國一概政治衙門全安上一個

日本人幫著辦理可見他國的君臣全都任然不懂把自己國的政事讓人家替著他們辦理。

　　　有識之士痛時艱　　全在經濟困難

　　　血脈流通身健

27

還以為是相應一起手辦什麼事情。全都跟韓國的君臣商量。到後來把那個韓國的君臣就

扔在開外了。無論辦什麼事情人家日本人說然就是然。那韓國君臣好相韓子耳梁一般你

看他們不但拿著不着意還等著把政治改好了安然享著太平福呢不知那日本人如虎似狼他

到嘴的肉那有吐出來的。況且說那日本素日想只要吞高麗就想那韓國的權力到不了他

的手。今天可一下子到了他的手他能勾放鬆嗎高麗無謀把權力送與外人之手。我中國看

看高麗的前轍自己也當加點小心哪開話少說單說伊藤自從把高麗種種的權力全攬到

手裏可就讓他們在高麗的日本人盡力捉關那高麗人民受他們的欺壓實在是讓人難言

哪由此一年多那韓國的力權一多半都歸於日本人的手中。高麗又與伊藤修下一個統監

衙門這日伊藤正在衙門悶坐觀書忽然想起一宗大事來遂命人套上供車去上那高麗的

政府到了門首下車李完用等接至堂中。分賓主坐下。一齊向伊藤說道統監大人今日到此

有何事相商呢。伊藤說。無事不敢到此列位大人要悶聽我慢慢的道來

好一個智廣謀多伊藤君。你看他未從開口笑吟吟。尊了聲列位大人且洗耳

我今日有一件事情你們陳。那一年你們國內起了亂無故的攻破我國領事門

殺傷了我國商人好幾百。又要害我那領事花房君。多虧了英國商船救了命

若不然性命一定歸了陰。那時節我國派兵來問罪你國裏包了五十餘萬金

這個金那時未能付於我。言說是揸地作保利三分。這是那第一回該我們敦

還有那第二回賠欵中三萬金
因為是你國大臣金玉均

他一心要在你國謀變法
到後來我們被中國打了敗

因此才包我十三萬兩敲銀好
到今日合計起來十六春

本利和共合也有三百萬
我國裏那日與我打來電

言說是新練兩鎮大陸軍
好給那新練之軍作餉銀

要不著我國養兵用的緊
諸公們怎的也得奏封上

那管賣土地也得還我銀
到日子就得與我送到門

到那時要是將錢送不到
要實在無錢還我們的債

我還有兩條道兒面前陳
京畿這亂值三百萬兩銀

第二是你國財政我監理
用將去上我那衙門領

不讓你們妄費半毫分
免去了貪官污吏來侵吞

你國人不知理財為何物
要知道生財求富的富麻

也不能讓那急荒屯了門
說甚麼也得還我這項銀

要有銀還我可比這件好
諸公回去好好想想吧

一日之賬是實云
到把那李完用等嚇吊魂

第二回賠欵不為別的事
去想求我國領事大發軍
也說是按年行上三分利
至如今未給我們一兩銀
讓我在此與你們把賬討
我今日緩上你國一月限
就苦了我國那些充軍人
第一是無錢將地賣與我
出入欵項你不得與聞
省多少好與你欠債償
拿着生財求富置妄聞
這兩樣你們必得從一樣
說甚麼也得還我這項銀
我恐怕你們無處把銀尋

這伊藤說罷一些話

話說李完用諸人聞伊藤說了一片要錢的話。一個個目瞪口呆半晌方說道。我因此將窮的

繡像小說…卷三

廢法。那有還賬的錢呢。伊藤說廢錢也不行。我國等只這個作兵餉呢。你們要不還我的錢我

國用其麼養兵反正一月之限湊足了更好。要湊不足到那時可也就講不了給我們地或是

讓我們監理你們財政望下不用說了說完了就上車回統監府去了。單說李完用等即當日捐他

商量了一會誰也廢有法子遂稟於他的皇上李熙李熙也是沒章程又商量了一回

國債大夥湊吧攤吧還上日本也說不能監理財政了。因為他皆存自私的心思不肯出錢把

們的百姓那百姓誰也不出錢可知那外國的百姓一個個是任憑不懂要是知道的好了。把

還國債那知道你不是要你的地就是把你的財政權把過去財政是國家

的血脈要將血脈讓人家把守着國家能自不亡嗎咱們中國賒人家外國錢比那高麗還多

着多少倍這幾年外人常想只要監中國的財政要是咱們的財政權以讓於外人把過去也

就離完不透咯諸公們好好想想吧開話少說單諸李完用等籌備這個錢看一個月此廢

顛對妥。無奈到了統監衙門。對伊藤以說伊藤說既廢法這講不了別的。反正都兩條道你們

是從那條吧。他們又求緩日限伊藤擺頭不答應李完用等看着廢法遂許伊藤監理他國的

財政是到財政權到日本人的手裏是大韓的稅務錢粮王租所有一概入歇的事情全歸

伊藤管理那韓國想要作甚麼事辦甚麼政治伊藤也不給他的錢花都說是你們賒那

些錢我給你們省着還債呢你們只知無故的化費我們這錢你們可得何日還呢。由此那高

麗財政一失可就不好了。

伊藤他本是一個毒辣男　　一心要尊取高麗財政權

缺一點說得把病添　　　　若是血脈全癱有

世上人誰能不把錢財用　　論起來是人生命第二天

雖是那英雄豪傑也犯難　　為無錢愁倒多少英雄漢

都只為衣食房屋無處取　　無奈才受苦挨餓在外邊

創下了急荒債主賽如山　　有一旦人家與他把錢要

房屋地產全賣盡　　　　　剩下了隻身一人好可憐

想想當初怎麼不淒然　　　看起來國家與人一個樣

高麗國財政歸於伊藤管　　那錢糧全得歸在他手間

那日本賍察查的分外嚴　　有一點漏稅就得加重辦

將欠項全是收在他的手　　你想要用上一文難上難

他君臣一天無事飽三餐　　各衙門政事全歸日本管

有國家不能把政事來辦　　怎能勾圖存疆土保全安

依我看他你百姓也是愚蠢　你國債就是你們家的債

你們若是不出錢來把債償　難能勾來替你們把賬還

他定要監理你國財政權　　那高麗的君臣固然是

錢財好比人血脈

這個人立刻就來完

一無就莫過不動了步

因此那貧窮之人把担担

有錢的嫖賭賭胡鬧

他就得折賣房產作償還

到後來衣食無錢凍餓死

是凡那猪馬牛羊皆有稅

財政去甚麼政治不能頒

可憐那高麗人民受熬煎

高麗國諸般政治不能辦

那高麗好相附屬物一般

財政本是國家的命脈

失財政國家就要快來完

國要是被那外人滅　你們家甚麼能勾來保全

諸公心中仔細想一番　咱中國外債好幾千萬

都因為甲午庚子那幾仗　才拉下國債急荒重如山

也常想把咱國的財政監　現如今各省全有籌還會

欠外國的急荒要全還上　東三省或者可以能保全

中國也就列高麗那樣般　要等著財政到了人家手

練兵無錢不能練　有鎗炮無錢更犯難

敘明公你看可惜不可惜　這本是至理明言真情話

我今日說到此處腮落淚　望諸公仔細參一參

再把那日本行凶言一番

國家二字本是緊相靠

眾明公八成未曾聽人言

外國也常跟咱們把錢要

諸公們可以上那捐個錢

眾明公看看高麗想自已

那時節有甚麼方法也然

到那時坐甘來待斃

別拿著這些話兒閒談

押下此事咱們且不表

話說漢城東關有一家姓周哥三個長曰周忠次曰周孝老三曰周義家裏有二處房舍在道南一處在道北那處房子自已家住道北那處房子招了一個日本人名叫吉田在那關藥鋪三間房子言明一個月納房銀三十吊每月月底打齊這日周忠得了一個兒子四五天上長了一個疙疸狠利害周忠就到那日本藥鋪去買了一點藥掌了閒價錢那吉田道咱倆一個東夥還講甚麼錢不錢會拿著上去吧周忠說道可使不得的這吉田驢頭不肯要我開忠實家中等著用藥救急也就忙只回去了到了家中將藥上上也沒見

好呆了只一天。把小孩也就那了。這且不在話下。單說那吉田將房子住了許多月。也靡給周忠打房銀。這日周忠去向他要錢。吉田趕上這日靡錢。請改日再他吧。周忠尋思原先有人家他們藥都靡要錢。也就未肯深說。就回去了。又採了兩月。周忠又去要房銀。吉田說這事狠不對。你下月我務必給你打。周忠尋思三四個月都緩啊。這一月就不能等了。遂又緩了一個月。這日他們哥三個一齊前去跟吉田要錢。吉田說你還是靡錢。周忠說我已經寬五個月。你怎麼就放着。吉田就變臉說道。我不肯跟你們計的。不要臉。那日你買我那藥。也值二百今天還說靡錢呢。那管不能全給我。先給我三月的房銀。我有點要緊的用項。那個月值二百吊。怎麼就不勾你這幾個月的房銀呢。吉田說誰說不要錢來的那時你問我價錢。我說是二百吊。你就孥看走了。你這五個月的房銀。總一百五十吊去了。你的還該我五十吊呢。我說我們今天還要管你要錢呢。周義周孝從那邊說道。那你們賣的藥貴不貴的也不用說。那讓我們用來的呢。非給我五十吊錢不可。他們三言兩說打起來了。吉田看他們人多今天給起鑣來就打了兩下。把周忠周義勢不好。跑到街上報於巡警。趕到巡警進了屋中。那吉田早跑了。周孝一見吉田跑了。他就上那外務部告狀去了。單說那吉田跑到他們的統監衙門見了伊藤說道。小人在那街上周忠的房子開藥舖。那周忠買藥不給錢。還替我硬要房銀。我說是你該我的藥錢去了。該你的房銀還欠我五十吊呢。我就與他們要錢。他們不

續修萊崊志　卷三

但不給錢還使着人多來打我我無計可施才傷了他兩條人命望大人與小人作主吧伊藤

以聽眉頭一縐計上心中這事不要緊我把你綁上到在他們外務部旬有辦法管保不能讓

你受屈於具將吉田綁上坐上車子到了外務部見了尚書金炳之這個時候周孝早把呈子

遞上去了當日金炳之見伊藤來到說道統監八成為那人命的事情吧伊藤說既然如此聽我道來

是我還有一件事情相商金炳之說大人有甚麼事情儘管講來

這伊藤未從開口面帶歡尊了聲伯之大人聽我言只因為日韓交定下通商約

我國人纔來貿易到這邊那吉田在這街上開藥舖租了那周忠兒子得了病

當面裏房租銀子講的妥這說是一月拿上三十吊錢因為那周忠房子整三間

前去買藥向吉田將藥買去無其數他兄弟藥錢不算房錢要

吉田欠周忠房銀一百五去了他的還欠吉田五十那吉田無奈纔動了野蠻

繞惹那田吉把銃轟他哥倆個一齊把吉田打我國傷人無有死罪

用銃打死他們哥兩個才惹出日韓交涉這一番我發他充軍在外十二年

不能與你法律一樣般吉田傷了人命算有罪你國人無故來把人欺壓

這個事情算一倒我還有一件事情向你言還保護別國人民在這邊

巡警他因為甚麼不遮攔巡警本專管打仗合關殿象這樣巡警要他中何用

我國人你們巡警不保護簡直的事來欺侮咱

妄耗費你國多少銀子錢　到不如將他撤了去　將我國的巡警這塊安

也省著我國人受他的氣　你國裏也能得點安然　吉田事就是那樣辦

巡警明日我就安　兒不兒的我不管的　我還要回去關一開

說罷坐上車子回衙去　倒把那金氏炳之嚇一川

話說伊藤將吉田傷人的案子硬壓只辦了又要撤高麗的巡警安他國的權柄全在他的手裏這
是這個事還跟咱們辦要是別的事情人家都不理咱們我明知你是含寃但是我這一點權
柄靡有那也是無可如何你回去自己想法去報仇去吧周孝無奈何回到家中將周忠周義的
尸首成殮起來埋葬了自己尋思道我自己一肚子寃枉無處去送越尋思越有氣從此得了
個氣腦傷寒一病而亡。那周氏兄弟俱被那日本害死真是可惜呀這且不表單說伊藤回到
衙中挑去些個日本兵變成巡警安在街上又把那高麗的巡警全都撤吊由此那高麗可就
越發不好了。

好一個心腸狠毒伊藤公　害的那高麗人民好苦情　明明是他國人民不講禮

硬說是高麗人民把他凌　可惜周氏兄弟死的好苦　誰能勾替着他們把寃伸

日本人漢城以內行暴虐　那巡警那敢上前把他橫　象這樣還說巡警不保護

硬把那韓國警權奪手中　巡警與人衣服一個樣　穿在身上能避風

繡像英雄淚　卷二

自己衣服要靡有

可惜那衆多韓民受苦情
只許日本把韓民苦
那巡警立刻送局中
有人說日本人不好
一宿也不得安寗
要想只享個安然太平福
聽此事你們別不著意
能勾不在此來行凶
再要說我就出不來聲

第十九回　　日人肆行淫婦女　韓國又失審判權

指著穿人家的算不行
日本人隨便捉開無人管
不與那韓民知一聲
小則罰錢三百吊
大就罰半年的土工
黑棒就望身上扔
黑裏半夜來察戶
講究起真是讓人不愛聽
日本人要瓜分東三省
要等到權力一失就不行
說到此處住了罷

漢城中安上日本的巡警
韓國人說一句錯話都不中
韓民要與日本來打架
眾明公你看日本有名
將來咱們也少不了那
此時防備還不晚
不可不把此事放心中

上回書說的是那高麗國失財政權失巡警權這一回說高麗失審判權他那審判權怎麼失的也有個源因在前上美國留學那一羣學生內中不是有一個岳公嗎此事就因只岳公之妻而起岳公之妻怎麼就能把高麗審判權失了呢列位不知聽我細細的說一說單說岳公娶妻劉氏小字愛戴是平壤城北會賢莊進士劉真生之女生的花容月貌傾國傾城不亞如唐寒仙子以小又從他父親讀過書曉得綱常倫理平壤城裏要講究才貌姿色婦女之中算靡

有些上他的就是了。十八歲那年過的門。夫妻甚是相得。過了一年。岳公上美國去了。愛戴就從著公婆在家度日。光陰荏苒不知不覺的就是二年有餘。這一日劉家趕來接。愛戴言說他母親有病。想他。愛戴這個消息就稟報了公婆。說是我母有病。命人前來接我。我想只去看看老母病體如何。岳老夫婦說道。你可不去看看呢。再說咱家中也用不著你。作甚麼。你就快快的拾道著走吧。又說道。你把咱家的果品食物。與你母親拿點去。愛戴說是兒媳尊命。於是愛戴回到自己屋中。拾道東西去。單說岳公有一妹。名喚香鈴。年方十五歲。生的是品貌無雙。溫柔典雅。素日與他嫂嫂最相善。天天跟著學習針指。這日說他嫂嫂要出門。他也要跟著去。遂也稟告了父母。他父母素日最愛喜他。也就應許了他啊。於是就拾道了。拾道過了一會。愛戴收拾完畢。過來拜別了公婆。領著香鈴坐上車子。可就撲命會賢莊下來了。

好一個劉氏愛戴女娥皇

拜別了公婆二老出庭堂
說兒媳到家見了你父母
捎去了一點薄禮表心腸
為女孩說語要不加拘管
防備那胡匪強盜把人傷

他一心要上家中探老娘
帶領著小姑香鈴把車上
千萬要疼著老身問安康
香鈴兒十五六歲孩子氣
必使喚人家外人說短長
老安人囑咐以單回房去

繡房裏梳裝已畢後房去
岳安人送他姑嫂到門傍
就說是老身無故來閒病
別讓他無故說李與說張
走道上總要時時加仔細
他姑嫂坐車奔了會賢莊

37

繡像美紅沼　卷三

劉愛戴坐在車上心暗想　也不知我母因甚病在牀

年邁人得病多年思兒女

忽覺着夏日清和天氣暢

若不然不能接我回家鄉　這佳人正在車上胡思想

但只見遠山聳翠舍嫩綠　近處裏野草鮮花氣馨香

雙雙的燕子啣泥空中繞

對對的蝴蝶尋香花內狂　蜜蜂兒抱着漢珠歸枯木

家崔兒覓蟲哺雛奔畫堂

滿隈邊嘉枝向日競織綸　各處裏麥浪迎風遍地黃

愛戴娘觀着物景忽觸動

叫了聲鈴妹子聽言良　咱姑嫂兩月未出城外看

這風景比着從前分外強

際是時花草宜人天氣煖　為人的不可虛度這時光

士子宜苦坐南窗求經綸

農夫宜鋤草扶苗隴頭忙　作工的發明機械心路暢

營商的貿易別家不淒涼

就是那朝廷大老君與相　此當宜安排政治保家邦

咱國家人民昏愚治政壞

那君臣還在朝中睡黃粱　這時候若不圖謀保國策

豈不是白費這個好時光

韶光兒一去無有回來日　咱的國一弱何能轉戚強

他姑嫂正在車上閑談話

猛抬頭看見一座大山岡　兩邊鄉樹木叢雜有人跡少

猛露那古寺鐘鳴响叮噹

這佳人正然觀看遠山景　忽聽的傍邊有人話短長

一回頭看見三個日本子

繁跟着他那車子走慌忙　愛戴娘以見日本心害怕

說他們幾時跟隨到運鄉

那個說那個姑娘也狠強　一個個心懷不貝發了狂

這個說這個媳婦多俊俏

日本賊狗見佳人回頭看　一個個個個回頭看

真不亞月宮仙子降下方

十九

想煞法將他二人得在手
立刻閒生出一種壞心腸
跑上前去把車夫打
那一個拉着香鈴林內藏
眼睜睜他姑嫂要失節
到跟前大棍就往空中揚
那一個見事不好要逃命
用繩子將他三人綁樹上

與咱們雲雨巫山把妻當
走到了樹木深密無人處
將車夫推倒地當央
這一個見事不好高聲喊
忽然間來了二位強壯郎
只聽的叭以一聲招了重
被樹枝掛住衣裳無處藏
次又將車夫香鈴忙扶起

他三人一行說着進山口
他三人一齊上前把路擋
這一個扯住愛戴懷中抱
那日本立刻要行不良
他二人手提大棍往前跑
二賊子一齊打倒地當央
他二人一齊上前忙提住
那佳人這才過來話短長

話說那三個日本將他姑嫂拉下車子。就要舉行姦淫。眼眼只就要靡救。只見從樹林中闖出兩條大漢來。手持大棍。跑至跟前。將那三個日本賊打倒。綁在樹上。次又見車夫香鈴忙在地上。他二人又上前扶起。愛戴娘也從那邊過來。那二人問道。你們是望那裏去的。幾乎遭了危險。愛戴遂將姓氏家鄉。始末從頭對他二人說了一遍。遂問道義士高姓大名。那裏人氏今蒙救命之恩。刻骨難報。望祈義士留下姓名。請至我家。小婦人重重的相謝吧。他二人一齊說道。

們全是高麗國的人民。那日本子舉行淫虐。我們那可坐視不救呢。救你們本是我二人應盡的義務。豈可言謝呢。又說道。這個地方叫留雲浦。此山叫作落雁山。我們是兄第二人。我名張讓。他名張達。就在

這山南炮子窩堡住著以打獵為生今日早晨打了一隻白鷺不知落在那鄉我兄弟二人正

在此尋覓忽聽你們招呼救人所以我二人才來的愛戴聞言說道就是張家二位義士了遂

拜了兩拜他二人東手當說道豈敢豈敢張達又對著張達說道你去把鄉約地方找來讓

他們把此三個賊使送到審判聽處問罪張達領命而去張讓又限愛戴說道你們不必搶親

戚了可以坐車回家去與這日本人打官司吧愛戴說道可也是呀遂叫香鈴上車那張

鈴點在那邊如痴如呆一言不發愛戴知道是被賊叮着了遂將他三人解下從新帶着望審

達也將鄉約地方找來了那鄉約地方到在跟前從樹上將他三人抱在車上趕只回岳府而去單說那鄉約

判聽去送張氏兄弟也跟着去作甘證那車夫復又抹過車子到新升堂將他們一帮

地方同着張氏兄弟將那三個日本人送到審判聽的聽長姓雷名地風素日最恨

日本人當日接了留雲浦鄉約地方所報的日本人強姦婦女的案子立刻升堂將他們一帮

人全喚上堂去先叫那鄉約地方說道日本人怎麼奸淫婦女奸淫的是何人家的婦女你二

人從頭說來那鄉約地方一齊上前使禮說道大人不知只道城中岳懷嵩的兒媳劉愛戴同

看他小姑岳香鈴去上會賀莊劉真生家中剏門路過那落雁山這三個日本人見色起意將

他姑嫂拉下車來就要好淫多虧了張讓兄弟將他們救下又再這三個賊拿住報於我二人

我二人看這事非小所以才將他三人押着送到這鄉雷大人又問那張氏兄弟說道這三個

日本賊是你二人拿住的嗎張讓張達說是我二人拿住的雷大人一聽此言冲冲大怒叫喬

役們把那賊人與我帶上來。那衙役們一聽此言哄的一聲把那三個日本賊一齊拉到堂上。

雷大人一見可就動起怒來了。

雷大人坐在堂上怒冲冲
你三人為何到此來行凶
你國裏婦女必然興奸淫
咱兩國婦女與奸淫
你國人在此胡行非一次
今天我一定不能來寬容
上前去將他三人捆倒地
一個個拿起板子抖威風
立刻間每人打了八十板
他又在大堂以上開了聲
我今天實在寬你三個
那婦女要是因此得了病
然後再去請那位岳懷嵩
大堂上拿出紋銀整十兩
將銀子帶到家中度時光

罵了一聲日本賊人禮不通
無故他把我婦女來來行凶
若不然何為到此胡亂行
咱兩國法律既然不一樣
你三人這樣作來就不中
尋思起人眼睛泛有氣紅
雷大人越說越惱越有氣
與我打八十大板莫留情
走上去將他三人按在地
五花板就往他們身上下
但見那賊子手上冒鮮紅
雷大人以見衙役打完了
聽一聲岳父婦女他的聲
叫那三人名叫雷地風
你二人拿賊人有功應受賞
再說那大人張達二弟兄
賞與那張達張達二弟兄
我一定讓你三人把命釘
眾衙役以聽大人吩咐下
世把那三班衙役叫一聲
看起來你們盡是欺侮我
縱就是你國婦女與奸淫
看起來這事實在是難容
咱兩國通商定約原為好

他兄弟謝恩已畢領銀去
鄉約也跟著他們回家中

41

雷大人一見他們全去了　自己也下了大堂後宅行　押下了此事咱們且不表

再把愛戴領着香鈴姑嫂明上一明

話說劉愛戴領着香鈴回到家中。下了車子將小姑香鈴也抱下來。然後又對車夫說道你回去對我爹娘說要想我改日再來吧那車夫說是了遂趕車回家而去單說愛戴姑嫂扶着香鈴來到後堂將香鈴扶在炕上次又與公婆問安岳老夫婦說道你們姑嫂怎麼回來了又說香鈴他怎樣的了愛戴遂將日本怎麼被人救的事說了一遍岳老夫婦一聽此言氣的面目改色一齊說道這日本人真無無禮幸虧有張氏兄弟相救要不然你姑嫂一定被他污辱了那事先不必提了還是請個先生與我妹妹治病才是呢安人遂到香鈴身傍說道該兒你怎的了那香鈴一言不發吁吁的直喘安人一見香鈴的病體甚重遂請了好幾位先生喫了好幾付藥病體也不見好尚且加增岳老夫婦說你上審判衙會話岳老懷蒿說你去告訴那公差就報道說啓稟老爺得知外面有二個公差請你上審判衙會話岳老懷蒿說你去告訴那公說是我姑娘被日本人吓病了今日無空有事改日再辦家人出去將那話告訴與公差媳差一聽也就回去了單說那劉愛戴在後堂前湯熬藥伺候小姑香鈴到了天黑安人說道媳婦你回房安歇去吧夜間我老身扶持他吧於是愛戴辭別了婆母回到自己屋中坐在炕上尋思起白天之事可就落起淚來

　　劉氏女閨坐房中淚盈盈　　尋思起白天之事好傷情　　只因為母親得病把我想

我這才領着小姑出門庭
幸虧有張氏兄弟來搭救
又吓病我那小姑名香鈴
香鈴妹一旦不好喪了命
算起來去了二年有餘零
免去那外人笑話不住聲
外人都說我被日本人羞
咱夫妻今生今世難見面
回國時好著為妻報寃橫
次又將高堂老母心中想
你老人竹籃打水落場空
哭了聲生身老母難見面
在梁上掛了三尺雪白綾
將脖子伸在扣兒內
可惜那多才多智女花容

那知道中途路上逢賊寇

若不然我們貞節燃未失也丟醜
那病體奕藥不把功發見
我還有甚麼顏面對婆公
這聲名跳在黃河洗不清
丈夫呀你在美國學堂住
要相逢除非夜晚在夢中
咱母親命今生也恐難相逢
母親呀有着一日歸地府
歡了聲半路夫妻不相逢
用手挽個猪蹄扣
但見他手又舞來脚又登
繡房裏愛戴懸梁咱不表

日本人將我姑嫂來欺凌
這貞節難燃未失也丟醜
看光景恐怕難保死與生
我丈夫美國裡求學把念書
豈不是把我丈夫好聲名
我今夜不如一死遮百醜
那知道為妻今夜喪殘生
望文夫好好在那求學問
社會上也是赫赫有聲名
別人家養女都是防備老
孩兒我不能弔孝去陪靈
這佳人哭罷一會忙站起
雙足站在地當中
不一時手腳不動魂靈散
再把那岳老夫婦明一明

話說岳老夫婦看他女兒的病。一會比一會增加心中其是發急。趕到天道將亮的時候。那香

綉傢女奇法　卷三　二十二

鈴忽然哭了一聲氣絕而亡。他夫妻一見香鈴背過氣去連忙的招呼。招呼了半天也靡過來

可就哭起來了。

老安人一見香鈴歸陰城

讓為娘怎麼能勾不心疼

你哥哥現今留學在美國

就對著為娘來把笑話說

你這命是讓日本活吓死

為讓你跟著嫂嫂離門庭

老安人越哭越痛淚如雨

又聽了壞那丫環稟一聲

你看他梁足極胸放悲聲

我的兒你死一生只顧你

為甚麼轉眼就把為娘拋

讓為娘我就生你們只妹兩

你也是常常掛念在心中

只誠想常常在家為娘伴

若不然病也靡有這樣

早知有今朝這個凶險事

好比似萬斛珍珠滾前胸

說我兒得病為何這樣快

拋下了為娘一身苦伶仃

象你那樣精神伶俐百般巧

從小裏愛似珠寶一般同

該兒你一見為娘我愁悶

那知道今早偶然把命坑

娘只為你們姑娘最相好

斷不能讓你離了娘手中

後堂裏安人哭的如醉酒

話說安人正在房中痛哭愛女只見跑過來一個丫環說道太太不好啦我方才起來上前堂

掃地只見我們少太太吊在梁上吊死了岳老夫婦說道怎麼你少太太吊死了丫環說吊死了

他夫婦一聽此言慌忙跑到那屋只見愛戴吊在梁上急命了丫環將他解下來。丫環將他解下

來放在坑上已經挺尸了老安人一見又痛哭了一氣遂命家人上街買了兩口棺材來將他

44

姑嫂成發起來岳懷嵩說道夫人你在家中也不要哭多哭也是無益我去上那審判廳告日

本人與咱姑娘媳婦報仇要緊安人說你去吧於是岳懷嵩出了家門來到審判廳見了廳長

雷地風把香鈴嚇死愛戴吊死之事對他以說雷廳長說道我怕有此事到底靡免了此事昨

日出差回來對我一學我就知令愛病不好可靡尋思你兒媳自盡之事到如今你也不必

憂愁我必讓那三個日本人與他姑嫂埋葬了單聽那雷大人處治日本賊的信息單說那雷廳長

送走了岳懷嵩立刻升堂把那個日本人提出獄中閒成死罪定了一強姦幼女致傷性命的

別大人回來將他姑嫂理葬了單聽那雷大人你酌量只辦去你如今你也不

案子遂急拉到法場斬首那岳老夫婦聽說其是結恨且說雷廳長將那三個日本賊斬首當

時驚動了滿城日本人一個個來到他們領事衙門把此事對他們的領事聞

聽此言急忙修了一封書子打到漢城統監衙那伊藤當日接了這封書子暗中就想出來一

個破壞高麗國的毒策送坐上車子到韓國總督府見了李完用語人說道咱兩國通商我國

人在你們領事衙門定罪才是現在有我們國三個人在那

平壤地方也當宜送到我們的衙門發落你們斷不可私自就殺了看起來我國人受你們的法

律歡道真是可惜從今後你國的審判廳要不然你這國家也靡法保護我們

的人民受你國的屈也是太大了今天我與你們知道明天我就實行愛答應不答應說罷坐

45

上車就回統監衙門去了。那李完用等一個個啞口無言。甘聽著人家日本人去辦。到後來高麗審判權又歸了日本人手可就越的不好了。

伊藤候本是一個毒辣男，又奪了高麗國的審判權，硬說是高麗法律不完善，盡要他們那些日本的官，有一人若是不服把他抗，日本人無禮也占先，日本國無有斬首刑一件，高麗人犯罪就把嬰兒掀，日本人願意怎的就怎的，讓飲水誰也不敢把草浪，咱國的權力要是到他手，眾明公想想慘然不慘然。

一心要奪取高麗錦江山（將財政巡警到手還無嚴）日本人肆行姦淫韓婦女（還說是他國人民受熱煎）遂把那審判之權手間（韓國的廳長權事全撤吊）打官司任著他們胡判斷（高麗人有禮說無禮）斷錯了誰也不敢說一言　立刻就讓他一命歸陰間　怎說是日本無禮把先占（都因為他們刑法不一般）犯大罪不過充軍十幾年（韓國裏有那斬殺刑一件）有一點小罪就把大刑上（你看那高麗人民多可憐）無一人敢與他們把臉翻（日本人拿著高麗當牛馬）現如今高麗已經滅亡了（那日本不久就到咱這邊）也不能好好來把咱容寬（那時節還須比著高麗甚）等著明公想想咱們再言

第二十回　朝鮮主權外漸

農夫懷憤倡革命　　婦女因仇起義團

君臣猶在夢中　　留雲浦上顯良農

我今日說到此虛住一住　　立會倡言革命

日人姦淫婦女　天理所不能容　周氏二娘義氣生　要與日人拚命

上場來西江月叙罷書接上回上回書說的是那高麗國的番判權全歸了日本人手中日本人得了審判權就無所不為就是犯什麼大罪也靡有死罪那高麗人少有一點罪過就坐監下獄日本無論怎麼欺侮高麗人高麗人不敢伸寃告狀獨只為那審判官全是日本人要告狀也不能與他們爭理所以那韓國人一個個含寃負屈無可如何真是讓人悶之落淚呀這且不在話下單說在平壤城裏有一個開妓館的日本人名叫美谷松是那三個日本賊的朋友當日聽說他三人讓地風殺了心中甚是懷不憤後來打聽人說他三人是說張氏兄弟捉住他那三個朋友於是想出個壞道來將他國的人會了十幾個說道你們莫聽說咱國人讓雷地風殺了三個那此二人說我們聽說但不知是何人捉住的美谷松說我原先也不知道是何人捉住的後來聽人說這城北有一座洛雁山山北有張姓兄第二人將他們捉住的要不着他們捉住咱國人焉能被殺呢我今天將你們請來想要上那留雲浦將那張達殺死好解咱們心頭之恨但是先聽人說並不認識他們這也是一樣難事內中有一個日本人說道我認的他們前一日我在他們手中買過皮子我還知道他的住處呢美谷松說道這更好了咱們就殺他二人就是了就是殺了他二人咱們也不抵償不相原先審判權在他們手裏那個時候了你們願意不願那些人一齊說道狠好我們全都願意去替咱們那三個朋友報仇美谷松說道既然如此咱們就去吧於是大家收拾收拾也有帶手

47

繪像身加海 卷三

鎗的也有帶刀子的也有帶二人奪的一齊出了平壤可就撲奔留雲浦走下來了。

好一個賊子名叫奚谷松一個揚眉怒目賽毒蟲

一心要替他朋友報冤橫

齊說道今日去上留雲浦找咱同人也有十幾個

要能勾將他二人得在手我一找張讓張達二弟兄

解一解咱們心頭火一宗與那死去之人把仇報

我看那張氏弟兄大門首一定是扒皮喫肉挖眼睛

所以才未能遭在毒手中眼前裏來到張氏那屯中

那個說既來不要空回去偏趕上他們出了外

將他那跑手窩棚用火轟齊說道今天白走這一程

忽喇喇刮刮刮大火照紅賊子們說着點上火

齊說道這火必是他們放若不然他們到此為何情

當是那張氏兄弟轉回程看見了日本人發愣怔

拿起腿來往回跑奚谷松一見鄰人來救火

日賊人才知不是他弟兄那鄰人個個嚇的戰競競

眾賊子一行說着回裏走眾鄰人跑到家中門關上

眼前裏來了張氏二弟兄說道是今日雖然未得住等明日再來殺此人二名

話說張氏兄弟這日正在山上打圍忽然看見家中起大急忙的扛起鎗就往家跑中途路上

與那些日本賊見了個對冲面那個買過張讓兄弟的皮子那個日本人一見他兄弟跑過來

說道這就是他們兩個。咱們還不下手。等待何時。於是一齊抽出刀鎗望前就闖可就不好了。

眾賊子一見他們眼氣紅
從腰間亮出刀鎗要行凶
忽啦啦將他兄弟圍在內

扣手仗打的實在令人驚
他兄弟雖皆有鎗不中用
而且那窮不敵衆是實情

那張讓張達雖然是好漢
怎能勾敵擋日人十數名
況且說倉卒之間不防備

被賊人一齊打倒地流平
用刀子剌在他們心口上
可惜他兄弟二人喪殘生

眾賊子殺了張氏兄弟兩
將尸首拋在落雁山澗中
留雲浦衆賊殺死人兩個

一個個心滿意足回了城
眾明公聽聽日本恨不恨
青天白日就殺了人二名

高麗人受這樣大冤無處
尋思起讓人心中甚難容
他國人所以受那日本氣

都只為國家無權那一宗
他國主權若不歸日本手
有冤屈怎的也不能無鬚

咱中國主權若不歸外人手
咱大夥也與高麗一般同
衆明公聽着此話怕不怕

這不是虛言假語來胡蒙
從今後好好把咱國權保
才不能受外國人他欺凌

你們要拿着此事當笑話
簡直的不如禽獸與畜生
非是我今日說話嘴兒冷

我是怕咱們性命被人坑
押下此事咱且不表
再把那農夫慷慨明一明

話說那美谷松等把張氏兄弟殺了。回到平壤城裏。由此那些日本人當上那留雲浦攪亂無故的搶奪財物姦淫婦女騾馬牛羊。說拉去就拉去買東西也不給錢不賣還不中。莊稼在地裏硬割着喂馬種種的暴虐令人實在不忍言吶。由此天長日久就惱了留雲浦中三個莊

稼人。這三個莊稼人一個叫周正一個叫李得財。一個叫崔萬金。他三人家中皆種著好幾十

坰地莊稼未割就讓日本子先造害了不少。耕田的牛馬又讓他們牽去十幾匹家中的婦女

也不敢出門。一出門遇著日本人就得不著好呵。他三人一看這事實在教人太已過不去

不得了啦。咱們要還一味老實何日能勾有頭呢。李得財聽萬金說道兄長有何方法能使

人受不了啦。咱們呢周正說我到有一個拙見。就是把咱這村中大大小小人家全請來我這

日本人不欺咱們呢周正說我到有一個拙見就是把咱這村中大大小小人家全請來我這

西廂房空著又寬廠將他們請來的時候在我這廂房裏大彩在一處議議人多見多識要

有好道說出來免去受日本的欺侮豈不是咱大家的幸福嗎崔李二人說道這條道不錯咱

們就這樣的辦去吧於是周正打呌附幾個伙計說你們去把咱屯各家的當家的請來依計

去了不多一時各家全教來到也有一百二十餘人周正一齊讓到廂房那些人一齊說道周

大爺把我們找來有何話講周正說道無事不敢請諸位到此只因為咱這屯中屢次受日本

人的欺侮眾人以聽日本二字一齊激口大罵周正說你們先不要動怒我思咱們受日本

人的欺侮這個欺侮何日得了了所以把你們請來在一家商量商量

誰要有道可以說上一說只見内裏出來一個老莊稼人名叫劉福慶說道老夫有一條拙見。

你們大彩願聞聽我道來

　　劉福慶站在那邊開了聲　　尊了聲老少爺們聽分明　　日本人在咱國中行暴虐

50

無故的姦淫婦女胡亂行，好莊稼他們割着喂了馬

到屯中無所不為財物搶，買東西不與錢來不與銅

恐怕是遇見他們來行凶，又尊取騾馬牛羊好畜牲

雖有那天大寬枉無處訴，婦女們不敢出門把親串

那權力全在日本人手中，尋思起真是讓人痛傷情

咱大夥生在韓國為百姓，張氏兄弟也不與他們爭

人家讓死咱們不敢生，告狀去官也不與把理爭

好比似下了地獄一般同，這個國明明是咱高麗國

日本人說怎就算怎麼的，咱國裏靠有一人敢出聲

死生權操在日本人的手，人家讓活着咱們不敢死

到不如與他們把命去拚，咱們有多少屈情無處控

老夫我就在這裏為頭領，他要是再上這裏行暴虐

要能使咱們不受日本氣，再要來衆服咱們就不中

把那個生死二字一傍抛，老夫我今年六十有四歲

你大夥全要像我這個樣，我就是死在九泉也心甘

到算是男兒有志義氣橫，如果是因為這個喪了命

這就是老夫心中一拙見，要不然我就與他把命拚

只聽那私掌排的如雷鳴，劉福慶說罷前後一些話

你大家看看可行不可行

話說那劉福慶說罷了一片言語眾人一齊排掌說道這個道對咱們靡有別的法就得與他

們對命他們要怕死咱們可就能安然兩天劉福慶說你們都要願意了眾人一齊說是願福慶說你們既然願意望後要跟日本人打仗可要哈出命來眾人全哈出來了劉大爺你說怎辦就怎辦吧福慶一看他們意思全成了遂在周正廟房立了一個農夫雪恥會自己為會長選了一百五十多年青有力的人買了些子樂預備下些個家伙那日本人以上他們走中攪亂那劉福慶他就著人破了死命的去打由是那日本輕易不敢上他那屯中去攪關了押下此事暫且不表單說被日本害了的那周忠兄弟第三個有一個姐姐名喚二娘許配於漢城孫光遠為妻後來孫光遠因為漢城日本屢次為亂他夫妻就搬在平壤會野莊與那劉真生街東街西住著那周二娘自從搬出漢城因為道遠十餘年也靡回去住家心中常常掛念他那三個兄弟這一天聽人說周忠們讓日本人對了二娘一聞這個凶信就痛哭了一場心中想道我幾個兄弟讓日本人害了我必與他們報仇才是後又因日本人屢次姦妾淫婦女越發動觸二娘心中之怒自己說道兔死狐悲物傷其類孤樹不林我一人有多大本領也不好幹甚我不如將這屯中的婦女連合到一處在屯中那邊箕子廟內立下一個婦女報仇會為妙主意已定遂先連合了自己九個同心的女人後又連合各家各處婦女一聽這個事情無有一個不願意遂都來到箕子廟內那二娘等已經先在那裏等著呢婦女一共到了一百八十餘人就在那廟的西廊房開了一個大會只因這廟的西廊房是一個戲臺樓

子荷檯俱備。自從那日本人時常作亂，就永久不在那裏唱戲。當日他們到了屋中，周二娘讓眾婦女們全都坐下。他自己走至舞臺以上，對著大夥可就講起話來了。

周二娘邁步上了舞臺間
你看他滿臉帶笑開了言
我今有幾句話兒陳面前
咱國裏君王無道賢臣少
他君臣但知朝端享富貴
那知道國政被那日本專
最可惜咱們婦女受熬煎
白日裏不敢出門把親串
獨只為日人肆行淫婦女
一遇見他們就算犯了天
落了個年青幼小染黃泉
這事情放在心中實難忍
況咱們列三才在人間
到那時你看可憐不可憐
淫他們焉知不把他們淫
又況且咱們全然是一般
依我看怎麼也是難逃避
兔死狐悲物且知傷其類
把那個日本二字存心內
知何時他們攬亂到這邊
到不如今日想個對付策
從今後立下遠個復仇會
各人家把這心志堅一堅
別讓他無故死到咱心甘
尚若是替他們姑嫂報上冤
要能勾除治日本人幾個
算是替岳家姑嫂報了命
社會上也是赫赫有威嚴
讓他們見着咱們不害怕
咱倆就哈出死命把他攔
縱就是因為這個喪了命
世上人雖活百歲也得死
這個死比着羞辱強萬千
這是我周氏二娘一拙見
你大夥看看完全不完全

53

續僖英劇法　卷三

周二娘說罷就把舞台下
那個說任死不受羞辱黨
那個說要把日本趕出去
那個說破了家業也心甘
正是他大家夥了說氣話

又聽的那些婦女把話言
這個說治他要把錢來用
我情願日日曲膝叩老天
這個說任只挨冷不受氣

又只見内中一人開了言
這個說這方法兒是狠好
我哈出折賣首飾與聲環
這個說賣了衣服我情願
那個說受餓也佔了這先

話說那些婦女正然說氣話呢只見内裏走出一個三十餘歲婦人說道我看咱們人心是狠
堅固這個復仇會算是能勾成立了但是廢有頭行人才是單說
這個婦人名叫李三姐是那劉愛戴的表姊素日與愛戴身死他心中
甚懷不平想想要替他表妹報仇當日聽周二娘說立報仇會他就極力跟着提倡當日說完
了這一片話那些婦女說道可也是呀遂公推周二娘為正會長李三姐為副會長將他們那
會起了一個名叫作婦女復仇會這個會以成立那日本人要到他們那屯中作亂這個婦
女就首先反對日本人看會賢莊的民氣甚凶他們也不敢無故的去作亂了那位爺說咱高
麗國地方最多怎麼單道兩下的莊稼人婦女知道大義呢但不知這個地方都是僕元首報
館感化的原因若不然他兩處那能這個樣子呢

高麗國政治腐敗主權傾　　他君臣猶且昏昏睡夢朧　　日本人在他國中行暴虐
害的那韓國百姓好苦情　　僕元首憂國憂民開報館　　感動了留雲浦上衆良賢

劉福慶義氣倡興雪恥會
連合了無數婦女顯威風
日本人不是不把烈害怕
那賊徒也得稍微減減血
高麗人要也是全能這個樣
他們的江山土地那能扔
留雲浦農夫知道忠君義
看起來農夫婦女那可輕
韓國裏要能多有幾個報館
為甚麼動不動與他把封
我中國人民也有四百兆
也當宜學學二娘不惜生
要犯着就能他們把折冬
斷不可胡哩胡塗慶時冬
眾明公及早回頭就是岸
我不是無故讓你們把扔
如果是憑命保下東三省
到後來那個苦處說不清

領鄉人攻打日本眾賊丁
自從這雪恥復仇兩會立
都固為人民不最把他攻
論起來農人婦女最單陋
還知道雪恥復仇把君忠
會願壯婦女曉得愛國誠
這都是侯殉報館化的廣
未必不是開化民智第一宗
說是禁報館就能把禍免
今當宜把日本二字放心中
如果把死生二字抛開手
那日本自然就得望後鬆
要等着土分分與外人手
別等着刃壓膊子才感鳳
都只為着早晚不免那一頓
你們那子孫也能享太平

周二娘箕子廟內也立會
日本人不敢無故把凶行
為人的能勻哈出命不要
遠也算高麗國中一特色
開報館這個功故了不成
莊稼人看能全能知大義
這個話囫圇傻子許能行
東省人尤當注意這件事
那時節就是哈出性命中
這個話諸公好好想一想
我才讓你們大家把命憑
若但知眼前活着就算好

當奴隸羊子子孫孫不換主　眾明公你看苦情不苦情　編書的磨破舌尖來相勸

望大家可別當作耳傍風　書說到此處咱們拉倒吧　且等着下回書裏再改更

第二十一回

方今世界各國　　本良反國倡自治

欲想轉弱爲強　　貧富強弱不一　　岳子復仇刺統監

　　　除非廣開民智　弱國之民少智識　何以能勾獨立

　　　　開談宣講有利益　勸化人人自治

西江月罷書接上回說的是那韓國的婦女復仇這個咱們先押下不表。再說那高麗國的那

些學生在美國留學光陰似箭日月如梭轉眼就過了三年這年岳公金宏疇李範兒陳聖思

陳聖暇曹存韓述白李俊八人在陸軍軍學堂畢業冠本良趙通中孫子奇高雲周莊五人在理

學專科畢業這些個人為國家的計大皆知道用功所以到畢業的時候名字全列在最優等。

住陸軍學堂的學了一身好武藝冠本良學了一肚子醫道趙通中孫子奇學了些個機器製

造之學高雷學的是博物周莊學的是理化昏學的狠精妙趕到考究了畢業領了文憑他十

三人就商量只回國冠本良說道後天咱們那天走吧岳公等說道好後天全有聲他他在

們還有空省着明天他們還就悮工夫來送咱們遂一齊把東西行囊收拾妥當次又到在

法政學堂見了金有聲諸人把回國之事對他們以學李范兒說道你們要得家信可要早早

屬下省着到後急金有聲說那是自然趕到後天我們早早的上你們那去一來替你們

搬東西二來與你們餞行豈不是好嗎大家在一處談了一會冠本良等可就回去了到了後

天他們全會在一處。將東西搬到火車站上起了票。上了車。將東西安排好了。全有聲買了些
酒飯來罷在客車以内。願英雄團團圍住。有聲對着本良等說道你幾位今日回國否。本良等說賢
何日咱們大家今天。在一處痛飲一場吧。於是與每人斟了一杯。眾英雄一齊開懷暢飲安重
根從那邊說道各位兄長今日回國。小弟有幾句言語相奉不知諸兄願聞否冠本良等說賢
弟只管講來我們雖有不願聞之理重根說道既然如此聽小弟道來

安志士未從開口笑笑吟　尊了聲列位兄台聽我云　咱大家本是韓國求學子
有學問然後才能作大事　那耐得身居異域商家門　都只為國家軟弱人民闇　咱這才來在美國求學問
還要把來時之意放在心　還不憚飄零異域三四春　諸公們今日畢業回故里
量諸兄一定不能這個樣　怎對那鄉閭父老與親鄰　可不要貪圖榮華希富貴　把那個國計民生當笑頻
要圖強除非咱國人民全開化　不能勾保國又道敗壞國　把那個國家之恥置妄聞　社會上千秋萬世罵名存
要想使人民開化知道理　但是我不能不這樣規箴　除非是着咱國人民全開化　咱國裏君臣昏昏政治壞　要果然昧着良心去作事
勸動人不要虛度好光陰　倘若是着天宣講化愚蠢　何必拘區區三島日本人　勸化人都要時時求自治
望諸兄到家把宣講設立　辦煞事要把國家存在意　斷不可貪圖富貴把日親　講自治使喚他們耳目新　咱國裏要是人民全開化

然後再倡辦鄉團擴武軍　如果要鄉團擴克武備整　自能勾保全國家永久存

望眾兄回家先要辦此事　候一年我們也要轉家門　那時節大家同心把國治

或者能保全疆土不被分　眾英雄一邊說着一邊飲　忽聽那火車氣管响呻吟

重根說火車改氣是要走　咱兄弟不久就要兩下分　重根們全都掏出一封信

讓他們隨便給帶到家門　說話間火車改了三過氣　眾英雄無可奈何把手分

對着面一齊施下周公禮　說一聲一路珍重少勞神　重根們造才下了火車上

但見那列車忽忽起了身　一個個愁眉不展歸學校　躺在那床頭以上淚滿襟

不論那有聲諸人腮含淚　再把那歸國英雄云一云

話說冠本良十三人辭別了金有聲等

那火車也就開了只聽的兩面忽忽風响扒着窗戶望

外一看只見那村莊樹木隨風而倒轉眼之間就是

十幾里真正快的非常他們坐火車走了

十幾天出了美國的陸地到了大平洋又坐上輪船由舊金山奔檀香山由檀香山奔日本走

了兩月有餘這日到了日本海望見對馬島冠本良說道眾兄弟們哪前邊來到對馬島了離

咱家不遠咖大夥一齊扒窗去望說道可不見怎的

眾英雄望見對馬在前邊　一個個心中快樂而帶勸　一個個喜的坐臥不安可就言講起來了

今日裏可一下子轉家園　歸至家父母妻子重相會　齊說道飄零在外非容易

再與那親戚鄰右把話談

也不知國現在什麼樣子　也不知各樣新政添不添　也不知日人暴虐減未減

也不知全國人民安不安　顧持那江山社稷不來完

把那些日本賊人趕出國　咱大家努力同心把事做

也把那專制毒政改一番　咱大家再把新法頒一頒

眾英雄說說笑笑望前走　也算咱全國人民福如山

老天爺如果隨了人心願　也那那共和主意倡一倡

這一日到了仁川境界邊　只聽那三通氣虽船攏岸

一個個搬這東西下了船　極將那東西搬在車上邊

他幾人到此也就要分手　又聽的本良那邊把話言

　　　　　　　　　　旱岸山僱了車子正五輛

話說冠本良十三人。到了仁川上岸僱了五輛小腳車冠本良。岳公陳聖恩陳聖暇。趙適中。孫子奇六人。兩輛車回平壤金洪暾韓述白三人坐一輛車回安平兆道。李範先曹存周莊二人坐一輛車回道。中岑鎮李俊自坐一輛車回漢城他們當下安排妥當將東西搬在自己所坐的車上。就要各歸本里冠本良就道你們到家。可千萬要辦自治各處宣講所。好開化咱國百姓的智識呀李範先說那是自然咱們回國若不先由著開化民知入手。怎麼能保全國家呢我們到家就辦自治事。然後再提倡鄉團那鄉團若是全立齊了未必不是保全各人一個好道冠本良說既然如此我也就不必叮嚀了於大大家對著皆使了一禮上了各人的車子也就到了平壤夜宿晚行非止一日到了釗水驛陳氏兄弟先到了家本良四人又走幾日也就到了仁川然後各人各歸本鄉而岳單說冠本良幾人坐上車子出了仁川岳孫趙三人各歸本家冠本良來到雲府進了書房此時書房已經改成報館了本良到至屋

繡像英烈傳　卷三

中。叩拜了元首。元首一見本貝回來。樂的喜出分外急命本貝坐下。此時就有人報到後宅那

安母雲老夫婦。一聽這個消息。一齊來至書房本貝一一的見了禮大家然後坐下。元首說本

良。你可以將你們上美國這幾年的事情。並你今日回國所想辦的事情。大家襯著今日有空可以

學學與我們大夥聽聽本貝說大人既然願聞聽我慢慢的道來

冠本貝一見元首開一聲　他那裏滿面代笑把話明

路途上收了三位好賓朋　第一位他的名叶李範兄　與我前去遊學赴了美京

他三人家住盛境中岑鎮　漢城裏李家兄弟人三個

也都是上那美國留學生　還有那安平兆道人五名

李樹蕭本是親王應藩子　還有那一位高雲讀書子

韓述聖韓述白本是弟兄　這一回去了二十單八名

一齊的坐上輪船奔美國　我大夥一齊到了外務部

那一日來在美國京城中　將我們全都留在學堂中

那華聽看了恩師那封信　入他國裏學專科人五位

學的行軍步陣是好武功　學的是化學物理並農工

剩他們十五位人入法政　我在那理學專科學醫理

過三年就領畢業大文憑

那一年我們離家遊美國
還有那周莊曹存八二名
到仁川有聲結了九位友
就是那相窩李俊合瑋鐘
金洪疇吳佐車人兒兩個
我大夥會在一處奔前程
水旱路一共走了七十日
見了那美國大臣名華聽
入他陸軍學人兒八個
法政學比我們多著二功

這一回我們畢業十二位　全都是最優等的畢業生　領文憑我們這才回了國

在道上走了兩月有餘零　回家來想若倡辦宣講所　講自治勸化人民善心生

想只要保全國家無他道　必得使人民全有愛國誠　這其我已來未來那些事

倡自治是我要藥事一宗　冠本良說把前後一些話　又聽的候弼那邊哼一聲

話說冠本良說罷一片言語。元首從那邊說道你這個倡自治的見識到狼好。你望後就可以張羅着去辦若是辦成以後與我的報館相輔而行。那人民或者能多開化幾個。本良聞金玉均先生那裏去了元首說咳那王均先生從你們走以後與我開這報館。只因去年四月之間在背上生了一塊恐瘡醫藥不效數日而逝於今已經一年有餘了。本良聞言嘆息了一會雲大人又訪問了美國些個風土情景又說了本國種種失權的事情。本良又將重根等捎來的信一一的交了。當日天色已晚安母與雲大人全都回了後宅。由此後本良就在平壤城裏。立了幾處宣講所。着天同孫子奇等。在那演說勸化百姓。這且不再說下單說岳公這日到了家中。見了二老爹娘參見已畢。岳老夫人說兒啞。你幾時從美國起的身。在那駐的是其麼學堂學了些甚麼回來。岳安人遂將住的甚麼學堂學的其甚麼幾時領的文憑幾時回來的一一的對父母學了一遍。又問岳安人說道。香鈴妹子。上那鄉去了。是出了閣怎的。可是親戚去呢。老安人說啞。你要問你那妹妹真是讓人一言難盡了。

岳夫人未從開口淚盈盈　　叫了一聲我兒岳公聽分明　　要是問你那妹子香鈴女

61

提起來真是讓人痛傷情

那一年你的岳母得了病　你妻子與你妹子離閨房

去上那會賢莊裡把親甲　中途路遇見三個日本人　走至那落雁山中起了壞

硬拉着你那妻妹要行凶　多虧那張讓張達弟兄兩　將賊人捉住送到審判廳

到後來香鈴得了驚嚇病　一晝夜喪了他的命殘生　你的妻妹羞愧難當上了吊

岳公他聽了安人這片話　那知道咱家出了這事情

他姑嫂一同歸了枉死城　我的兒光在美國來學問

罵一聲日本狂賊名伊藤　不由的無名大火望上冲

拿乘了我國權力真可恨　都是你施下毒辣坑人策　硬要聲我的高麗錦江城

羞污我妻妹之事最難容　種種的暴虐之行全由你

正是他咬牙切齒高聲罵　這寃仇今日要在此處來報　我岳公枉在陽間走一程

又聽的懷嵩那邊問了聲　你國人還在此處要不報報

話説岳公正在那裏大罵伊藤岳嵩說我兒不要這個樣子。你那妻妹雖然身死。那三個日

本人尚與咱們抵了償現在那日本人的暴虐比先前還甚着多少倍呢我兒不知聽為父我

對你學一學吧

岳懷嵩坐在那邊開了聲　叫了聲我的孩兒名岳公　我的兒你今離家三四載

咱國的權力全歸人手中　只因為咱國欠那日本欵　那伊藤施出一種狠毒行

硬將咱國財政權柄奪手　作甚事伊藤不與錢與銅　他國人無故打傷好人命

62

又奪了咱國巡警權一宗　審判權他倆也是攬在掌　咱國裏君臣誰也不去爭

是權力全都歸了伊藤手　咱這國想要保全怕不能　這都是伊藤一人想的道

將咱國人民當的好苦情　我的兒你今回家看一看　日本人現在實據了不成

岳懷嵩說罷上前後一片話　到把那岳公眼睛活氣紅

話說岳公又聽他父親說了一片國家失權的話氣的他心驚肉跳睛暗的說道伊藤這個賊

呀無論何時非將他刺死不可好解我心頭之恨若不然這口怨氣何時出呢你看他主意以

定就在家中住了兩日這日去上雲府拜見元首談了一會就到那冠本良之屋說兄長我今

天有件事情相求本良說賢弟有何事情只管講來何必拘之呢岳公說我想求你做幾個炸

彈子本良說你要那個做甚麼呢岳公遂將要刺伊藤之事對他一學本良說這事恐怕是不

容易岳公說做成了得便就刺了不得便就罷本良說你候幾天我與你做三個也就夠用了

於是岳公回去等了三天本良與他做了三個炸彈這本良他怎麼能會作炸彈呢皆因他在

美國住了三年醫學專科所以他會做本良將炸彈做成了交與岳公這岳公得了炸彈就想

上漢城刺伊藤去正是

　　准備雲弓射猛虎

　　　　　　安排香餌釣鰲魚

畢竟不知後事如何且聽下回分解

蕭象先生述

繡像英雄淚卷四

第二十二回

侯元首為徒殞命

冠本良微服出奔

話說冠本良將炸彈遞於岳公岳公接過一看這兩個炸子。是用一條藥綫連在一處每個有一個酒杯大外面用黃銅葉包着裏邊藏着鋼子與炸藥那條藥綫通在裏邊岳公看完對着本良說道兄長你做這個炸彈怎麼與我在美國看見那個不一樣呢本良說怎麼不一樣岳公說我在美國看見那個無有這條藥綫本良說這是新出的樣子賢弟你不知道我對你說上一說

那個無有這條藥綫本良開言道

賢弟你是聽

提起這炸彈

實在令人驚

那一年日俄開仗首山搶挑了那三千多個敢死兵空着手首山以上降俄國一個個口中藥綫吱咯嘣那三千餘人也都喪了命想要用就得哈出活性命對着賊人用牙咬打不準自己先喪命殘生岳公他聽罷本良一片話

日本人屢次不能佔上鋒將炸彈每人胸前揣一個俄國人以為他們無改更只聽那炸子咔叭一齊响傷了那俄國兵丁好幾營他們個個領至大營內這炸彈就是仿照日本樣炸子也得揣在胸打準了賊人必得死賢弟你千萬想一想你看他開言有語話從更

到後來做出這種炸藥彈將藥綫含在口中不放鬆自能犯火响咕咚別拿着性命當非輕兄長呀咱們國恥實難忍

綉像英雄淚

要不刺伊藤心不平
要是能將伊藤活刺死
我情願一死方休照簡青
做事情縱若時時加子細
反到使家中老幼不安甯
岳公說是我記下了
岳公他拿着炸彈轉家中

哈哈出我這把生靈骨
也算是韓國人民福氣生
本員說賢弟既然意已定
一漏洩機關就了不成
賢弟呀這個事情非小可
本員說你要記住就算行
押下此事且不表

探探那黃河幾澄清
縱是事情不成我命死
我還有幾句言語向你明
那時節事情不成還招禍
別拿着這話當作耳傍風
說話之間天色晚
再說那統監名伊藤

話說伊藤自從將高麗審判權奪在手中以後他就催了些個高麗人在外邊打聽韓國人民
的形勢這一日有一個探子從平壤回來說是平壤百姓氣勢狠兇那農夫婦女全都會與
你國人作對還有報紙在外面鼓吹現時又有人立了宣講所天天在那勸化呢伊藤一聽這
個消息暗自想道平壤民氣如此兇猛又有用報紙鼓吹的有用宣講所講自治的像這樣他
們那民智那有個不開化他們那民智若都像平壤百姓那樣高麗國不是得不到了手了嗎
我不如望平壤走一蹚一來探探那邊的民氣到是如何二來將他那鼓動人民的那個人與
他消滅了他們的民氣若不免可就不怕啦主意一定先與他國駐平壤的領事打一封電去
讓他在那邊安排公舘接待這封電一發到他那領事那處他那領事名喚振東三郎當日接
了這封電信就在他領事衙門裏安排下公舘預備着好接伊藤這個風聲一傳就傳到岳公

的耳邊。岳公一聽伊藤要上平壤來，暗自忖道：我正愁刺他無隙可乘，今日他要望此處來，我何不在這南門外伺候他，以過之間我就將他刺死，豈不是解了我心頭之恨嗎。於是又將這個事情告訴於寇本良得知，本良說：這道狠有機會，你千萬要小心。岳公的意思狠堅，他也無可如何，只得聽去吧。由是岳公坐上快車，可就捕夺着平壤走下來了。

這伊藤坐上快車出漢城，分出了馬隊步隊兩路兵。馬隊頭兵丁拿着九音號，跑起來披噠扑噠馬蹄聲，出漢城威威烈烈往前走。

說書何用那些工，振東三郎接出二十里，讓過去馬隊上前就行出，三炸彈一齊暴裂望外打，那彈子未曾傷着他身形。

你看他前呼後擁好威風，出城來帶領一千護衛隊，後有那五百步隊護軍行，快車子四面玻璃照人眼，好一似北辰高掛眾星共。論走也得半個月，這一日到了平壤地界中，岳公他早在門裏把他候，那炸彈唉叹一聲了不成，該着那伊藤博文命不盡，又炸死趕快車人兒一名。

頭前裏笛跑開三百快馬隊，步隊兵左右前後把車護，人與馬飢食渴飲不稍停，簡斷捷說來的快，打死了護衛兵丁人九個，先炸死行刺人兒名岳公，在嘴裏藥綫用牙只一咬，一齊的勾奔南門要進城。

不表單說伊藤發電後探。

중국인 집필 안중근 소설 II-영웅의 눈물

綉像身宏法　卷四

二

護衛隊將車圍個不透風　將死尸抬到領事館　巡警慌忙望前跑　伊藤也進了公館中

大夥兒一齊說是有刺客

看見岳公死尸靈

振東三郎過來把驚道

話說岳公見伊藤他自已讓炸子先崩死真是可惜後來伊藤炸死那知道他那護衛軍多

未曾傷着伊藤車子過來他急忙將藥綫咬開只誠想來伊藤想到了公館令人驗岳公的尸看看

他是用何物行刺驗尸之人驗了一會回來言道那人是炸彈行刺看他口中含有藥綫並且

他還是崩死的伊藤一聽這話道這人是姓甚名誰並且他這炸彈行刺國人也不能會讓他

製其中必有原故再說此人要想行刺不能他一個人我想要將此城中之鼓動百姓與這個

他的黨羽可得用個其麼法能知道尋思一會忽然計上眉峯說我何不催這日來了一個二十歲的人

與我訪聽要是有人打聽着實填我給他五百元錢他國人見財就能替我辦事主意已定遂

將這事告訴於振東三郎振東三郎領着見伊藤伊藤命通事問他說你姓甚名誰將那刺客的原因並他

見振東三郎就催伊藤伊藤命通事問他說你姓甚名誰將那刺客的原因並他

的黨羽一一的說來那人對着通事可就講起來了

那個人站在那邊開了聲　尊了聲通使老爺聽分明　我小子姓關名字叫關富　行刺那些事兒我知的清

有一個外號叫作一包膿　家住在南門以外東胡術　行刺那些事兒我知的清

他的家與我離不遠　他的名字叫岳公　他師傅姓侯名元首

在雲府教書誨童蒙

侯元首他在家中開報館

還有那冠氏本良人幾名

岳公他一心要把統監刺

就是那元首本良與岳公

侯元首有個使人叫李九

所以我才知内裏那情形

五百元錢快快給我

岳公的同學也有十幾個
前幾年一齊遊學赴美京
專講究勸化百姓救生靈
今年裏岳公遊學回家轉
冠本良在這城中立宣講
著天裏講究自治瞎咕喂
冠本良與他作了一宗物
這事情我窩知道人三個
我怎麼能知他們是同黨
這裏頭有個原因在其中
我二人本是八拜好實朋
這事情全是李九對我講
這本是三三見九實情話
並無一句虛言來假告誦
我好與李九分贓飲劉伶
那通事聽罷關富一些話

話說那通事聽罷關富一片言語遂對伊藤一說伊藤又讓通事問那侯元首冠本
他這才對這伊藤把話明
良現在那裏通事又問關富說在雲在霄府前門房報館裏住著。通事又對伊藤以學伊
滕遂與關富五百元錢派了十幾名巡警讓關富領著去上雲府拿冠本良侯元首二人以
外又多給關富十元錢作為酬勞關富得了錢遂領著巡警上雲府拿人這且不表再說這
事衙門有一個茶童名喚林中秀本是韓國人原先在侯病報館内當過茶童皆因家貧元首
常周濟他後來因為別的原故不在那處就上日本領事衙門與那振東三郎當日聽
關富說元首與岳公是一黨他就知道伊藤一聽這話必不能干休他偷著跑到元首報館這

繡像英雄淚　卷四

時侯元首正與本良在那閒論。伊藤這次來不知為熟事。又見林中秀歇歇喘喘跑進來說

你二人快逃命吧。元首說因為甚麼。林中秀說伊藤自從岳公刺他以後他就常常打聽岳公

的黨羽今天有一個關富貪了五百元錢說你二人與岳公一黨並把那做炸彈之事全都通

了我想日本人不久就要派人來拿你二人。來了要不速逃恐怕性命難保本良說事到其通

就得梁梁為妙。元首說可也是遂急忙備上一匹馬也靡顧拾道煞。元首騎馬本良步行

逃難而去那林中秀也不回領事衙門自己去了。單說關富領着巡警到了街口撞着李九從

那邊來關富說他二人在家沒有李九說我早晨出來的方才迎着他二人慌慌張張望東

兆去了你們倆快趕去吧。才走不遠關富一聽可就領着巡警捕奔東兆趕下來了。

這關富本是一個古董星。
硬說是元首本良要革命。
不着那林氏中秀把信送。
闗富他才領着巡警東行兆

他二人一見勢不好。
坐下馬忽然跌倒地流平。
冠本良邁開大步望前跑。
只剩下元首死尸臥道中

只為那五百元錢把壞生。
賊關富領着巡警報錧去。
他二人性命一個保不成。
他二人方才出了北門外。

急忙忙往前跑個凶。
眾巡警後邊開鎗打。
你看他一溜栽花影無踪。
可憐他一腔豪氣從今盡

對着那振東三郎把話講
要捉那元首本良人二名。
賊李九從中又把壞來使
又聽的後邊人馬喊連聲。

該着元首一命運盡。
可惜著那元首一命歸陰城。
本良他逃命不知何處往。
可憐他滿腹經綸今日傾

再不能鼓動學生遊美國
少一個保國圖存大英雄
可嘆他教練農備鄉勇
可嘆他飄零在外好幾冬
種種的憂國憂民苦心志
到把那恢天志氣落場空
縱然是五百元錢將你買
要得着生喫他肉也不嫌
這些事咱們押下且不表

再不能飛行報紙化摹生
可嘆他從小伶仃命運苦
可嘆他奇峯山上打賊丁
可嘆他降志辱身及祖帳
落了個鎗穿肚腹血淋身
恨只恨賊子關富貪財賄
也不該拿着仇人當恩公
象遠個狼心狗肺誰不恨

韓國裏今日死了侯元首
可嘆他心志堅固赴美京
可嘆他保全重根母子命
可嘆他巧言義說金有聲
數十年英名一旦附流水
害的那元首義士好苦情
這麼人咱們中國也不少
得到手就當把他性命玩

話說關領着巡警將侯元首打死又去趕寇本良那寇本良兩條快腿他們那能趕的上單說伊藤聽說將侯斃元首尸首交於猴東三郎關富自己去了說是此二人雖是刺我到韓用棺槨成殮了由着元首以死本良心中甚是快樂送將岳公侯斃二人的節義國兩個志士我不能不張大他二人的以逃那平城裏具宣講所報舘全都無了那不表單說雲府與岳家將他二人的棺槨領來各人拉到各人家裏伊藤越發的放心了住了一個多月就回了漢城接在府中好好的茶奠祭奠他那些門人朋友都前來哭吊後來選塊吉地埋葬起來

繡像安重根　卷四

時人有詩解俟元首曰
雖事未成身殉命　身悲國弱血心競
尚留忠義照韓京　無過韓人元首公

話說雲府將元首埋葬以後。歸至家中光陰荏苒不覺過了新年。這日雲老夫人正在書房觀
書只見家人呈上一封信是從那裏來的。且聽下回分解。

第二十三回
安志士韓國平恩師　　雲在岫義倡愛國會

話說雲夫人這日正在書房觀書只見家人呈上一封信來他接過來一看外皮上寫着是從
美國來的逐啓了封簽從頭至尾可就看起來了。

上寫着叩稟父母尊前聽
敬稟者孩兒名喚雲落峯
願父母膝下金安身康健

願父母福祉多綏神氣清
孩兒我於今離家五六載
在外邊每愚父母淚盈盈

一二年本艮回家捎過信
趕以後永遠未捎信一封
現如今我們全都畢了業

安重根榜上列了第一名
我大彩畢業全是最優等
昨日裏領了畢業大文憑

不久的就要裝回家轉
過不去三月就能到家中
望参娘不要苦苦把兒盼

咱居家不久就能得相連
右寫着闔家老幼均安泰
左寫着愚兒落峯燈下冲

雲夫人看罷落峯來的信
你看他急急忙忙後宅行

話說雲夫人在宵看完了書信急忙上了後宅見了老夫人跟安母說道咱們那些遊學生不久要
家來了安母急忙問道有信怎的在宵遂將落峯信中之話以學安母說道我兒今日可有還

家之信了。又聽畢業考的是第一把個安母樂的無所措手足了。那雲老夫人說妹妹從今後

別念誦你那重根長重根短了。安母說不但是我就是嫂嫂你也不必念誦盼望你那落峯兒

了。大家談笑了一氣就專專等他們還家。這且不表單說金有聲李相窩諸人畢了業領了文

憑掘了幾天大夥全收拾了一齊催上火車回家。趕到海岸又上了火船。飢食渴飲非只一日

這日到了仁川一齊下了船催了幾輛馬車將東西搬在車上李相窩對着大衆說道咱倆大

家到了家可千萬要在社會上作事。斷不可貪圖富貴把遊學的目的扔在一邊。大家一齊說道

兄長不必多勞我們斷不能廣希富貴忘了國家

各上了車子而去單說安重根雲落峯幾人坐上車子夜宿曉行不日到了平壤各回各家重

根等到了雲府全家相見歡天喜地談了此一路的景況說了些美國的政治這時候趙適中

孫子奇聽說他們回來也前來相睄大家會在一處談了一會侯珍說我叔父跟冠老兄往那

裏去了雲落峯安重根也說道可是怎麼不見他幾人呢孫子奇說要問他幾人你們不要燥

急聽我慢慢的道來

孫子奇未從開口帶悲容

尊了聲你們三位聽分明

那伊藤在咱國中統監升　　咱高麗歸那日本國保護

用巧言買動咱國大元老　　將權力全都奪在他手中

這權力一歸伊藤不要緊

最可嘆咱國人民受苦情　　他行出別樣壞事還可忍

青天白日姦淫婦女實容

那一年岳公妻妹把親串　　遇見了日本賊人來行凶

繡像安應七　卷四

他妻妹因為這個喪了命
才惹起他那心機火一重
到後來伊藤來此把事辦
炸彈子未曾傷著他身形
岳公他身被炸彈活崩死

趕到那岳公回來眼氣紅
求本良與他作子三炸彈
岳子他理伏在這南門東

又加上咱國權力歸日本
一心要刺那統監名伊藤
該著那伊藤老賊命不盡
落了個寬仇未報喪殘生

說你不要燥急我一句的一句的道來
他三人一聽這個話兒說到我說岳公遊學的二十餘人未等作事先傷了
著那伊藤呢真是使人遺恨
淚呀雲落峯說岳公既然如此我那本良哥哥與咱們先生他二人可是那裏去了呢孫子奇

岳公他怎麼未來原來如此真是可惜那炸子怎麼就薧崩
一位真是讓人傷心落

孫子奇復又開言把話明
你三人不要燥急仔細聽
也不知何人對那伊藤講
又說那炸彈原是本良造
遂派了十數個兒巡警兵
這時候有人到此把信通
他二人出離北門去逃難
一鎗兒將咱先生活打死
冠本良逃難不知奔何程
一個堡足捶胸放悲聲
他三人一聽元首喪了命
這個說我兄不知何處去
那一個哭聲叔父未見面
伊藤呀害的我國好苦情
最可嘆先生一命歸陰城
這一個哭聲叔父不相逢
一齊的指著漢城潑口罵
為什麼我國權力你尊去
為什麼讓你國人來行凶

咱先生在這城中開報館
說先生他是岳公黨一名
上雲府來就把他二人攻
後有那無數巡警兵

王一

為什麼好淫我國好婦女

我高麗將久玩於你手中

看起來這個冤仇何日了

淚珠兒點點滴滴濕前胸

為什麼監理才政警權爭

重根說我父母當年受了日本害

他三人哭一氣來罵一氣

種種的行凶作惡真可恨

侯珍說不著那個能外邊

他這才走上前來勸一聲

話說他三人越哭越痛雲夫人急忙上前勸道你三人不要哭了元首已經死了哭也無益如養養你們的神思想個方法保全咱這國家與元首報仇要緊他三人被雲夫人勸了一會人心不哭侯珍又向子奇問道我叔父既被巡警打死後來怎樣呢他三人遂將伊藤怎麼還買這才雲夫人怎麼接來理莊於何處對他學了一遍重根說先生死帶咱們遠些情算是無以報了明日預備下點祭禮到他的墳墓上哭吊哭盡盡咱們心不好嗎落峯等說那怎不好呢於是大家又說了些國家事情遂各自散去到了次日安重根雲落峯侯珍雲氏叔侄一共五人拿了點祭禮帶了一個家人到在元首墳上一看孤坟三尺荒草四圍心中甚是悲慘重根急命家人擺上祭禮他五人一齊點香行禮坐在地下可就哭起來了

眾英雄點香已畢坐在塵

白瞎你一腔熱血滿腹經綸

你的那扶國雄心不能展

豈不是黃泉遺恨百年存

一個個兩眼捕蘇滾滾痕

前幾年尚在平壤開報館

落了個西風飄飄蕩孤魂

師傅呀你死一身只顧你

哭了聲元首恩師死的苦

至而今身歸黃土起孤坟

與國家未能立功身先死

讓我們往後作事靠何人

74

229

繡像英雄淚　卷四

侯珍說叔父代我恩情重
那知道叔父一命歸陰陽
重根說師傅於我恩更重
念書時教我費心格外深
看起來師傅你死非為別
我必然除去老賊把冤伸

正是　他五人哭元首

看起來苦命之人誰像你
在美國僅僅採了五六載
都是那賊子統監伊藤博文
提起來實在不能報一分
只誠想回國團圓把叔奉
從小裏時保護我的身
尋思起真是讓人痛傷心
奇峯山救過我們母子命
師傅呀你怎麼不等我報恩
伊藤賊與我冤仇深似海
雲落峯眼淚滴滴濕衣襟

那邊鄉在岫落峯號啕哭。又只見遠遠來了四位人。

話說安重根等五人正是在那裏痛哭元首。只見遠遠來了四人。走至進前一看。乃是金有聲、黃伯雄、克在天、錢中飽四人。他四人一齊說道：你們來怎麼不與我四人一個知會呢。說完了。遂也坐在那裏痛哭一場。哭完了。一齊站起攝數一會。這才一齊轉回家中。採了兩天。這一天有孫子奇、趙適中、蕭鑑三人前來造訪。雲在岫接至屋中坐下。在岫說：正想要請你幾人去呢。孫子奇說：請我們作其麼。在岫說：你們不知道，現在咱們已經回國，這些日子也得想著作點事才好呢。孫子奇說：長有何高見，請當面言講言講。要是好咱們就張羅去辦豈不好嗎。在岫說：既然如此，聽我道來。

雲在岫未從開口喜洋洋　尊了聲列位兄弟聽其詳　咱大家美國留學五六載
今年裏才得畢業轉家鄉　現如今到家已經數十日　還得要謀方畫策保家邦

咱大家要是不去就把力用  這个國不久就要見滅亡  想當初咱們說過開民智
今日裏還得去從那個方  咱國中人民已有數百萬  要去作也非容易事一樁
我想要在這城中立下個  請咱那諸位同學到這鄉  大家夥同心努力把事辦
立下個愛國大會在平壤  在會中人人盡把責任負  勸化咱各處人民保家那
全國人要是全存愛國意  咱這國或者不至被人亡  這主意你們看看可不可
要可行就此撒帖往各方  將咱那同學之人全請到  在會人各盡責任化愚氓
他幾人一齊說道是甚好  咱們就各處撒帖聘賢良
在岫說此道既然能行這  咱有聲說道可也是呀這個會所準得我個
避靜處才好呢孫子奇說  那先不忙等把他們請來再作定奪吧在岫說是對於是就罵了些
個帖子望各方撒起來了

好一個雲氏在岫小英雄  他一心要倡愛國會一宗  四方裏撒的帖子無其數
要請那遊學美國眾賓朋  劍木轄來了陳氏兄哥兩  在漢城來了李樑蕭合李
李相窩李俊也來到  還有那李範名周莊曹存  咸鏡漢城的英雄全來到
又來了安平此道眾英雄  金洪疇高雲便在頭裏走  一齊進了平壤這座城
吳佐車騎着快馬也來到  後跟着述白二弟兄  他諸人一齊到了雲府外
雲在岫慌忙讓至待客廳  大廳裏分罷賓主落下坐  畫童兒獻上幾個小茶盅

主賓茶罷把話講

眾英雄聽說岳公喪了命　說了些多日不見相思情　相寫說怎麼不見本狠毒

範兒說岳公齎弟何處行　雲在岫見他二人把話問　遂把那上項之事說分明

趕何時將這老賊性命坑　一個個手指漢城罵伊藤　齊說道破壞我國都是你

咱大夥趕緊立這愛國會　替我國黎民百姓出出氣　替我那屈死朋友報冤橫

咱還得張羅立會是正經　成立時好去刺這老賊丁　有聲說你們大家別急燥

話說李相寫等正然痛罵着伊藤全有聲說你們不要如此急燥咱還得是張羅着立這會才是

呢雲在岫說現在咱們人一共有二十六位了要想只辦方才所說那件事準得在避靜處立

會才好有聲說何妨差人去上外邊訪訪呢一個避靜處在岫說這也道不錯遂差孫子奇雲

落峯去上外邊訪聽地方二人丟了兩天回來說道我二人出去訪察地方事情也湊巧離此

三十餘里就訪察着了那處名叫留雲浦西面有一山名叫落雁山在那山傍有一座房甚是

避靜這房是留雲浦劉福慶的我二人見了劉福慶以說那老爺請願讓咱們白住你們看

這事堂不是好嗎在說既然有了會所咱們就搬在那裏去吧大家說是好這才一齊搬到

那裏把那愛國會立妥舉李相寫為正會長金洪暐李範兒二人副之其他皆為會員會既成

五各任責任安重根侯珍雲落峯情願去刺伊藤堯莅天雲在岫蕭鑑吳佐車四人管四路調

察打聽消息事韓氏兄弟陳氏兄弟曹存亭俊六人管倡辦鄉團事錢中飽黃伯雄李瑋鐘李

樹薦雲落峯五人管各處宣講自治事金有聲堯在天跟三位會長管開報館事趙適中高雲孫子奇周莊四人管製造物品勸化人民講求實業事當日眾英雄各有責任調查員又連合了復仇會及雪恥會由是平壤地界的人民讓眾英雄們勸化的狠好專等打聽伊藤出行的消息好去行刺這且不表單說韓國這個時候李熙皇帝讓位給太子隆熙封李完用為內閣總理大臣伊藤一看韓國換了皇上李完用當朝他就看出韓國不能與了可就想起瓜分中國的事情了遂辭了統監之職以曾禰荒助為統監自己坐船歸國仍在朝當寧相遶日日皇升殿伊藤出班奏本正是

經營朝鮮還未已　　　又來中國起風波

畢竟不知伊藤說出什麼話來且聽下回分解

第二十四回

安志士中途逢故友　　　伊相國哈埠受凶災

話說伊藤上至金殿山呼已畢日皇設下一把金交椅命伊藤坐下伊藤謝恩坐於交椅以上日皇說道愛卿歸國未發一笑今日上得殿來有何本奏伊藤說老臣一日不死不敢一日忘了國家今日上殿還是為的國家大事我主在上洗耳聽微臣道來

伊藤俟未從開口笑吟吟　　尊了聲我主在上聽原囚　　臣本是西京一個讀書子

無甚麼經濟才幹在本身　　蒙見愛召進京城作百宰　　臣自愧無甚學問佐聖君

因此才歐美諸邦去游歷　　担悞了十餘年的好光陰　　回朝來籌備立憲謀變法

全國裏君臣上下煥然新　　都只為我主待臣恩情厚　　臣這才竭盡愚忠報聖君

繡像英烈沾　　卷四

為高麗為臣廢了千條計
那塊地將來不久歸咱們
中國人北著高麗強百倍
看一看他那人民怎樣心
考一考河山地勢其麼樣
然後再安排歌項運動人
我的主今日准了臣的本
若不然永遠不能放下心
一路上公費支銷由你便
提防著強盜刺客與賊人
說單了別駕行護行回府去
各官員餞行護送奔橫濱
分付聲攏攬輪船上了岸
話說伊藤攏攬至旅順出船上岸一見當年日俄開仗之地事雖微倖成功傷害多少生靈不由
幸盡悲來心中甚是悲慘遂題詩曰。
渤海灣頭新戰場　兩軍忠骨土猶香　恩讐所致非私怨　追弔當年轉斷腸

好容易尊他權力買他心
從今後不用在那把心費
細思想不是容易就瓜分
訪一訪諸般政治好不好
察一察人煙戶口合莊村
慢慢的將他權力謀到手
到明天安排舟車就起身
日皇說愛卿為國心使碎
有事情快打電報早知聞
伊藤說我主不勞多懸掛
晚景過轉眼就到第明晨
由橫濱上了火船奉天奔
猛看見日俄戰場好酸心

十年上韓國政府咱買透
費心機善把中國去瓜分
臣有心南北滿洲去遊歷
探一探官吏因循不因循
將中國種種情形全知道
東三省咱與羅斯平半分
為臣的一死方休算報國
理應當准你所奏隨你心
只因卿機關險詐人深忌
臣自然時時防備加小心
帶從人坐上快車出京去
這一日水路行程到旅順

79

此處已歸掌握並不停留調察臨行又有詩曰

秋提辭家赴遠程　蟲聲唧唧雁南行
明朝渤海波千尺　滿目蕭然嘆縱橫

伊藤題罷詩句進奉天盤桓幾日又由大連灣上了火車直奔長春無論到在何處全有中外國的官用心接待在長春遊覽了幾日又想上哈爾濱這且不表單說高麗愛國會的調察員蕭鑑幾人天天在外訪查伊藤出門的消息這日聽說他遊歷滿洲已經出京他幾人急忙回到會上對着李相窩一說李相窩說要刺伊藤這個機會狠好安重根說這事不虛我明日就由元山上火船奔海參威去刺這隻國主謀的對頭相窩道這事關係不小成不成性命先得搭上你能豁出來麼重根說男兒生在世上要能為國家報仇這個性命可道算個甚麼伊藤賊與咱仇深似海咱要不報這仇有何高目立於人間大哥不必過慮小弟非去不可要不能刺死此賊永遠不回本國亡身恐怕老母難捨不允重根說咱們五人的時候我担任行刺的事已經稟過老母我母說孩兒要能除了咱國仇人娘也就不受你的身了我兒得了機會自管去吧這事武母早已說我兒既然立志捨不愛你的身了相窩說既然如此事不宜遲明日就可前往重根說正是遂又向雲來峯侯珍二人竟應許了相窩我一人前去行刺恐怕不便二位兄長帮我走走才好他二人一齊答應道賢弟即不說我兩也是要去重根說好好於是各人帶了一程七星手鎗懷了一些籽母三人扮作成日

80

繡像英雄淚　卷四　八一

本模樣當下收拾一畢。大家談一宿。到了次日用錢行飯完了。三人拿了手銃帶了盤費告別

出行眾人含淚送別。正是萬般悲苦事。死別共生離。好難捨的狠哪

眾英雄挨手送出大門庭
願此去賢弟馬到成了功
事成了賢弟必然把命捨
你真是韓國第一大英雄
說罷了一齊跪在流平地
就死在九泉以下也心明
他眾人叩頭一畢抬身起
小弟我忠心耿耿不改更
相窩等目送無影方回去
他三人乘坐輪船撲正東
去煩詞簡斷挍說來的快
專等那伊藤來到把刺行

話表安重根三人來至哈爾濱下了火車我了一個雅素客棧搬進去住在一個單房暗打

聽人說伊藤才到長春他三人店中等候白天上街閒走忽見路南樂鋪內站着一位高麗人

一個個滿面悽慘帶愁容
賢弟呀要果作成這件事
咱兄弟分手就在今日中
來來來受我大夥三叩首
重根說諸公不必這樣行
諸公們好好安排保國道的
保全咱韓國不亡是正經
兄弟我要能刺死伊賊子
盡一盡咱們同學義氣情
你真是浩氣凌雲入難比
算與咱韓國人民報寃恨
齊祝告重根舍生去行刺

一個個淚珠點點濕前胸
一躬身辭別分手登古路
他三人談談論論往前行
到在那海參威手把船下
後跟着侯珍相伴雲落峯
重根說諸位請回多保安
上火車延路又往西北行
這一天到在碼頭元山地
下火車又蕭靜的招商店
這一天到了哈爾濱江城

好象寇本良走至近前正是他三人本良見他三人到此慌忙讓到屋中坐下問道你們幾時節

回國到此有何事情重根一看跟前無人遂把幾時回國到此大事對他說了一遍本良說

事狼好我要不為刺這老賊那能到此重根說兄長逃走以後怎麼到此本良說日人將師傅

打倒了我見事不好就捨了師一陣好跑跑了一氣聽聽後邊沒動靜我這才慢慢而行行了兩

日到了奉天在奉省探詢了幾天遇見咱國幾個商人上此處作生意的我這才跟了他們到

了此處他們開了一個木梳鋪我幫了他賣貨重根說我們常訪兄長下落無人知道今日在

了點藥在此處閒了一個藥館於今一年有餘了重根說我們常訪兄長下落無人知道今日在

此相逢宣天天緣有幸本良說你們在店裏住之甚是不便不如搬到我這來重根說那到狠

好本良令人同他們回店將三人的行裝搬在藥鋪後夜間又用炸藥與他們加料做成幾

個籽母重根帶着天天上車站等候伊藤這一天是日本明治四十二年十月二十四日我國

宣統元年九月十三日伊藤坐着特別客車來到哈爾濱一時中國官日本官俄國官全接俄

國巡警排列車前中國軍樂也去伺候安重根雜在日本堆中商民齊看人聲喧譁好不熱鬧

哇

好一位日本謀臣伊藤公　　這一天坐了火車到哈城　　驚動了中外各國眾官弁

俱都是火車站上去接迎　　那一邊站的中國軍樂隊　　這一邊站的俄國警察兵

來了那交涉局的劉總理　　日領事川上小池人二名　　俄國的度支尚書人一個

可可維夫胉本是他的名
安重根雜在日本人羣內
慌了那中外各國官與兵
中外的官員上前去接見
說道是有勞列位來接見
手中裹拿出七響鎗一桿
只見那伊藤倒在地川平
俄國兵見他不祥圍上去
衆兵丁將他送到衙門中
但只見前胸打進兩彈子
他亡年正在六十零九歲
請來了日俄兩國大醫生
然後的一封電奏到東京
這一回路途之中被了刺
所以才忠烈俠義不能容
將伊藤棺槨送回本國去

外有那日本人民無其數
這時間正在上午九點鐘
伊藤他火車來到站上了
又聽的軍樂洋洋眛耳鳴
那伊藤慌忙下了客車中
走向上與各官員起禮見
未提防人羣擠出一後生
忽聽的嗑嗑嗡响七下
他這裏正與各官把話講
對準了伊藤博文就行兇
川上君右膀一上把傷受
小池君左腿一上胃鮮紅
捉住了重根刺客不肯鬆
刺客他大喊三聲韓萬歲
衆日人看見伊藤倒在地
急慌忙上前扶起驗身形
渾身上血星點點令人驚
吩咐人急可抬至領事館
衆醫生方才來至領事館
那伊藤已竟嗚呼歸陰城
他亡年正在六十零九歲
都只為他的心膓太毒狠
再不能統監外國弄謠計
再不能暴虐韓民不太平
也算是為國爲民喪殘生
領事官無奈含悲先成殮
將刺客打在木籠四車內
跟靈車一同送到奉天城
將靈車一同送到奉天城
將刺客送在旅順審判廳
審判官坐在上邊開審問

叫一聲行刺之人你是聽
我今日事已作成遂心志
擬下個抵常之罪梟首刑
這才算韓國英雄第一位
再把那本良三人明一明

我問你因為甚麼來行刺
但願之早早賜我歸陰城
法場上含笑就刑真傑士
落下個名標青史永無窮

重根說替我國家報冤恨
審判官再三鞫訊無別供
就死後神色不變面如生
咱這裏撇下此事且不表

話說他三人見重根那時刺了伊藤。喜出望外。打聽解送旅順。拋了藥舖後趕而去。候着重安根斬訖。復開盜屍成殮。送回平壤。會上一見。又悲又喜。喜的是伊藤已死。悲的是重根已亡。他大家哭奠一番。擇地安葬。賣其老小而已。論伊藤是謀臣。不足為忠。專務競吞。不行仁義。不恩守國安民。只想奪地戕生。有詩歎曰

弱國強吞事可傷　弔君何必苦爭忙　只因貪戾行欺詐　功未成時身滅亡

又曰

暴虐從來不久存　秦吞六國漢平秦　只興有道伐無道　好惡擡人災又身

又讚美安重根詩曰

報國雄心盈宇宙　忠君正氣貫韓京　於今皓月臨皓骨　普照千秋仰大名

話說李相窩心等葬完重根回到會上去了。單說伊藤的棺槨回到東京。日皇帥領滿朝文武官。接出十里之外。到了家中。發喪已畢。理葬起來。封其子文吉襲男爵。光陰似箭。日月如梭不知

繡像安重根傳　十一

繪像英雄淚　卷四

不覺的又過了新年那一年就是宣統二年宣統二年春天日本將韓國統監曾備荒助換回
派寺內正毅前去作統監這一日韓國忽然起了一個大暴動要問這個暴動是其麼且聽下
回分解。

第二十五回　李完用賣國求榮　金洪轉敗兵逃走

上回書說韓國起了一個大暴動這個暴動是其麼呢列位有所不知只因韓國統監寺內到
韓國時也是日日想法將韓國滅了這日忽然想出一個道來自已說道韓國君臣無道那百
姓又全然不一個心反對他們政府的狠多我今日何不上他那政府去商量著將日本韓國
合在一處名曰一國假說替他們保全自安的名目以籠絡他那君臣他也不敢不從就
是這個主意遂坐上車到了韓國政府門外下車早有人報於李完用等李完用等聽說慌忙
接出堂來讓至客廳分賓主坐下使人戲上茶來喫茶已畢完用向寺內說道統監無事不能
到此今日到此有何軍國大事相說呢寺內說我今日到此所辦的事情可真不小但是與你
國也狠有利益語公不知聽我道來

這寺內坐在那邊開了腔　尊一聲列位大人聽其詳　你國家政治頹靡民氣弱
全仗着我國與你作主張　是政治全得歸於我們管　我國人費了多少苦心腸
為你國我國化了多少欵　替你國安排政治保家邦　你的國現今不算獨立國
別的國待你韓人太不良　咱兩國不如合併在一處　是政治全都推於我皇上

我皇王上替你國人把事理，
你皇上安然無事把福享。
從今後我國人民高聲價，
什麼事不用你們作主張。
從今後你國君臣得安康，
廣在那高樓以內享清福，
諸公們看看此事可不可。
過這村恐怕沒有這個店，
這本是保全你國第一方。
寺內他說罷合併一些話，
又聽的完用那邊訴短長。
要可行條約之事再商量，
我心中早已量過這一椿，
我國人常常怨恨我大彭。
完用說這個事情道狠好，
外面的名聲實在不堪講，
早晚的就要承把我們傷。
說我們不曾辦事竟遭殃，
到不如跟著你國合了邦。
寺內說這事東然要辦安。
奸臣洺反正我們算被上，
我管保俸祿銀子不能少，
我一定不能撒謊把人誆。
我管保諸公永久在朝堂，
皇統監不必常常掛心上，
說罷了寺內告辭回衙去。
完用說急忙上殿見韓王，
山呼舞交椅以上落了坐，
把那事對著韓皇奏其詳。
李完用一聽合併這句話，
吓的他不由一陣心落慌。
高麗王一聽金殿將合併之事。對韓皇講了一遍極誇講合併如何之好。咱這國如此軟弱，終久不能強啦，不如襯着這個時候跟日本合成一國比然都強。韓皇說事出倉卒我也無有章程，你等幾天看看百姓如何。李完用聽韓皇之話，只得下殿回府。這且不表。單說漢城裏有一人姓李名喚容九，在漢城中刱了一個一進會。入會者也有三十餘萬人，他立這會豈為甚聲呢。其中有一個原故，韓國歸日本保護，在萬國公會上他的國列為四等國，他的百姓也就

繪像安重根傳／卷四

列為四等民了這李容九創會的意思是想要便韓國人為一等國民當日聽說日韓合邦這

個事情心中想道日本是一等國我們豈不是也成了一等國民了

嗎這個事情當以竭力贊成遂率領會中三十餘萬人在政府中遞了一件意見書呈說日韓

合邦有多大好處又各處勸化說是咱們要跟日本合在一處咱們百姓就全成了一等國民

了別的國也能高抬咱們那韓國百姓皆信以為然遂同上意見書送於政府贊成日韓合邦之

事寧完用見有好幾十萬民上意見書遂又奏於韓皇韓皇想只不應吧百姓們願意的狠多

大臣們全部願意日本人又逼的利害無奈將此事應了日本明治四十三年八月二十二日

日本統監寺內正毅韓國內閣總理大臣李完用在總督府寫了條約是凡韓國的政事

全歸日本去了韓國國號封韓國皇上為昌德公李王永遠不許辦韓國政事條約擬成二十

九日發布韓國從此可就亡了

都只為李氏完用狗奸倭

完用他以為好事就應從

明只說日韓合邦是好事

是土地全部在他掌握中

既說是日韓合邦求安泰

他君臣怎麼全為糊塗蟲

倒賣了高麗國的錦江洪

日本官發出合邦一意見

自古來無有這樣事一宗

是權力全都歸他政府內

去了那大韓國號兩個字

高麗王簡直變作一白丁

為甚麼隆熙受那日本封

這事情令人實在測不透

尤可恨昏庸領袖李容九

立一會創成亡國第一功

他想要使人勢力增多價
驚動了愛國會上眾英雄
對着那相寫諸人說一遍
大罵聲李氏完用狗娘生
滅了國你也未必得了好
我大家生喫你肉不嫌腥
齊說道國家已竟滅亡了

這件事好比畫餅把飢充
調察員打聽明白這件事
到把那眾位英雄眼氣紅
你也是高麗國中人一個
你為何暗助日本把事行
眾英雄說越惱越有氣
咱何不唉上死命爭一爭

他兩家合併條約一發布
忙到了愛國會上把信通
一個個手指漢城高聲罵
你也有父呀妻子弟與兄
奸賊呀有着一日護住你
一個個摩拳擦掌要行凶
他大家聲聲要把日本打

全洪疇口尊列位且稍停
話說愛國會諸位英雄聽說日韓合併。就要前去與日本作對全洪疇說咱大家且不要性急。
咱們要反對此事就咱這二十九人不能中用必得去到各處調齊了鄉團連合着百姓作起
事來見一個日本人殺一個然後再上漢城去殺統監寺內與那奸臣李完用要是將此二人
除治再破出死力與那日本人作對或者能將咱們國家保住現雲老大人在霄已經於去年
病故别的臣宰皆是奸貪要辦此事非連合百姓不可了。李範允道此說甚好事不宜遲咱們
就如此辦去罷金有聲說好。他大夥遂到了各處連合了四五十萬人馬男女鎗也摩有多少
都說要破出死命去打日本不幾天工夫就連合了
隊伍也整齊不了但是愛國血心氣象勇猛數日之間人馬齊備公推金洪疇為元帥他也不

# 중국인 집필 안중근 소설 II

## -영웅의 눈물

**원본**(原本)